Business Model Generation

ビジネスモデル・ジェネレーション　ビジネスモデル設計書

**A Handbook for Visionaries,
Game Changers, and Challengers**
ビジョナリー、イノベーターと挑戦者のためのハンドブック

著＝アレックス・オスターワルダー＆イヴ・ピニュール
共著＝45カ国の470人の実践者　　訳＝小山龍介

Co-created by:

- Ellen Di Resta
- Michael Anton Dila
- Remko Vochteloo
- Victor Lombardi
- Matthew Milan
- Ralf Beuker
- Sander Smit
- Norbert Herman
- Karen Hembrough
- Ronald Pilot
- Yves Claude Aubert
- Wim Saly
- Frank Camille Lagerveld
- Andres Alcalde
- Alvaro Villalobos M
- Bernard Racine
- Peter Froberg
- Lino Piani
- Eric Jackson
- Indrajit Datta Chaudhuri
- Jeroen de Jong
- Gertjan Verstoep
- Steven Devijver
- Jana Thiel
- Jeremy Hayes
- Alf Rehn
- Jeff De Cagna
- Andrea Mason
- Jan Ondrus
- Simon Evenblij
- Chris Walters
- Caspar van Rijnbach
- benmlih
- Rodrigo Miranda
- Saul Kaplan
- Lars Geisel
- Simon Scott
- Dimitri Lévita
- Johan √ ñrneblad
- Craig Sadler
- Praveen Singh
- Livia Labate
- Kristian Salvesen
- Daniel Egger
- Diogo Carmo
- Marcel Ott
- Atanas Zaprianov
- Linus Malmberg
- Deborah Mills-Scofield
- Peter Knol
- Jess McMullin
- Marianela Ledezma
- Ray Guyot
- Martin Andres Giorgetti
- Geert van Vlijmen
- Rasmus Rønholt
- Tim Clark
- Richard Bell
- Erwin Blom
- Frédéric Sidler
- John LM Kiggundu
- Robert Elm
- Ziv Baida
- Andra Larin-van der Pijl
- Eirik V Johnsen
- Boris Fritscher
- Mike Lachapelle
- Albert Meige
- Woutergort
- Fanco Ivan Santos Negrelli
- Amee Shah
- Lars Mårtensson
- Kevin Donaldson
- JD Stein
- Ralf de Graaf
- Lars Norrman
- Sergey Trikhachev
- Thomas
- Alfred Herman
- Bert Spangenberg
- Robert van Kooten
- Hans Suter
- Wolf Schumacher
- Bill Welter
- Michele Leidi
- Asim J. Ranjha
- Peter Troxler
- Ola Dagberg
- Wouter van der Burg
- Artur Schmidt
- Pekka Matilainen
- Bas van Oosterhout
- Gillian Hunt
- Bart Boone
- Michael Moriarty
- Mike
- Design for Innovation
- Tom Corcoran
- Ari Wurmann
- Antonio Robert
- Wibe van der Pol
- paola valeri
- Michael Sommers
- Nicolas Fleury
- Gert Steens
- Jose Sebastian Palazuelos Lopez
- jorge zavala
- Harry Heijligers
- Armand Dickey
- Jason King
- Kjartan Mjoesund
- Martin Fanghanel
- Michael Sandfær
- Niall Casey
- John McGuire
- Vivian Vendeirinho
- Martèl Bakker Schut
- Stefano Mastrogiacoo
- Mark Hickman
- Dibrov
- Reinhold König
- Marcel Jaeggi
- John O'Connell
- Javier Ibarra
- Lytton He
- Marije Sluis
- David Edwards
- Martin Kuplens-Ewart
- Jay Goldman
- Isckia
- Nabil Harfoush
- Yannick
- Raoef Hussainali
- Walter Brand
- Stephan Ziegenhorn
- Frank Meeuwsen
- Colin Henderson
- Danilo Tic
- Marco Raaijmakers
- Marc Sniukas
- Khaled Algasem
- Jan Pelttari
- Yves Sinner
- Michael Kinder
- Vince Kuraitis
- Teofilo Asuan Santiago IV
- Ray Lai
- Brainstorm Weekly
- Huub Raemakers
- Peter Salmon
- Philippe
- Khawaja M.
- Jille Sol
- Renninger, Wolfgang
- Daniel Pandza
- Guilhem Bertholet
- Thibault Estier
- Stephane Rey
- Chris Peasner
- Jonathan Lin
- Cesar Picos
- Florian
- Armando Maldonado
- Eduardo Míguez
- Anouar Hamidouche
- Francisco Perez
- Nicky Smyth
- Bob Dunn
- Carlo Arioli
- Pablo M. Ramírez
- Jean-Loup
- Colin Pons
- Vacherand
- Guillermo Jose Aguilar
- Adriel Haeni
- Lukas Prochazka
- Kim Korn
- Abdullah Nadeem
- Rory O'Connor
- Hubert de Candé
- Frans Wittenberg
- Jonas Lindelöf
- Gordon Gray
- Slabber
- Peter Jones
- Sebastian Ullrich
- Andrew Pope
- Fredrik Eliasson
- Bruce MacVarish
- Göran Hagert
- Markus Gander
- Marc Castricum
- Nicholas K. Niemann
- Christian Labezin
- Claudio D'Ipolitto
- Aurel Hosennen
- Adrian Zaugg
- Louis Rosenfeld
- Ivo Georgiev
- Donald Chapin
- Annie Shum
- Valentin Crettaz
- Dave Crowther
- Chris J Davis
- Frank Della Rosa
- Christian Schüller
- Luis Eduardo de Carvalho
- Patrik Ekström
- Greg Krauska
- Giorgio Casoni
- Stef Silvis
- ronald van den hoff
- Melbert Visscher
- Manfred Fischer
- Joe Chao
- Carlos Meca
- Mario Morales
- Paul Johannesson
- Rob Griffitts
- Marc-Antoine Garrigue
- Wassili Bertoen
- Bart Pieper
- Bruce E. Terry
- Michael N. Wilkens
- Himikel - TrebeA
- Robin Uchida
- Pius Bienz
- Ivan Torreblanca
- Berry Vetjens
- David Crow
- Helge Hannisdal
- Maria Droujkova
- Leonard Belanger
- Fernando Saenz-Marrero
- Susan Foley
- Vesela Koleva
- Martijn
- Eugen Rodel
- Edward Giesen

Marc Faltheim
Nicolas De Santis
Antoine Perruchoud
Bernd Nurnberger
Patrick van Abbema
Terje Sand
Leandro Jesus
Karen Davis
Tim Turmelle
Anders Sundelin
Renata Phillippi
Martin Kaczynski
Frank
Ricardo Dorado
John Smith
Rod
Eddie
Jeffrey Huang
Terrance Moore
nse_55
Leif-Arne Bakker
Edler Herbert
Björn Kijl
Chris Finlay
Philippe Rousselot
Rob Schokker
Stephan Linnenbank
Liliana
Jose Fernando Quintana
Reinhard Prügl
Brian Moore
Gabi
Marko Seppänen
Erwin Fielt
Olivier Glassey
Francisco Conde
 Fernández
Valérie Chanal
Anne McCrossan
Jose Alfonso Lopez

Eric Schreurs
Donielle Buie
Adilson Chicória
Asanka Warusevitane
Jacob Ravn
Hampus Jakobsson
Adriaan Kik
Julián Domínguez Laperal
Marco W J Derksen
Dr. Karsten Willrodt
Patrick Feiner
Dave Cutherell
Edwin Beumer
Dax Denneboom
Mohammed Mushtaq
Gaurav Bhalla
Silvia Adelhelm
Heather McGowan
Phil Sang Yim
Noel Barry
Vishwanath
 Edavayyanamath
Rob Manson
Rafael Figueiredo
Jeroen Mulder
Manuel Toscano
John Sutherland
Remo Knops
Juan Marquez
Chris Hopf
Marc Faeh
Urquhart Wood
Lise Tormod
Curtis L. Sippel
Abdul Razak Manaf
George B. Steltman
Karl Burrow
Mark McKeever
Bala Vaddi
Andrew Jenkins

Dariush Ghatan
Marcus Ambrosch
Jens Hoffmann
Steve Thomson
Eduardo M Morgado
Rafal Dudkowski
António Lucena de Faria
Knut Petter Nor
Ventenat Vincent
Peter Eckrich
Shridhar Lolla
Wouter Verwer
Jan Schmiedgen
Ugo Merkli
Jelle
Dave Gray
Rick le Roy
Ravila White
David G Luna Arellano
Joyce Hostyn
Thorwald Westmaas
Jason Theodor
Sandra Pickering
Trond M Fflòvstegaard
Larsen
Fred Collopy
Jana Görs
Patrick Foran
Edward Osborn
Greger Hagström
Alberto Saavedra
Remco de Kramer
Lillian Thompson
Howard Brown
Emil Ansarov
Frank Elbers
Horacio Alvaro Viana
 Di Prisco
Darlene Goetzman
Mohan Nadarajah

Fabrice Delaye
Sunil Malhotra
Jasper Bouwsma
Ouke Arts
Alexander Troitzsch
Brett Patching
Clifford Thompson
Jorgen Dahlberg
Christoph Mühlethaler
Ernest Buise
Emilio De Giacomo
Franco Gasperoni
Michael Weiss
Nathalie Magniez
Francisco Andrade
Arturo Herrera Sapunar
Vincent de Jong
Kees Groeneveld
Henk Bohlander
Sushil Chatterji
Tim Parsey
Georg E. A. Stampfl
Markus Kreutzer
Iwan Schneider
Linda Bryant
Jeroen Hinfelaar
Dan Keldsen
Damien
Roger A. Shepherd
Morten Povlsen
Lars Zahl
Elin Mørch Langlo
Xuemei Tian
Harry Verwayen
Riccardo Bonazzi
André Johansen
Colin Bush
Jens Larsson
David Sibbet
Mihail Krikunov
Edwin Kruis

Roberto Ortelli
Shana Ferrigan Bourcier
Jeffrey Murphy
Lonnie Sanders III
Arnold Wytenburg
David Hughes
Paul Ferguson
Frontier Service Design,
 LLC
Peter Noteboom
Jeaninne Horowitz Gassol
Lukas Feuerstein
Nathalie Magniez
Giorgio Pauletto
Martijn Pater
Gerardo Pagalday Eraña
Haider Raza
Ajay Ailawadhi
Adriana Ieraci
Daniël Giesen
Erik Dejonghe
Tom Winstanley
Heiner P. Kaufmann
Edwin Lee Ming Jin
Markus Schroll
Hylke Zeijlstra
Cheenu Srinivasan
Cyril Durand
Jamil Aslam
Oliver Buecken
John Wesner Price
Axel Friese
Gudmundur Kristjansson
Rita Shor
Jesus Villar
Espen Figenschou-
 Skotterud
James Clark
Alfonso Mireles
Richard Zandink

Fraunhofer IAO
Tor Rolfsen Grønsund
David M. Weiss
Kim Peiter Jørgensen
Stephanie Diamond
Stefan Olsson
Anders Stølan
Edward Koops
Prasert Thawat-
 chokethawee
Pablo Azar
Melissa Withers
Michael Schuster
Ingrid Beck
Antti Äkräs
EHJ Peet
Ronald Poulton
Ralf Weidenhammer
Craig Rispin
Nella van Heuven
Ravi Sodhi
Dick Rempt
Rolf Mehnert
Luis Stabile
Enterprise Consulting
Aline Frankfort
Alexander Korbee
J Bartels
Steven Ritchey
Clark Golestari
Leslie Cohen
Amanda Smith
Benjamin De Pauw
Andre Macieira
Wiebe de Jager
Raym Crow
Mark Evans DM
Susan Schaper

Business Model Generation by Alexander Osterwalder & Yves Pigneur

Copyright©2010 by Alexander Osterwalder All Rights Reserved.
Japanese translation rights arranged with John Wiley&Sons International Rights,Inc.
through Japan UNI Agency,Inc.,Tokyo.

本書を推薦する言葉

"オスターワルダー（著者）たちはこれまで
　さまざまにあったビジネスモデルの考え方を
　シンプルな形にまとめ、実践に即した
　スタンダードを生みだした。"

一橋大学名誉教授
野中郁次郎

"ソニー、トヨタをはじめとする社員が、
　翻訳される前から読者会を開催、熱中する本は、
　ドラッカーでも現れなかった。
　バラバラにしか見えなかったビジネスの全体像が、
　この本で、悔しいぐらいにわかってしまう！
　私が、2011年に読んだ本の中で、ベストです。"

マーケッター、作家
神田昌典

起業家精神の持ち主ですか？

☐ はい　　☐ いいえ

新しいビジネスを構築する方法や、
組織を改善、変革する方法を
考えて続けていますか？

☐ はい　　☐ いいえ

時代遅れのビジネスを置き換える
革新的なビジネスの方法を求めていますか？

☐ はい　　☐ いいえ

質問に"はい"と答えたあなた、私たちのグループへようこそ！

あなたは、ビジョナリー、イノベーター、
そして時代遅れのビジネスモデルを拒絶し、
明日の企業のかたちをデザインしようとしている
チャレンジャーのためのハンドブックを手にしています。
これはビジネスモデルを生み出すための本です。

今日、多くの革新的なビジネスモデルが
登場しています。古い産業が廃れ、
まったく新しい産業が生まれています。
新興企業は、既得権益を守る古い企業に挑戦し、
古い企業は、自分自身を改革するため、
無我夢中で格闘しています。

あなたの組織のビジネスモデルが、
今から2年後、5年後、10年後には、
どうなっているか想像できるでしょうか。
市場を支配しているでしょうか。
新しいビジネスモデルを手にして、
競合企業に立ち向かっているでしょうか。

この本は、あなたのビジネスモデルの本質について深い洞察を与えてくれるでしょう。伝統的なモデルや最先端のモデルのダイナミクスやイノベーションの技法、競争の激しい環境の中でのモデルのポジショニング、組織のビジネスモデルの再設計の進め方について紹介しています。

みなさんが気付かれるとおり、確かにこの本は、典型的な戦略やマネジメントの本ではありません。知っておくべきことの本質を素早く、シンプルに伝えるため、視覚的にデザインされています。サンプルは絵を使って表現され、コンテンツはすぐに使用できるよう、演習やワークショップのシナリオで補完されています。これは、ビジネスモデルのイノベーションについてビジョナリー、イノベーター、挑戦者のために、実用的なガイドを作ろうと考えた結果であり、また、使う喜びを感じるような美しい本にしようと努力した結果でもあります。私たちが楽しんで作ったのと同じくらい、楽しんで使っていただけたら幸いです。

この本にはオンラインコミュニティが存在し、内容を補完してくれています（後に分かるとおり、本の制作に不可欠でした）。ビジネスモデルイノベーションは急速に発展している分野なので、さらに詳しい情報や、新しいツールをオンラインで提供しています。この本を共同で制作したビジネスの実務家や研究者の世界的なコミュニティに参加することを、ぜひ検討してみてください。そのコミュニティであるHUBでは、ビジネスモデルについての議論に参加したり、他人の洞察から学んだり、著者によって提供される新しいツールを試すことができます。詳しくは、ビジネスモデルのHUB（www.BusinessModelGeneration.com/hub）をご覧ください。

ビジネスモデルイノベーションは、まったく新しい分野というわけではありません。ダイナースクラブの創設者は1950年にクレジットカードを導入したとき、ビジネスモデルイノベーションを実践しました。同じことが、1959年、コピー機において枚数単位でのコピー決済システムを導入したゼロックスで行われています。ビジネスモデルイノベーションをずっとたどっていくと、15世紀、ヨハネス・グーテンベルクが発明した活版印刷機の活用にまでさかのぼります。

しかし今日のような、業界を一変する革新的なビジネスモデルの規模とスピードは、過去に例がありません。起業家、経営陣、コンサルタント、学者にとって、途方もない進化の影響を理解するべき時期が来ているのです。そして今まさに、ビジネスモデルイノベーションの課題を理解し、系統的に取り組んでいます。

究極的に、ビジネスモデルイノベーションとは、企業、顧客、そして社会のために、価値を生み出すことだと言えます。またそれは、古いモデルの交換でもあります。iPodとiTunes.comによりAppleは革新的なビジネスモデルを作り出し、オンライン音楽市場を支配する企業へと生まれ変わりました。Skypeは、ピアツーピア技術をもとに構築された革新的なビジネスモデルによって、安い国際通話料金とSkype同士の無料通話を実現しました。現在、国際音声通話の世界最大のキャリアにまでなっています。Zipcarは、有料会員制度の下、オンデマンドで借りられるレンタカーを提供することにより、都市生活者を自動車所有の呪縛から解放しました。これは、新たなユーザーニーズと環境問題に対する、ビジネスモデルからの応答です。グラミン銀行は貧しい人々にマイクロレンディングを普及させるという革新的なビジネスモデルを通じて、貧困緩和を支援しています。

しかし、どうすれば体系的に、強力な新しいビジネスモデルを発明、設計、実装することができるのでしょうか。どうすれば、古い時代遅れのモデルに対して疑問を投げかけ、挑戦し、変革できるのでしょうか。現場にいながら、先を見通すようなアイデアをもとに、ゲームのルールを変えるビジネスモデルを生み出すにはどうすればいいのでしょうか。本書はその答えを示すことを目指しています。

この本を書くために、新しいモデルを採用したのは、実際に練習するほうが教えられるよりもよく伝えられるからです。ビジネスモデルイノベーションのHUBに集まった470人ものメンバーは、ケース、サンプル、原稿への貴重なコメントなどで貢献してくれ、心温まるフィードバックもいただきました。こうした出版にまつわる経験については、最後の章をご覧ください。

ビジネスモデル
イノベーションの
7つの顔

上級エグゼクティブ

ジャン＝ピエール・クオニ
EFGインターナショナル会長

**フォーカス：古い業界に新しい
ビジネスモデルを打ち立てる**

ジャン＝ピエール・クオニは、業界で最も革新的なビジネスモデルをもつプライベートバンク、EFGインターナショナルの会長です。EFGにおいて、銀行、顧客、マネージャーの伝統的な関係を変えようとしています。既存のプレイヤーのいる保守的な産業において、革新的なビジネスモデルを構想、作り上げ、実行していくことは一種の芸術であり、これはまさにEFGインターナショナルに求められているものでもあります。

社内起業家

ダグフィン・ミーレ
Telenor社 R&Iビジネスモデル部門長

**フォーカス：最新の技術開発を正しい
ビジネスモデルへと活用する支援**

ダグフィンは、世界の10大携帯電話会社のひとつであるTelenor社のビジネスモデル部門を統括しています。通信部門は、継続的なイノベーションが求められ、ダグフィンの取り組みによって、最新技術の可能性を引き出す持続可能なモデルを特定し、理解することができるのです。業界動向の深い分析と、開発と最先端の分析ツールを使用して、ダグフィンのチームは新しいビジネスコンセプトとビジネスチャンスを探求します。

起業家

マリエル・シジャーズ
CDEFホールディングBV 起業家

**フォーカス：満たされない
顧客ニーズに取り組み、そこに
新しいビジネスモデルを構築する**

マリエル・シジャーズは、本格的な起業家です。ビジネスパートナーであるロナルド・ヴァン・デンホフと一緒に、革新的なビジネスモデルによって、会合や会議、ホスピタリティ業界を改革しようとしています。満たされない顧客ニーズに基づき、二人は会議室を直接予約ができるSeats2meet.comなどの新しいコンセプトを生み出しました。彼らは一緒になって、常に新しいビジネスモデルのアイデアを作り、可能性の高いコンセプトをもとに、ベンチャー企業を立ち上げています。

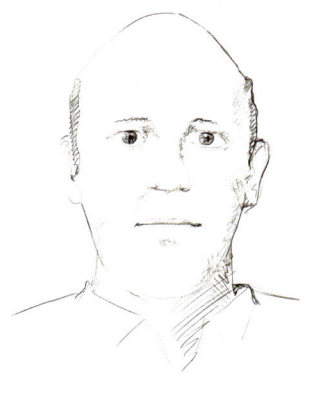

投資家
ガート・スティーンズ
Oblonski BV 社長 投資アナリスト

**フォーカス：最も競争力のある
ビジネスモデルをもつ企業に投資する**

ガートは、最高のビジネスモデルを見分けることで生計を立てています。間違ったモデルをもつ企業への投資は、顧客に何百万ユーロもの損害を与え、彼の評判にも影響します。新しい革新的なビジネスモデルを理解することは、彼の仕事の重要な一部なのです。彼は通常の財務分析にとどまらず、競争力の源泉となる戦略的な違いを見つけるため、ビジネスモデルを比較します。ガートは、常にビジネスモデルイノベーションを求めています。

コンサルタント
バス・ヴァン・オースタハウト
キャップジェミニ・コンサルティング
上級コンサルタント

**フォーカス：クライアントがビジネス
モデルの問題を発見し、
新しいモデルを構築するのを助ける**

バスは、キャップジェミニのビジネスイノベーションチームの一員です。クライアントと一緒に、イノベーションを通じたパフォーマンスの向上と競争力の刷新に、熱心に取り組んでいます。ビジネスモデルイノベーションは、顧客のプロジェクトと深く関連しており、今や仕事の重要な要素になっています。彼の目的は、アイデア発想から実装まで、新しいビジネスモデルでクライアントを刺激し、支援していくことです。これを達成するために、バスは、業界を問わず、最も強力なビジネスモデルについて理解したことをスケッチします。

デザイナー
トリッシュ・パパダコス
The Institute of You 個人事業主

**フォーカス：革新的な製品を
世に出すための正しい
ビジネスモデルを見つける**

トリッシュは、アイデアの本質を把握し、クライアントに伝えることができる有能な若手デザイナーです。現在、彼女自身のアイデアである、キャリアチェンジを支援するサービスに取り組んでいます。数週間にわたる徹底的な調査のあと、今はデザインに取りかかっています。トリッシュは、そのサービスを市場に導入するには、適切なビジネスモデルの把握が必要だと気付いています。彼女は、クライアントが触れる部分——それは彼女がデザイナーとして日常的に取り組んでいる部分ですが——については、理解しています。しかし、正式なビジネス教育は受けていないので、全体像を把握するための語彙やツールが必要です。

誠実な起業家
イクバル・クアディール
社会起業家 グラミンフォン創造者

**フォーカス：革新的なビジネスモデル
を通じて、プラスの社会的、
経済的変化をもたらす**

イクバルは、深い社会的影響をもたらす可能性のある革新的なビジネスモデルに、常に目を光らせています。彼の変革モデルは、グラミン銀行のマイクロクレジットのネットワークを活用し、1億人以上のバングラデシュ人に電話サービスを提供しました。彼は今、貧しい人々に手頃な価格の電力サービスを可能にする新しいモデルを探しています。MITレガタムセンターの責任者として、経済的、社会的発展につながる革新的なビジネスを通じて、技術による社会的地位向上を推進しています。

Contents 目次

この本は5つの章にわかれています。❶ビジネスモデルのキャンバス。これはビジネスモデルを記述、分析、デザインするツールです。❷ビジネスモデルパターン。主要なビジネス思想家のコンセプトに基づいたパターンです。❸ビジネスモデルをデザインするのに役立つテクニックを扱います。❹ビジネスモデルのレンズを通じて戦略を再解釈します。そして❺革新的なビジネスモデルをデザインし、すべてのコンセプト、テクニック、ツールを統合する包括的なプロセスを提案します。●最後のセクションは、5つのビジネスモデルのトピックに関する未来の展望を示しています。○最後、あとがきでは、本書の「なりたち」について、ご紹介します。

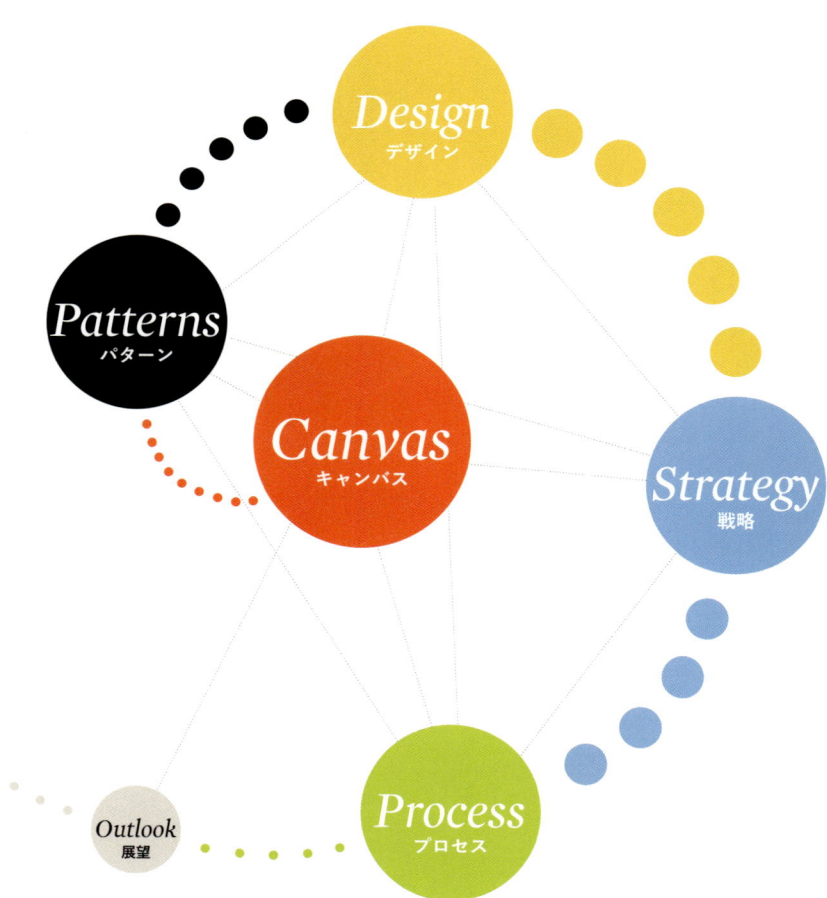

❶ *Canvas* キャンバス

14 ビジネスモデルの定義
16 9つの構築ブロック
44 ビジネスモデルキャンバス

❷ *Patterns* パターン

56 アンバンドルビジネスモデル
66 ロングテール
76 マルチサイドプラットフォーム
88 ビジネスモデルとしての
　　フリー戦略
108 オープンビジネスモデル

❸ *Design* デザイン

126 顧客インサイト
134 アイデア創造
146 ビジュアルシンキング
160 プロトタイピング
170 ストーリーテリング
180 シナリオ

❹ *Strategy* 戦略

200 ビジネスモデル環境
212 ビジネスモデル評価
226 ブルーオーシャン戦略に
　　おけるビジネスモデル
232 複数のビジネスモデル運営

❺ *Process* プロセス

244 ビジネスモデルの
　　デザインプロセス

● *Outlook* 展望

262 展望

○ *Afterword* あとがき

274 この本はどのように
　　できあがったか
276 参考文献

Can

キャンバス

vas

11
Canvas

The Business Model Canvas

ビジネスモデルキャンバス

ビジネスモデルを記述、ビジュアライズし、評価、変革するための共通言語

14	ビジネスモデルの定義
16	9つの構築ブロック
44	ビジネスモデルキャンバス

[定義] ビジネスモデル

ビジネスモデルとは、どのように価値を創造し、顧客に届けるかを論理的に記述したもの。

ビジネスモデルイノベーションの出発点は、ビジネスモデルについての共通理解です。これがなければ議論ができません。全員が同じスタート地点に立ち、同じ言葉を使う必要があるのです。そのコンセプトは、シンプルかつ直感的に理解できる一方で、あまりに単純化しすぎてもいけません。

これから、あらゆるビジネスモデルを取り扱うことのできるコンセプトについて、説明します。このコンセプトは、すでにIBMやエリクソン[*1]、デロイト[*2]、the Public Works[*3]やカナダ政府など、世界中の多くの組織で使われ、その有効性が証明されています。

このコンセプトを共通言語として使えば、ビジネスモデルを簡単に表現し、活用できるだけでなく、新しい戦略立案もできます。逆にこのような共通言語なしには、ビジネスモデルについての仮説を検証することも、イノベーションを起こすこともできないでしょう。

このコンセプトは、4つの領域（顧客、価値提案、インフラ、資金）をカバーする、9つの構築ブロックで構成されています。このビジネスモデルは、組織構造、プロセス、システムを通じて実行される戦略の青写真となります。

*1 スウェーデンの通信機器メーカー。
*2 デロイト・トウシュ・トーマツ。世界四大会計事務所のひとつ。
*3 http://www.thepublicworks.biz/

9つの構築ブロック

CS
1 Customer Segments
顧客セグメント

必ずひとつ以上の
顧客セグメントに関わる
ことになります。

VP
2 Value Propositions
価値提案

ある価値提案によって、
顧客の抱える問題を解決したり、
ニーズを満たします。

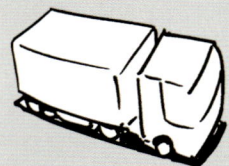

CH
3 Channels
チャネル

価値提案を顧客に届けるには、
コミュニケーション、流通、販売
などのチャネルが必要です。

CR
4 Customer Relationships
顧客との関係

顧客セグメントごとに
顧客との関係が構築、
維持されます。

R$

5 Revenue Streams
収益の流れ
顧客に価値提案が
届けられた結果、
収益の流れが生まれます。

KR

6 Key Resources
リソース
これまでにあげた要素を
提供するのに必要となる
資源のことです。

KA

7 Key Activities
主要活動
そしてもちろん、
実際の活動が
必要になります。

KP

8 Key Partners
パートナー
アウトソースされる
活動や、社外から調達
されるリソースです。

C$

9 Cost Structure
コスト構造
そのコスト構造によって、
ビジネスモデルの要素が
決まります。

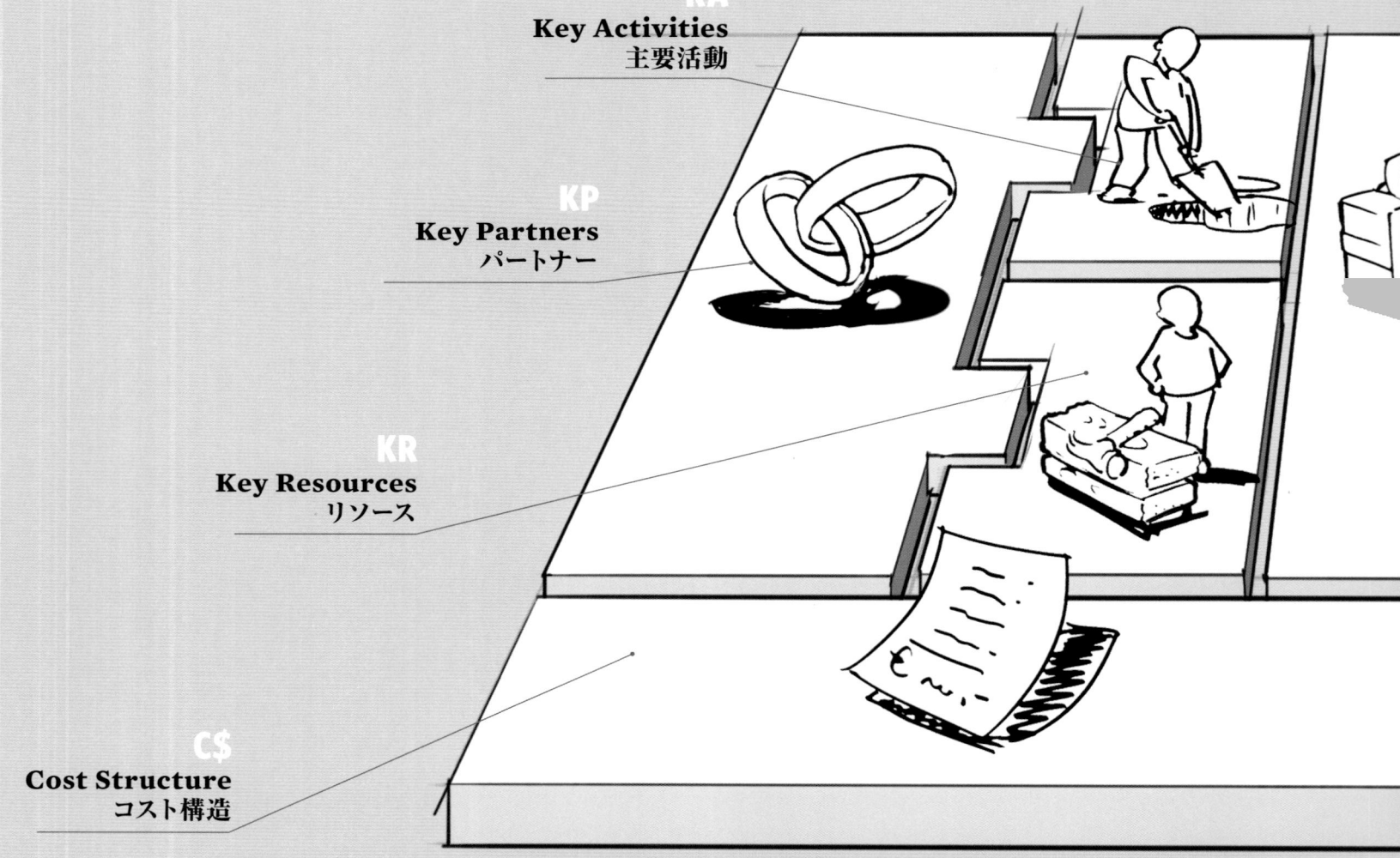

KA
Key Activities
主要活動

KP
Key Partners
パートナー

KR
Key Resources
リソース

C$
Cost Structure
コスト構造

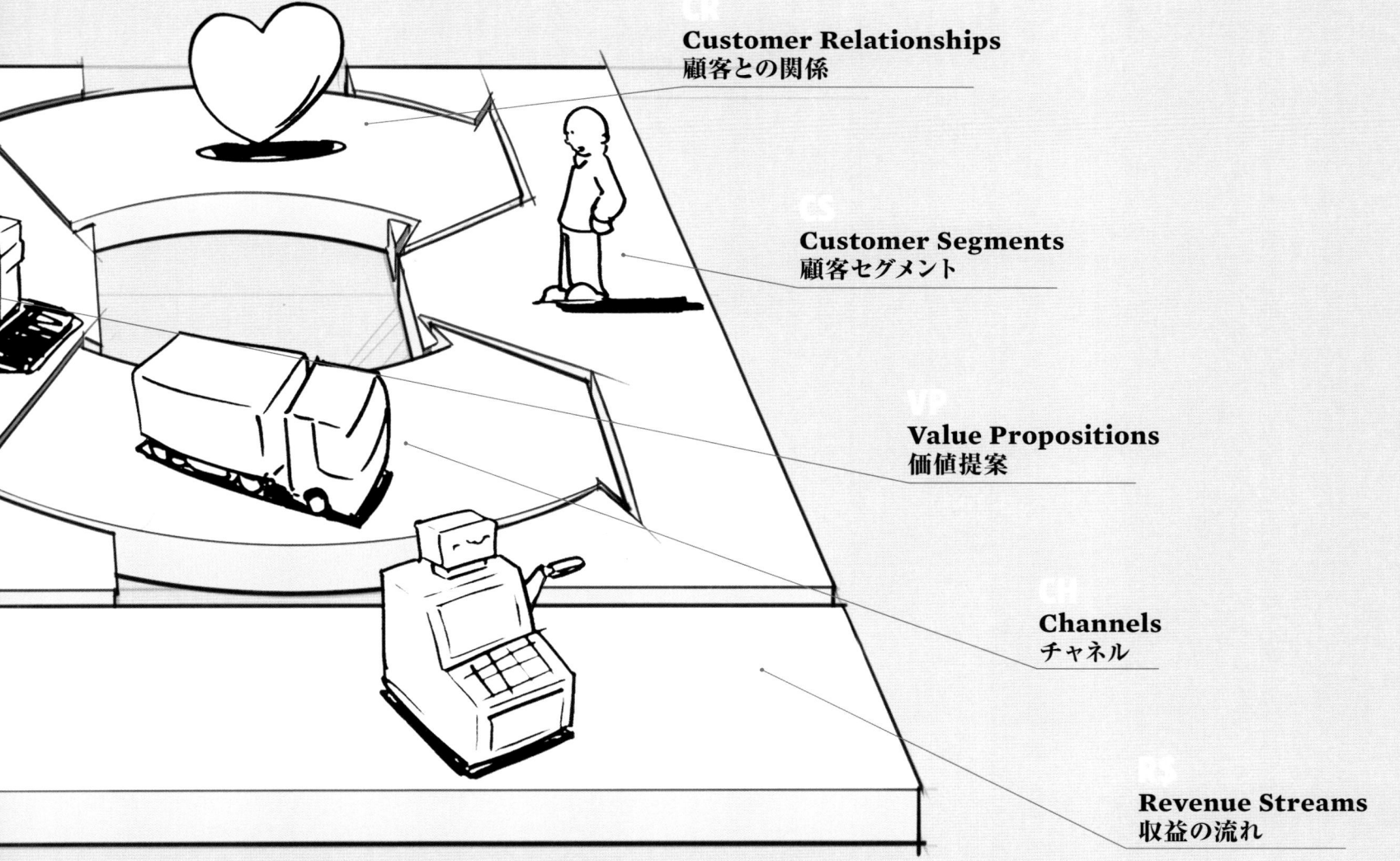

Customer Relationships
顧客との関係

Customer Segments
顧客セグメント

Value Propositions
価値提案

Channels
チャネル

Revenue Streams
収益の流れ

CS1 顧客セグメント

**顧客セグメントの構築ブロックでは、
企業が関わろうとする顧客グループについて定義します。**

顧客はビジネスモデルの根幹をなします。顧客なしに、企業は生き延びることはできません。その顧客を満足させるためには、まず、共通のニーズ、行動、態度によって、顧客をグループ化し、わかりやすくセグメント化することが重要です。そして、どのセグメントに関わり、どのセグメントを無視するのか決定するのです。ビジネスモデルをデザインするには、まず顧客セグメントを決め、そのニーズを深く理解することが不可欠です。

次のような場合、異なる顧客セグメントに分けたほうがいいでしょう。
- ニーズを満たすためには異なる提案が必要となる場合
- リーチするのに異なる流通チャネルが必要となる場合
- 異なるかたちの関係構築が求められている場合
- 収益性が大きく異なる場合
- 異なる部分に、お金を支払う意思がある場合

誰のために価値を創造するのか?
最も重要な顧客は誰なのか?

ここで、顧客セグメントの例をあげてみましょう。

マス市場

マス市場にフォーカスするビジネスモデルは、顧客セグメントを細かく分割しません。似たようなニーズで大きくグループ分けしたうえで、価値提案や流通チャネルを決め、関係を構築していきます。家電業界でよく見られるセグメント方法です。

ニッチ市場

ニッチ市場をターゲットにする場合、限られた顧客セグメントを相手にします。価値提案や流通チャネル、顧客との関係などはすべて、ニッチ市場の特殊なニーズに合わせて調整します。こうしたニッチな顧客セグメントはサプライヤーとバイヤーの関係において多く見られ、たとえば車部品メーカーが自動車メーカーの特殊ニーズに対応する関係がこれにあたります。

細分化

ニーズや抱えている課題の微妙な違いに応じて、セグメントを分けていくケースです。クレディ・スイスのような銀行のリテール部門では、たとえば10万ドル未満の中流層と、50万ドルを超える富裕層とに分けて考えます。この2つのセグメントでは、価値提案や流通チャネル、顧客との関係、収益の流れは当然、変わってきます。ほかにも、小型機械のデザイン、製造を行うマイクロプレシジョンシステムズでは、時計産業、医療分野、オートメーション分野の3つのセグメントに対し、それぞれ異なる価値を提案しています。

多角化

ニーズの大きく異なる、2つの顧客セグメントに関わるケースもあります。たとえば2006年のAmazon.comは、クラウドコンピューティングサービスの提供による多角化を決断しました。そのため、ウェブ会社という、これまでとはまったく異なる顧客セグメントに、まったく異なる価値を提供することになったのです。この多角化は、小売部門で持つ強力なITインフラを、クラウドコンピューティングサービスに転用することで可能となりました。

マルチサイドプラットフォーム

これは、複数の独立した顧客セグメントをもつケースで、たとえばクレジットカード会社は、クレジットカード保有者とカードが利用可能な小売店という、2つの顧客基盤が必要です。同様にフリーペーパー事業では、大きな読者基盤をもつことによって広告主を惹きつけ、制作と流通の費用を捻出する必要があります。この種のビジネスモデルをうまく機能させるためには、両方の顧客セグメントを充実させる必要があります(このマルチサイドプラットフォームについて、詳しくはP76へ)。

価値提案（バリュープロポジション）

価値提案の構築ブロックは、特定の顧客セグメントに向けて、価値を生み出す製品とサービスについて記述します。

価値提案とは、顧客の抱えている問題を解決し、ニーズを満たすもので、顧客がなぜその会社を選ぶのかという理由になります。価値提案は、特定の顧客セグメントが必要とする製品とサービスの組み合わせであり、企業が顧客に提供できるベネフィットの総体と言えます。革新的な価値提案もありますし、新しく破壊的な提案をするものもあります。また、既存製品に対して、追加機能を加えただけのものもあるでしょう。

顧客にどんな価値を提供するのか？
どういった問題の解決を手助けするのか？
顧客のどういったニーズを満たすのか？
顧客セグメントに対してどんな製品とサービスを提供するのか？

価値提案は、顧客セグメントに、ニーズに対応する要素を組み合わせて価値を創造します。
価値は定量的なもの（価格やサービスのスピードなど）と、定性的なもの（デザインや顧客の経験など）があります。

新奇性
そのニーズを満たすサービスがなかったため、顧客自身さえも気づいていなかった新しいニーズを満たすものもあります。これには技術が関連することもあります。たとえば携帯電話は、移動体通信分野において、まったく新しい産業を作り出しました。一方で、Ethical Investment Funds*のように、新しい技術とは関連しないものもあります。

*エシカルファンド：
道徳や倫理に問題がある企業を避け、
健全な社会に貢献する企業にのみ投資するファンド。

パフォーマンス
製品やサービスのパフォーマンスを上げることは、価値を生み出すための伝統的な手法です。パソコン業界ではこの手法により、よりパワフルなマシンを市場に投入しています。しかし、性能の向上も万能ではありません。最近では、スピード、保存容量、グラフィック性能といった要素では顧客の需要を喚起できず、成長が止まりつつあります。

カスタマイゼーション
個人や顧客セグメントが抱える特定のニーズに合わせて、製品やサービスをカスタマイズすることで価値を生み出します。近年、マスカスタマイゼーションや顧客との共創はより重要になってきています。製品をカスタマイズできると同時に、メーカーは規模の経済によるメリットも享受できるからです。

「仕事を終わらせる」（Getting the job done）

顧客の抱える仕事を手伝うことで、簡単に価値を生み出せます。ロールスロイス社はこのことをよく理解していて、ジェットエンジンの販売だけでなく、メンテナンスも請け負いました。その結果、航空会社はジェットエンジンを完全にロールスロイス社へ依存することになったのです。彼らは飛行機を飛ばすことに集中でき、代わりにエンジンの稼働時間に応じてロールスロイス社にフィーを支払うことになりました。

デザイン

製品を差別化できる優れたデザインは重要な要素ですが、計測が難しいのが難点です。ファッション業界や家電メーカーにとって、デザインは特に重要です。

ブランド

顧客は、特定のブランドを使い、人に見せることに価値を見出します。たとえばロレックスの時計は富を示し、スケートボーダーは、最新のアングラブランドを身につけ、彼らが流行の先端にいることを示します。

価格

低価格戦略は、価格に敏感な顧客セグメントのニーズを満たす一般的な方法ですが、ビジネスモデルにも影響を与えます。飾り気のないサウスウェスト、イージージェット、ライアンエアーは、低価格の空の旅を可能にするビジネスモデルをデザインしました。また、インドのコングロマリット企業であるタタがデザイン、製造した低価格自動車ナノによって、多くのインドの人が自動車を購入できるようになりました。ほかにも、無料新聞から無料電子メール、無料ケータイなど、さまざまな産業において無料提供の流れが広がっています（詳しくはP88のフリー戦略を参照）。

コスト削減
顧客のコスト削減に寄与することで価値を生み出すこともできます。セールスフォース・ドットコムは、顧客管理アプリケーションをASP販売しました。これによりアプリの購入、インストール、メンテナンスの費用や苦労から顧客を解放しました。

リスクの低減
商品やサービスの購入時に顧客が被るリスクを減らすことによる価値です。中古車購入者にとっては、一年のサービス保証は、購入後の故障や修理のリスクを減らすでしょう。また、ITサービスにおけるサービスレベルの保証は、アウトソースする際のリスクを減らしてくれます。

アクセスしやすさ
これまで製品やサービスを購入できなかった顧客にも利用できるようにすることで、価値を生み出す方法です。ビジネスモデルイノベーションや新技術の組み合わせから生まれます。ネットジェッツは、プライベートジェットの所有権を分割するコンセプトで人気となりました。投資信託も、購入しやすさが価値となった例です。中流層でも投資ポートフォリオを多様化できる革新的な金融商品です。

快適さ／使いやすさ
製品をより快適に、使いやすくすることは、大きな価値を生み出します。iPodやiTunesによって、Appleは顧客に、これまでにないほど快適な、音楽の検索、購入、ダウンロード、視聴の機会を提供しました。その結果、今なお市場を独占しています。

チャネル

チャネルの構築ブロックには、顧客セグメントと
どのようにコミュニケーションし、価値を届けるかを記述します。

コミュニケーション、流通、そして販売チャネルは、企業の顧客へのインターフェイスです。顧客とのタッチポイントであり、顧客の経験に重要な役割を果たします。
チャネルは次の機能をもちます。

- 企業の製品やサービスの認知度を上げる。
- 企業の価値を評価してもらう。
- 製品やサービスを購入できるようにする。
- 顧客に価値提案を届ける。
- 購入後のカスタマーサービスを提供する。

どのチャネルを通じて、顧客セグメントにリーチしたいか。
今はどのようにリーチしているのか。
チャネルをどのように統合できるのか。
どのチャネルがうまくいっており、
どのチャネルが最も費用対効果が高いか。
チャネルを顧客の日常と、どのように統合すればよいのか。

チャネルは5つのフェーズに分かれます。各チャネルはそれぞれ、この5つのフェーズをカバーし、
直接チャネルや間接チャネル、自社チャネルやパートナーチャネルなどに分類できます。

顧客満足につながる正しいチャネルミックスは価値提案を市場に届けるためにも重要です。組織は、自社チャネルを通じて顧客にリーチするのか、パートナーのチャネルを借りるのか、もしくは両方を活用するのか選ぶことになります。営業部隊やウェブサイトのような自社チャネルであれば直接リーチできますが、自社の小売店であれば間接的なリーチになります。他社の卸流通や小売店、ウェブサイトといったパートナーのチャネルも、当然、間接的なリーチとなりますが、選択肢も広がります。

パートナーチャネルは、利益率は低いものの、リーチを広げることができますし、パートナーの強みを活かすことができます。一方、自社チャネル、特に直接チャネルの場合は、利益率は高くなりますが、チャネル構築や運営にコストがかかります。こうしたさまざまなチャネルを正しく組み合わせるには、すぐれた顧客体験を構築し、同時に利益を最大化できるようなバランスを目指すといいでしょう。

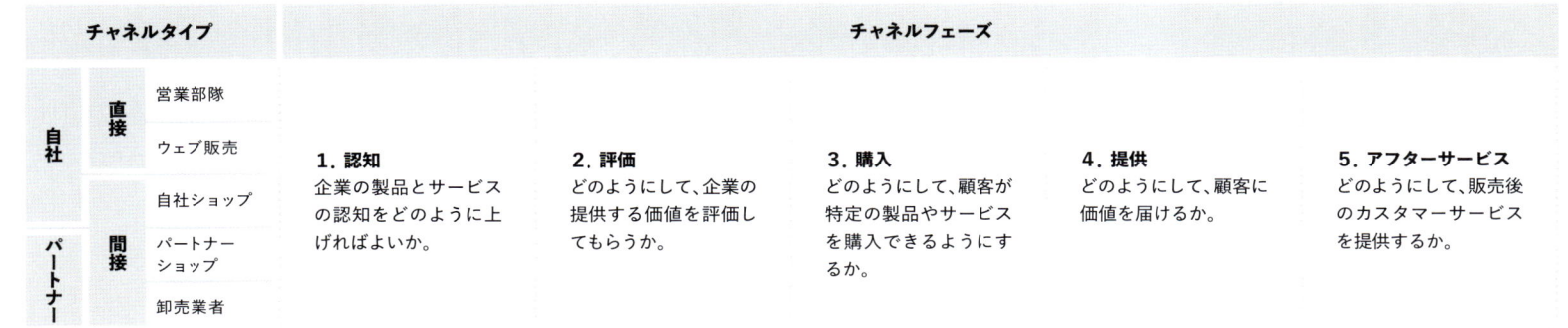

CR 4 顧客との関係

顧客との関係の構築ブロックでは、企業が特定の顧客セグメントに対して
どのような種類の関係を結ぶのかを記述します。

企業は、それぞれの顧客セグメントに対して、どんな関係を構築したいのかはっきりさせなければなりません。関係とは、パーソナルなものから自動化されたものまで、さまざまです。以下のような動機に基づき、関係が構築されます。

- 顧客獲得
- 顧客維持
- 販売拡大（より高価なものを販売するアップセリング）

たとえば、初期の携帯電話会社における顧客との関係は、無料の携帯電話を含む、積極的な顧客獲得を動機としていました。しかし市場が飽和すると、今度は顧客維持と顧客の平均収益にフォーカスするようになりました。顧客との関係は、企業のビジネスモデルによって定められ、顧客の経験全体に深い影響を与えていきます。

顧客セグメントがどんな関係を構築、維持してほしいと期待しているのか。どんな関係をすでに構築したのか。どれくらいのコストがかかるのか。ビジネスモデルの他の要素とどう統合されるのか。

顧客との関係は、いくつかのカテゴリーに分けられ、併用も可能です。

パーソナルアシスタンス
これは人のやり取りをベースにした関係です。顧客は顧客担当者とやりとりし、販売プロセスやアフターサービスが完了するまで助けてもらいます。販売の現場やコールセンター、電子メールなどを通じて行われます。

専任のパーソナルアシスタンス
専任の顧客担当者が応対する、もっとも深く親密な関係であり、通常は長期的にわたって構築されます。たとえばプライベートバンキングでは、資産を持つ顧客に対しては専任の銀行員が担当します。ほかのビジネスにおいても、重要顧客と個人的関係を維持するアカウントマネージャーなどが該当します。

セルフサービス
このタイプの関係においては、顧客と直接やり取りすることはありません。顧客が自分でできるよう、必要な手段をすべて提供します。

自動サービス
これは、より洗練されたセルフサービスと自動化プロセスを組み合わせたものです。たとえば、個人が入力したオンラインプロフィールによって、カスタマイズサービスが受けられる、といったことです。顧客の特性を認識することで、関連情報が提供できるのです。本や映画のおすすめ紹介などによって、パーソナルなやり取りを再現することもできます。

コミュニティ
顧客や潜在顧客へとさらに深く関わり、顧客同士のつながりを促進するために、ユーザーコミュニティを活用する企業が増えています。オンラインコミュニティによって、ユーザー同士が知識を交換し、お互いに問題解決ができるのです。また、コミュニティを通じて顧客への理解を深めることもできます。製薬会社大手のグラクソ・スミスクラインは、処方箋不要の新しいダイエット製品「アリ」を導入する際、プライベートオンラインコミュニティを立ち上げました。
　グラクソ・スミスクラインは、肥満の大人が直面する困難を深く理解し、顧客の期待をどのようにコントロールすればよいかを学びました。

共創
より多くの企業が、顧客と企業と伝統的な関係を超え、顧客と一緒に価値を共創しようとしています。Amazon.comは顧客をレビュー執筆に誘い、その結果、他の本好きの人たちのための価値を創造しています。ある企業では、革新的な製品をデザインするのを手伝ってもらうよう顧客に依頼をしています。ほかにもYouTube.comなどは、消費者に向けたコンテンツ制作をするよう誘っています。

収益の流れ

収益の流れの構築ブロックは、企業が顧客セグメントから生み出す現金の流れを表現します。
(この収益からコストを引くと利益になります)

顧客がビジネスモデルの心臓部なら、収益の流れはその動脈です。顧客がどんな価値にお金を払うのか、企業は自分自身に問わなければなりません。この問いにうまく答えられたなら、収益の流れを生み出せるでしょう。顧客セグメントによって価格メカニズムは異なり、固定価格、安売り、オークション、市場価格、ボリュームディスカウント、利益管理などがあります。

ビジネスモデルにおける収益の流れには異なる2つのタイプがあります。

1. 一見客による取引収益
2. 既存顧客への価値提案、もしくはカスタマーサポートによる継続支払いからなる二次収益

顧客はどんな価値にお金を払おうとするのか。
現在は何にお金を払っているのか。どのようにお金を払ってるのか。
どのように支払いたいと思っているのか。全体の収益に対して、
それぞれの収益の流れがどれくらい貢献しているのか。

収益の流れを生み出すための方法

資産価値のある商品の販売
よく知られている収益の流れは、製品の所有権の売却です。Amazon.comは本や音楽、家電製品などをオンラインで販売しています。フィアットは自動車を販売し、購入した人は運転はもちろん、転売したり破壊する権利すらあります。

使用料
サービスの利用に対する収益の流れです。サービスを利用すればするほど、支払いが発生します。電話会社は通話時間に対して請求します。ホテルは何泊宿泊したかによって、そして運送会社は荷物を運ぶ個数に応じて請求します。

購読料
継続的なサービスの提供による購読料モデルです。フィットネスではエクササイズの機器を、月会費や年会費を支払って利用します。オンラインゲームWorld of Warcraftでは、月額費用を支払ってゲームを楽しみます。ノキアのComes with Musicサービスでは、音楽ライブラリーにアクセスするために購読料を支払います。

レンタル／リース
資産を一時的に専有する権利に対する収益の流れです。貸し手は、同じ資産で繰り返し収益をあげられるメリットがあります。一方、借り手やリース利用者は、所有コストを全額負担するよりも、限られた時間の費用負担で済むメリットが享受できます。Zipcar.comはよい例です。クルマを時間単位で借りることができ、買うよりは借りたほうがいいと、顧客は判断しています。

ライセンス
ライセンス料と引き換えに、知的財産を利用させることによる収益の流れです。製品を製造したり、サービスを商品化しなくても、資産から収益を上げることができます。メディア産業では一般的で、コンテンツ所有者は著作権を保持しながら、第三者にライセンス使用させています。似たものにテクノロジー産業があります。特許保有者は、他の企業に特許で守られた技術の使用を許可することで、ライセンス料を受け取ります。

仲介手数料

関係者の利益になるよう仲介することで生み出される収益の流れです。たとえばクレジットカード会社は、消費者と小売店の間で行われる購入決済の手数料によって収益をあげています。ブローカーや不動産会社は、売買が成立した際にコミッションを受け取ります。

広告

この収益の流れは、特定の製品やサービス、ブランドを宣伝する広告料によるものです。メディア産業やイベント主催者は、伝統的に広告収入に依存しています。最近では、ソフトウェアやサービスなどの産業においても、広告収入に頼るようになってきています。

それぞれ、異なる価格メカニズムが存在します。
どの価格メカニズムを選ぶのかによって、
生み出される収益は大きく変わります。
価格メカニズムには主に、
固定価格と変動価格があります。

価格メカニズム

固定メニュー価格 統計的な変数に基づき、あらかじめ決められた価格	変動価格 市場の状況に基づいて変化する価格
リスト価格 個別の製品、サービス、価値提案に対する固定価格	**交渉による価格** 複数の関係者の間で交渉されて決まる価格で、交渉力やスキルなどによって変わる
製品特性に基づく価格 価値提案の量や質によって決められる価格	**利益率管理に基づく価格** 在庫状況や購入時期によって決められる価格 （通常はホテルや飛行機の座席など、保存のきかない商品に対して使われる）
顧客セグメントに基づく価格 顧客セグメントの種類や特徴によって決められる価格	**市場価格** 需給バランスに基づきダイナミックに決められる価格
量に基づく価格 購入する量によって計算される価格	**オークション** 入札の結果によって決まる価格

KR6 リソース

リソースの構築ブロックでは、
ビジネスモデルの実行に必要な資産を記述します。

どのビジネスモデルも、リソースが必要です。リソースがなければ、企業は価値を生み出すことも、マーケットにリーチし、顧客との関係を維持することも、そして収益を上げることもできないからです。どのようなリソースが必要となるかは、ビジネスモデルによって変わってきます。マイクロチップメーカーは、製造機器への多額の資本が必要ですし、マイクロチップをデザインする会社は、人的資源にフォーカスすることになるでしょう。

このリソースには、物理的なもの以外に、ファイナンス、知的財産権、人的リソースなどさまざまなものがあります。リソースは、会社によって所有されたり、リースされたり、またパートナーから購入されたりします。

価値を提案するのに必要なリソースは何だろうか。
流通チャネルや顧客との関係、
収益の流れに対してはどうだろうか。

リソースは、以下のカテゴリーに分けられます。

物理的なリソース
このカテゴリーは、工場や、ビル、車両、機械、システム、販売システム、流通ネットワークなどが含まれます。ウォルマートやAmazon.comのような小売業は物理的リソースに深く依存しており、資本が必要です。前者は世界中に強大な店舗ネットワークを持っており、後者は、高度なITや倉庫、流通インフラを持っています。

知的財産
ブランドや知的所有権、特許や著作権、パートナーシップ、顧客データベースなどの知的財産は、強いビジネスモデルの要素として、重要性が増しています。知的リソースは開発が難しいですが、うまく作り上げれば価値をしっかりと生み出してくれます。ナイキやソニーといった消費者向けの製品を作る企業は、ブランドというリソースに頼っています。

マイクロソフトやSAPは、長年かけて開発したソフトウェアに関連する知的財産に依存しています。クアルコムはブロードバンドモバイル端末のチップセットを設計し供給していますが、特許によって守られたマイクロチップの設計によるライセンス料によって支えられています。

人的リソース
どの企業も人的リソースが必要ですが、ひときわ重要となる分野があります。たとえば、知識集約的でクリエイティブな産業などがそうです。ノバルティスなどの製薬会社のビジネスモデルでは、経験を積んだ科学者とスキル豊かな営業部隊といった人的リソースによって成り立っています。

ファイナンスリソース
現金や融資限度額、優秀な社員を雇うためのストックオプションといったファイナンスリソースが求められるビジネスモデルもあります。通信メーカーのエリクソンは、ファイナンスリソースを活用している例です。エリクソンは銀行や金融市場から資金を調達し、その一部を設備投資への融資として提供することで、自社への発注を獲得しています。

主要活動

主要活動の構築ブロックは、企業がビジネスモデルを実行する上で必ず行わなければならない重要な活動を記述します。

主要活動もまた、ビジネスモデルには欠かせません。主要活動とは企業が経営を成功させるために必ずやらなければならない最も重要なアクションです。リソース同様、価値提案を作り、マーケットへリーチし、顧客との関係を維持して、収益を上げるのに欠かせません。また、ビジネスモデルの種類によって主要活動が異なるのも、リソース同様です。ソフトウェアメーカーであるマイクロソフトは、主要活動の中にソフトウェア開発が含まれます。PCメーカーのDELLにとっては、サプライチェーンマネジメントが主要活動に欠かせませんし、コンサルタント会社のマッキンゼーは、問題解決が主要活動となります。

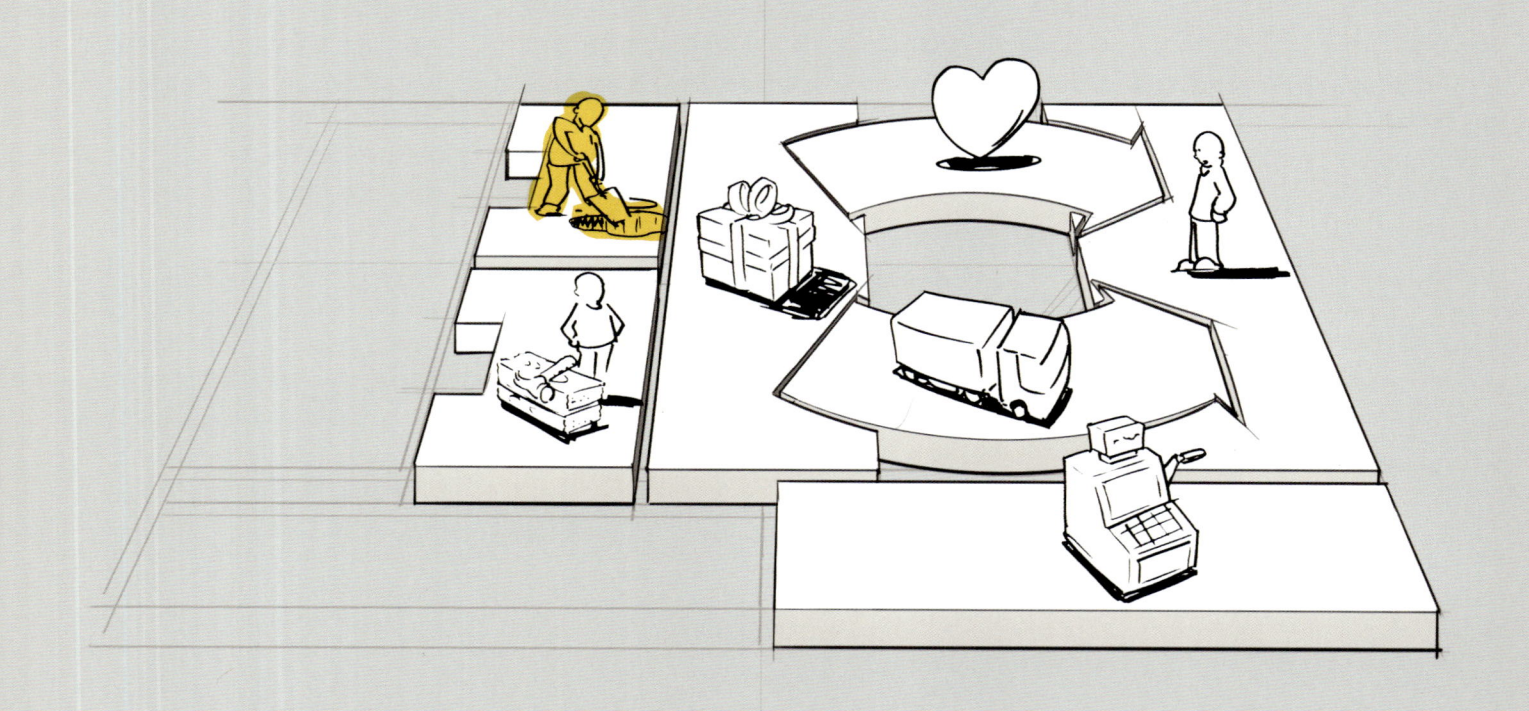

価値を提案するのに必要な主要活動は何なのか？
流通チャネルは？ 顧客との関係は？ 収益の流れは？

主要活動は、次のように分類されます。

製造
これは相当な量と優れた質をもった製品の設計、製作、配送に関連する活動です。製造活動は製造業のビジネスモデルを特徴付けるものです。

問題解決
顧客の抱える個々の問題に対する新しい解決方法を見つける活動です。この問題解決活動によって特徴付けられるのが、コンサルティング会社や病院などのサービス産業です。彼らのビジネスモデルは、ナレッジマネジメントや継続的なトレーニングのような活動を必要とします。

プラットフォーム／ネットワーク
プラットフォームをリソースとしてデザインされるビジネスモデルを特徴付けるのが、この活動です。ネットワーク、マッチメイキングのプラットフォーム、ソフトウェアやブランドは、プラットフォームとしての機能を果たします。eBayのビジネスモデルは、eBay.comのウェブサイトというプラットフォームの継続的な開発と管理が必要となります。Visaのビジネスモデルにおいては、クレジットカード決済における小売店、顧客、銀行に対する活動が必要とされます。マイクロソフトのビジネスモデルでは、他のベンダーのソフトウェアとウィンドウズOSプラットフォームとの間のインターフェイス管理が必要となります。この分野における主要活動は、プラットフォーム管理、サービス供給、プラットフォームプロモーションなどです。

KP
8 パートナー

パートナーの構築ブロックは、ビジネスモデルを構築するサプライヤーと
パートナーのネットワークについて記述します。

企業はさまざまな理由からパートナーシップを構築し、多くのビジネスモデルの土台となっています。企業はビジネスモデルを最適化し、リスクを減らし、リソースを得るためにアライアンスを組みます。

ここでは、次の4つの異なるパートナーシップに分類しています。
1. 非競合企業による戦略的アライアンス
2. 競合企業との戦略的パートナーシップ
3. 新規事業立ち上げのためのジョイントベンチャー
4. 確実な供給を実現するための バイヤー・サプライヤーの関係

主要なパートナーは誰だろうか。主要なサプライヤーは？
どのリソースをパートナーから得ているのか？
どの主要活動をパートナーが行なっているか？

パートナーシップを作るための、次の３つの動機を区別することが大切です。

最適化と規模の経済

最も基本となる形態は、リソースと活動の最適化のためにデザインされたものです。ひとつの企業がすべてのリソースを所有し、すべての活動を行うのは、合理的ではありません。最適化と規模の経済を目指したパートナーシップは、通常、コストを下げるために行われ、アウトソーシングやインフラの共有が含まれます。

リスクと不確実性の低減

パートナーシップによって、不確実性の高い競争環境におけるリスクを減らすことができます。他の分野では競合しながら、ある特定分野では競合他社と戦略的アライアンスを組むことは、珍しいことではありません。ブルーレイは、世界的な家電メーカー、PCメーカー、記憶媒体メーカーのグループによって共同開発された光ディスクフォーマットです。このグループは、協力してブルーレイ技術を市場に出しつつ、しかし、ブルーレイ製品の販売についてはメンバー間で競合しています。

リソースと活動の獲得

ビジネスモデルにおけるすべてのリソースを所有したり、すべての活動を行うような会社はほとんどありません。特定のリソースやある活動について他の企業に頼ることで、能力を拡張することを選ぶのです。パートナーシップは、知識やライセンス、顧客へのアクセスを獲得する必要に迫られ行われます。携帯電話メーカーは、OSを社内で開発するのではなく、ライセンス供与してもらいます。保険会社は、自社の営業部隊をもつのではなく、独立した保険代理店に保険契約の販売を委託します。

C$9 コスト構造

コスト構造の構築ブロックでは、ビジネスモデルを運営するにあたって発生するすべてのコストを記述します。

この構築ブロックでは、ビジネスモデルのもとで発生する重要なコストを記述します。価値を生み出し、届け、顧客との関係を維持し、利益を生み出すのに必要なすべてのコストです。そのようなコストは、リソース、主要活動、パートナーを定義したあとに、比較的簡単に計算することができます。ビジネスモデルの中には、コスト主導のものもあります。いわゆる格安航空会社は、低いコスト構造にもとづいてビジネスモデルが組み立てられています。

ビジネスモデルにおいて特有の最も重要なコストは何だろうか？
どのリソースが最も高価だろうか。
どの主要活動が最も高価だろうか。

通常、どのビジネスモデルでもコストは小さいほどよいのが当然です。
この低コスト構造は、ある特定のビジネスモデルにとっては、より一層重要となります。
それゆえ、ビジネスモデルのコスト構造は大きく2つの分野に分けるといいでしょう。
すなわち、コスト主導か価値主導か、です（多くのビジネスモデルは、この2つの間に位置します）。

コスト主導
コスト主導のビジネスモデルは、どんなことでも、コストをできる限り最小化することに集中します。このアプローチは、最もムダのないコスト構造を作り維持し、低価格の価値提案を活用し、自動化を推し進め、広範囲にアウトソースを進めることを目指します。サウスウェストやeasyJet、ライアンエアーなどの低価格航空会社は、典型的なコスト主導のビジネスモデルです。

価値主導
特定のビジネスモデルデザインの実現に伴うコストにあまり注意を払わない会社もあります。代わりに価値を生み出すことに集中するのです。プレミアムな価値提案と高度なパーソナルサービスは、価値主導のビジネスモデルの特徴です。豪華な施設と富裕層向けのサービスを備える高級ホテルは、このカテゴリーに分類されます。

コスト構造は、以下のように分類されます。

固定コスト
製品やサービスの生産量にかかわらず、変わらないコストです。たとえば給与や地代、物理的な製造装置などです。製造業などでは、固定費の比率が高くなります。

変動費
製品やサービスの生産量に比例して変動するコストです。音楽祭などのビジネスは、高い変動費割合が特徴です。

規模の経済
生産量を拡大するにつれて得られるコスト上のアドバンテージです。大きな会社ほど、大量購入による低価格の仕入れが可能になります。これにより、生産量が増えれば増えるほど、1個あたりの平均コストは下がっていきます。

多角化の経済性
経営を多角化することによって得られるコスト上のアドバンテージです。大企業では、同じマーケティング活動や流通チャネルを、複数の製品で活用できます。

9つのビジネスモデル構築ブロックは、
ビジネスモデルキャンバスと呼ぶ
手軽なツールの土台となります。

ビジネスモデルキャンバス

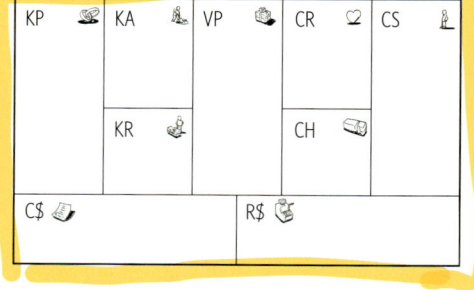

このツールは、画家のキャンバスと似ています。9つの構築ブロックにあらかじめ分かれており、そこにビジネスモデルの絵を描くことができます。ビジネスモデルキャンバスは、大きくプリントアウトするとうまく機能します。グループのメンバーが、ポストイットやボードマーカーを使って、一緒にスケッチを始め、ビジネスモデルの要素を議論できるからです。理解、議論、創造、分析を深めていくことのできる実践的なツールです。

43

KP パートナー	KA 主要活動	VP 価値提案	CR 顧客との関係	CS 顧客セグメント
	KR リソース		CH チャネル	

C$ コスト構造	R$ 収益の流れ

① ポスターの上に
キャンバスを描く

② ポスターを
壁に張る

③ ビジネスモデルを
スケッチする

① PLOT THE CANVAS ON A POSTER

② PUT THE POSTER ON THE WALL

③ SKETCH OUT YOUR BUSINESS MODEL

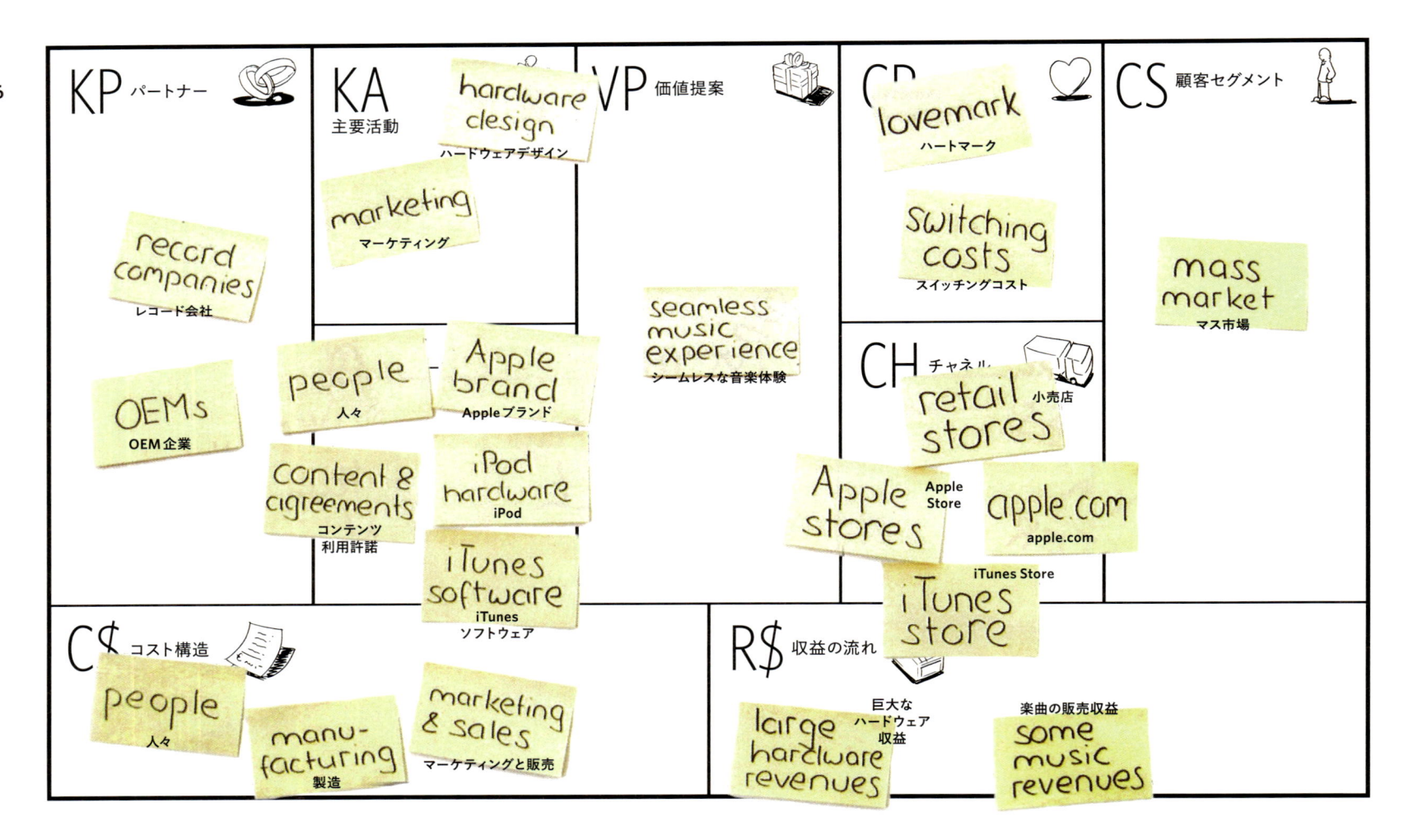

Canvas 46

KP パートナー
- record companies / レコード会社
- OEMs / OEM企業

KA 主要活動
- hardware design / ハードウェアデザイン
- marketing / マーケティング
- people / 人々
- content & agreements / コンテンツ利用許諾

VP 価値提案
- Apple brand / Appleブランド
- iPod hardware / iPod
- iTunes software / iTunes ソフトウェア
- seamless music experience / シームレスな音楽体験

CR 顧客との関係
- lovemark / ハートマーク
- switching costs / スイッチングコスト

CS 顧客セグメント
- mass market / マス市場

CH チャネル
- retail stores / 小売店
- Apple stores / Apple Store
- apple.com
- iTunes store / iTunes Store

C$ コスト構造
- people / 人々
- manufacturing / 製造
- marketing & sales / マーケティングと販売

R$ 収益の流れ
- large hardware revenues / 巨大なハードウェア収益
- some music revenues / 楽曲の販売収益

例：Apple iPod ／ iTunes のビジネスモデル

2001年にアップルは、その象徴となる iPod という携帯音楽プレイヤーブランドを立ち上げました。そのデバイスは、iTunes というソフトウェアと連携して動き、ユーザーが音楽などのコンテンツをコンピューターから iPod へ移動できました。そのソフトウェアは同時に、Apple のオンラインストアにシームレスにつながり、ユーザーはコンテンツを購入、ダウンロードすることができました。

デバイスとソフトウェア、そしてオンラインショップの強力なコンビネーションが、音楽産業の秩序を大きく変え、Apple に市場を独占するポジションを与えました。実は Apple は、携帯音楽プレイヤーを出した最初の会社ではありませんでした。Rio ブランドで知られる Diamond Multimedia などの競合は、Apple に追い越されるまではそれなりに成功を納めていたのです。

ではどのように Apple は独占することができたのでしょうか。それはより優れたビジネスモデルによるものであり、またデザインの優れた iPod デバイス、iTunes ソフトウェア、iTunes オンラインストアの統合によって、ユーザーにシームレスな音楽体験をもたらしたからです。

Apple の価値提案は、顧客がデジタル音楽を簡単に検索し、購入し楽しめるようにしたことです。こうした価値提案を可能にするためには、Apple が大手音楽会社との交渉によって、世界最大の音楽ライブラリーを作る必要がありました。

意外にも Apple は、音楽関係の収益のほとんどを、iPod を販売することで得ています。オンライン音楽ストアとの統合は、競合から自らを守るためなのです。

48

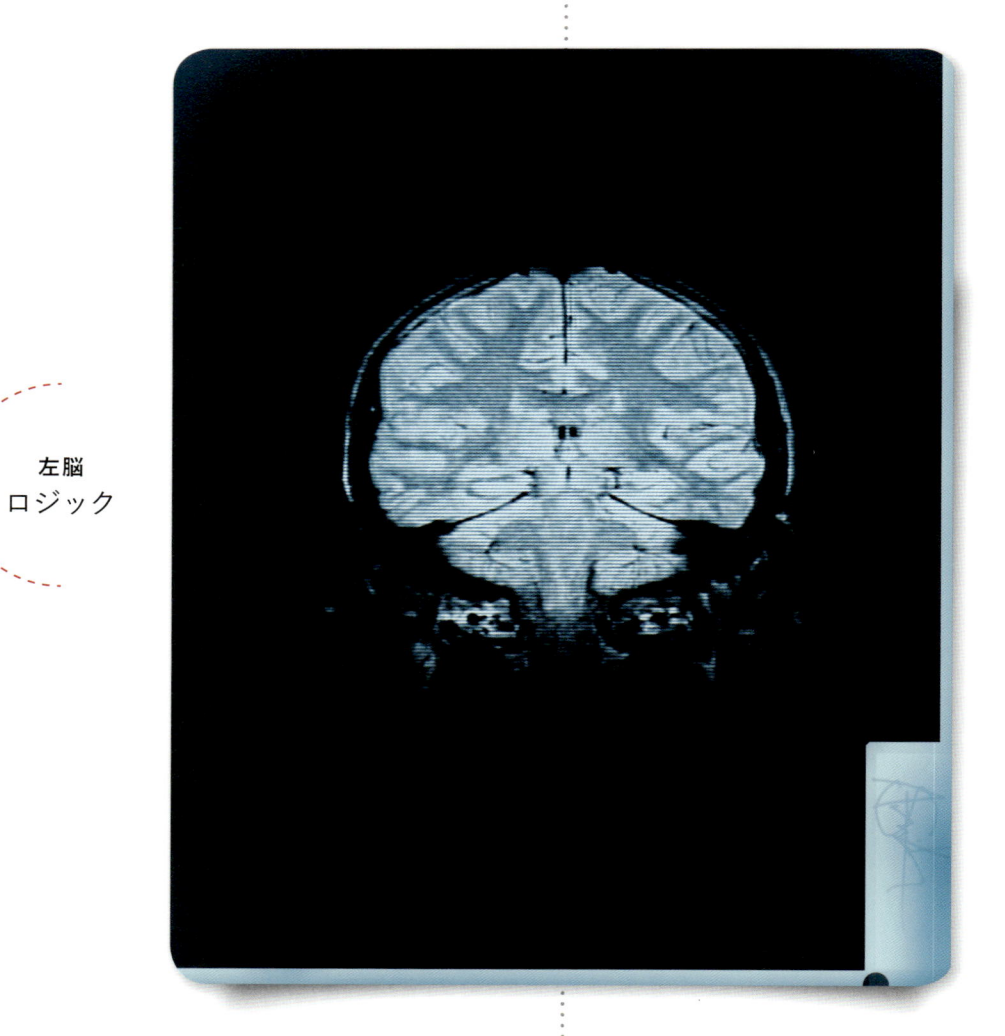

Canvas

左脳
ロジック

右脳
感情

KP パートナー	KA 主要活動	VP 価値提案	CR 顧客との関係	CS 顧客セグメント
	KR リソース		CH チャネル	

C$ コスト構造	R$ 収益の流れ

左のキャンバス
効率

右のキャンバス
価値

HOW DO YOU USE THE CANVAS?

キャンバスをどのように使っていますか

公共部門の多くは、民間の原則を取り入れる必要に迫られています。私はキャンバスを、部署にサービス志向のビジネス意識を持たせ、

**現在と将来の
ビジネスモデルを見える化
するために使っています。**

ビジネスを説明したり、革新しようとする、これまでなかった新しい対話が生まれています。

マイク・ラシャペル／カナダ

私は、フリーミアムのビジネスモデルを使って、小さな会社の相談に乗っています。このモデルは中核の製品を無料で配布するものですが、これは多くのビジネスマンの直観に反するものです。ビジネスモデルキャンバスのおかげで、

**ファイナンス的にも
理にかなっていることを
簡単に説明できるように
なりました。**

ピーター・フロバーグ／デンマーク

私は、ビジネスオーナーが企業譲渡をしたり、イグジットする手伝いをしています。成功するかどうかは、会社の長期的な成長に依存します。この鍵となるのが、ビジネスモデルイノベーションのプログラムです。キャンバスは、彼らのビジネスモデルを確認し、革新していくのに役立ちます。

ニコラス・K・ニーマン／米国

私はブラジルで、芸術家、文化プロデューサー、ゲームデザイナーが、文化・クリエイティブ産業において革新的なビジネスモデルを描くために、ビジネスモデルキャンバスを使っています。FGVでの文化プロダクションに関するMBAや、COPPEでのイノベーションゲームラボで活用しています。

UFRJビジネスインキュベーター
クラウディオ・ディポリット／ブラジル

ビジネスモデルの結論は通常、「利益のため」となります。しかしキャンバスは、非営利セクターにも有効だとわかりました。新たな非営利プログラムを作る際、チームの設計、連携のためにキャンバスを使用しました。

**設計＋
連携**

キャンバスは非常に柔軟で、ソーシャルベンチャーの目標も取り扱うことができ、また真の価値提案と、それを持続可能にする方法を明確にすることができました。

ケビン・ドナルドソン／米国

キャンバスを数年前に知っていたらよかったのに！出版業界内のある複雑なデジタル印刷プロジェクトでは、

**プロジェクトの
全体像と役割、
相互関係について、
メンバー全員に
視覚的に
見せることが
できたでしょう。**

そうすれば、何時間もの説明や議論、誤解などを省くことができたはずです。

ジル・ソル／オランダ

親しい友人が新しい仕事を探していました。彼女の個人的なビジネスモデルを評価するために、私はビジネスモデルキャンバスを使用しました。彼女のコアコンピタンスや価値提案は素晴らしかったのですが、戦略的パートナーの活用、適切な顧客との関係の開発に失敗していました。その部分を調整することで、新しいチャンスが訪れました。

ダニエル・パンゾ／メキシコ

起業について何も知らない60人の学生を想像してください。ビジネスモデルキャンバスのおかげで、5日もしないうちに自信を持ってさまざまなアイデアをプレゼンできるようになったのです。スタートアップのあらゆる側面を網羅するツールとして、活用しました。

グリハム・バートレット／フランス

私は、幅広い業界での起業のアーリーステージについて教えるのに、このビジネスモデルキャンバスを使っています。これはビジネスプランを、高い収益を上げる顧客中心の経営という

ビジネスプロセスへと翻訳する

素晴らしい方法です。

ボブ・ダン／米国

私は共同設立者とともに、インドのエコノミックタイムズが主催する全国コンテストに出すための**ビジネスプランをデザイン**するのに、キャンバスを使っています。キャンバスによって、スタートアップのあらゆる面を考えることができ、またベンチャーキャピタルが魅力を感じるようなプランへとまとめることができます。

プラヴィーン・シン／インド

国際NGOの言語サービスの再設計を頼まれていました。ビジネスモデルキャンバスは、**人々の日常業務のニーズとサービスの関係を示すのに**、特に役立ちました。サービスは専門性が高すぎ、余分なものとしか考えられておらず、ユーザーの優先順位に合致していませんでした。

パオラ・ヴァレリ／スペイン

私はスタートアップ企業へのコーチとして、新しい製品を作ったり、事業をデザインするチームを支援しています。ビジネスモデルキャンバスは、

ビジネスを全体的に考え、細部へのこだわりをやめるよう、チームに気付かせてくれます。

これは、新しいベンチャーが成功する助けになります。

クリスチャン・シュレー／ドイツ

ビジネスモデルキャンバスによって、同僚との共通言語とフレームワークを共有することができました。

キャンバスを使って、新しい成長機会を見つけ、競合による新しいビジネスモデルの評価をし、技術や市場、ビジネスモデルイノベーションをどのように加速させていくか、組織を超えてコミュニケーションを図っています。

ブルース・マックバリッシュ／米国

ビジネスモデルキャンバスは、オランダのヘルスケア企業を、予算主導の政府組織から、**ベンチャーのように付加価値を生み出す組織へと変革する**のに役立っています。

ハブ・ラーメイカー／オランダ

私は上場企業の上級マネージャーと一緒に、産業内での規制の変更に伴う、バリューチェーンの再構築に、キャンバスを使っています。どのような新しい価値提案を顧客に提供でき、さらにそれを内部運営へと組み込めるかということが重要な成功要因です。

レアンドロ・ジーザス／ブラジル

私は15,000枚のポスト・イットと100m以上の紙を、グローバルメーカーの未来の組織構造をデザインするために使いました。

しかし重要なのは、ビジネスモデルキャンバスです。実践的な応用力、シンプルさ、論理的な因果関係によって、納得感が得られるのです。

ダニエル・エガー／ブラジル

僕はキャンバスを、新しいスタートアップ企業Muppsの

リアリティチェック

に使ってる。Muppsは、アーティストがiPhoneやアンドロイド向けの音楽アプリを数分で作ることのできるプラットフォーム。キャンバスを使うと、成功の可能性がさらに高まるんだ。さあ、もういかなくちゃ、やることがいっぱいあるからね。

アーウィン・ブロム／オランダ

ビジネスモデルキャンバスは、eコマースへのアイデアとソリューションを把握するのに非常に便利なツールであることがわかってきました。顧客の多くは

中小企業がキャンバスを使って現在のビジネスモデルを明確にすることで、

彼らの組織におけるeコマースのインパクトを理解できるのです。

マーク・カストリカム／オランダ

私は、目標と戦略の優先順位を決定するため、企業の主要スタッフを連携させるために、キャンバスを使っています。具体的には、計画プロセスの段階で、バランス・スコアカードに組み込んで使っています。新しい戦略的な優先順位によって、選んだ取り組みがちゃんと問題なく動いていくのか、確認することもできます。

マーティン・ファンハネル／ボリビア

Patt

パターン

erns

Patterns

"建築におけるパターンとは、原型として再利用可能なものとして、建築デザインのアイデアを捉える考え方のことである。"

クリストファー・アレグザンダー（建築家）

この章では、似た性質や構築ブロックの配列をもっていたり、同じような振る舞いをするビジネスモデルについて記述します。こうした類似性を、ビジネスモデルパターンと呼びます。このパターンを通じて、ビジネスモデルのダイナミクスを理解でき、また自身のビジネスのヒントにもなります。

ここでは、ビジネス論文で取り上げられた重要なコンセプトによる5つのビジネスモデルパターンを取り扱います。コンセプトをビジネスモデルキャンバスに「翻訳」することで、コンセプト同士を比較したり、応用しやすくします。ひとつのビジネスモデルのなかに、いくつかのパターンを組み込むこともできます。

その5つのコンセプトとは、アンバンドル、ロングテール、マルチサイドプラットフォーム、フリー戦略、オープンビジネスモデルです。このコンセプトをもとにパターンを作っていきます。これに限らず、他のコンセプトに基づく新しいパターンも当然、生まれてくるでしょう。

よく知られているビジネスコンセプトを、標準化したフォーマットであるビジネスモデルキャンバスに落としこむことが、ビジネスモデルパターンを定義する目的です。これにより、ビジネスモデルのデザインやイノベーションへと、すぐ役立てられるようになります。

パターン

56　アンバンドルビジネスモデル
66　ロングテール
76　マルチサイドプラットフォーム
88　ビジネスモデルとしてのフリー戦略
108　オープンビジネスモデル

56

Patterns

Un-Bundling Business Models

アンバンドルビジネスモデル

[定義] パターンNo.1

「アンバンドル(バラバラにされた)」企業のコンセプトには、根本的に異なる3つのビジネスタイプがあります。それが、顧客ビジネス、製品ビジネス、インフラビジネスです。この3つのビジネスは、経済的にも、競争という面からも、そして文化的にも異なります。異なるビジネスをひとつの会社の中に共存させることもできますが、対立やトレードオフを避けるためにも、異なる法人へと分社化するのが理想です。

【REF·ER·ENCES】
1 『アンバンドリング：大企業が解体されるとき』ジョン・ヘーゲル3世、マーク・シンガー著、DIAMONDハーバード・ビジネス・レビュー第25巻、第3号、2000
2 『ナンバーワン企業の法則——勝者が選んだポジショニング』マイケル・トレーシー、フレッド・ウィアセーマ著／大原進訳／日本経済新聞社（日経ビジネス人文庫）

【EX·AM·PLES】
携帯電話業界
プライベートバンキング

1 アンバンドル・コーポレーションという用語を世に出したジョン・ヘーゲルとマーク・シンガーは、ビジネスには顧客ビジネス、製品ビジネス、インフラビジネスの3つの異なるタイプがあると主張しました。同様にトレーシーとウィアセーマは、オペレーション優位、製品リーダーシップ、親密な顧客関係という3つの価値基準のうち、ひとつにフォーカスすべきだと主張しました。

ひとまとめ
バンドル

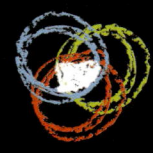

Bundled

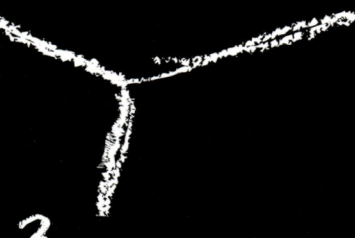

2 顧客ビジネスでは、顧客の探索と獲得、関係づくりを行います。同様に、製品ビジネスでは、魅力的な新商品やサービスの開発、インフラビジネスは大量のルーチン作業をこなすプラットフォームの構築と維持を行うことになります。企業はこのうちのひとつに特化すべきであるとヘーゲルとシンガーは主張したのです。これらは異なる要素で動いているため、お互いに対立し、トレードオフが発生してしまうからです。

バラバラにする
アンバンドリング

Unbundling

3 以下のページでは、アンバンドリングのアイデアをどのようにビジネスモデルに適用するかを見ていくことにします。まずプライベートバンキングの業界において、「バンドル」されたビジネスでの衝突とトレードオフがどのようなものなのか説明します。次に、携帯電話会社がどのようにアンバンドルし、新しいコアビジネスにフォーカスしているかを見ていきます。

アンバンドル！

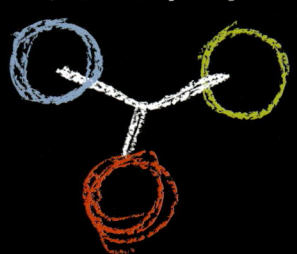

Unbundled!

THREE CORE BUSINESS TYPES
3つの核となるビジネスタイプ

	Product Innovation 製品イノベーション	Customer Relationship Management カスタマーリレーションシップマネジメント	Infrastructure Management インフラ管理
Economics 経済	初期の市場参入によってプレミアム価格と大きな市場シェアを獲得できます。スピードが命です	顧客獲得のコストが高く、そのため大きな財布シェア獲得が緊急の課題です。多角化による経済性が重要です	高い固定費により、単価を下げるのに大きなボリュームが欠かせません。規模の経済が重要です
Competition 競争	優秀な社員の獲得競争、低い参入障壁、多くの小さなプレイヤーが繁栄	多角化競争、急速な合併、少数の大手が支配する	規模の競争。急速な合併、少数の大手が支配する
Culture 文化	従業員中心、創造的なスター社員を優遇する	高いサービス志向、顧客第一のメンタリティ	コスト志向、負荷の標準化、予測可能性、効率化

プライベートバンキング 3つのビジネスをひとつに

富裕層に銀行サービスを提供するスイスのプライベートバンクは、保守的な業界として知られていました。しかしここ10年、この業界では大きな変化が起こっています。プライベートバンクは伝統的に、資産管理から仲買業務、金融商品の設計まで多岐にわたる業務を引き受けるため、垂直統合されていました。機密保持の観点から、すべてを自社内に保持したいと考えていたのです。

しかし環境は変わりました。スイスの銀行慣習にまつわる神話は崩壊し、機密保持は大きな問題ではなくなりました。決済専門銀行や金融商品に特化したブティック型銀行などの勃興によりバリューチェーンが崩れ、アウトソーシングが魅力的な選択肢となってきました。前者は、銀行決済の処理に特化しており、後者は新しい金融商品の開発だけに注力しています。

チューリッヒに拠点を構えるプライベートバンクMaerki Baumannは、ビジネスモデルをアンバンドルした銀行の例です。決済志向のプラットフォームビジネスをインコアバンクという別組織へとスピンアウトし、他の銀行や証券ディーラーへ銀行サービスを提供するようになりました。Maerki Baumann自体は、顧客との関係構築とクライアントへのアドバイスに特化しています。

一方、ジュネーブにある、スイスで最も大きなプライベートバンクのPictetは、統合された状態を選びました。200年の歴史を持つこの銀行は、顧客と深い関係を築くと同時に、多くのクライアントの取引を処理し、独自の金融商品の開発まで行っています。今のところうまくいっていますが、異なるビジネスモデル間でのトレードオフを、慎重に管理しなければなりません。

伝統的なプライベートバンキングのモデルを描き、トレードオフを記述し、それを3つのビジネス、顧客ビジネス、製品ビジネス、インフラビジネスへとアンバンドルします。

トレードオフ

❶ 銀行は、異なるダイナミクスを持つ2つの市場に関与します。富裕層へのアドバイスは長期的な関係に基づくビジネスですが、プライベートバンクへの金融商品販売はダイナミックに変化するビジネスです。

❷ 収益を増やすため、銀行は自社の商品を競合他社にも販売しようとしますが、これは利益相反を起こします。

❸ 銀行の商品部門は、アドバイザーにその銀行独自の商品を顧客に売るようにプレッシャーをかけます。これも中立的なアドバイスによる顧客の利益と相反することになります。顧客は市場で最もよい商品に興味があるのであり、オリジナルなものかどうかは問いません。

❹ コスト、効率中心の決済プラットフォームビジネスは、優秀な社員を惹きつけるために給与の高いアドバイザリービジネスや金融商品ビジネスと衝突します。

❺ 決済プラットフォームビジネスは、コスト削減のためには規模が必要ですが、ひとつの銀行ではなかなか達成できません。

❻ 製品イノベーションビジネスは、素早い市場参入によって活発化していますが、富裕層へのアドバイスという長期的なビジネスと齟齬をきたします。

プライベートバンクのビジネスモデル

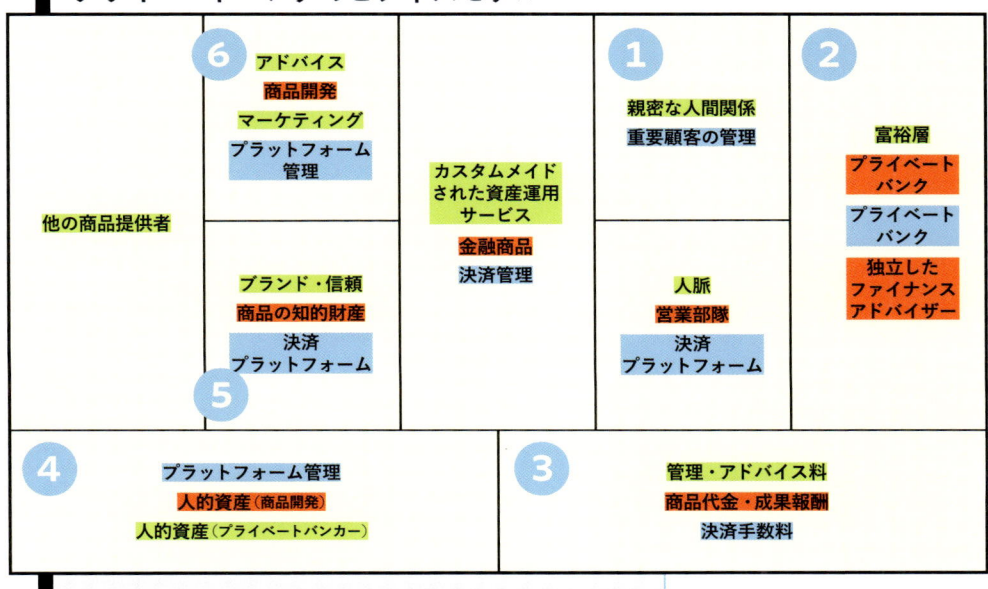

❻ アドバイス 商品開発 マーケティング プラットフォーム管理	カスタムメイドされた資産運用サービス 金融商品 決済管理	❶ 親密な人間関係 重要顧客の管理	❷ 富裕層 プライベートバンク プライベートバンク 独立したファイナンスアドバイザー
他の商品提供者		人脈 営業部隊 決済プラットフォーム	
ブランド・信頼 商品の知的財産 決済プラットフォーム ❺			
❹ プラットフォーム管理 人的資産(商品開発) 人的資産(プライベートバンカー)		❸ 管理・アドバイス料 商品代金・成果報酬 決済手数料	

■ リレーションシップビジネス　■ 製品イノベーションビジネス　■ インフラビジネス

モバイル通信の
アンバンドル

モバイル通信会社は、ビジネスのアンバンドルを進めています。伝統的に通信品質の競争をしていましたが、今では競合他社とネットワークを共有する取引をしていますし、通信機器メーカーへのネットワーク運用のアウトソースを行っています。これは、彼らの資産がもはやネットワークではなく、ブランドと顧客との関係にあるということに気づいたからです。

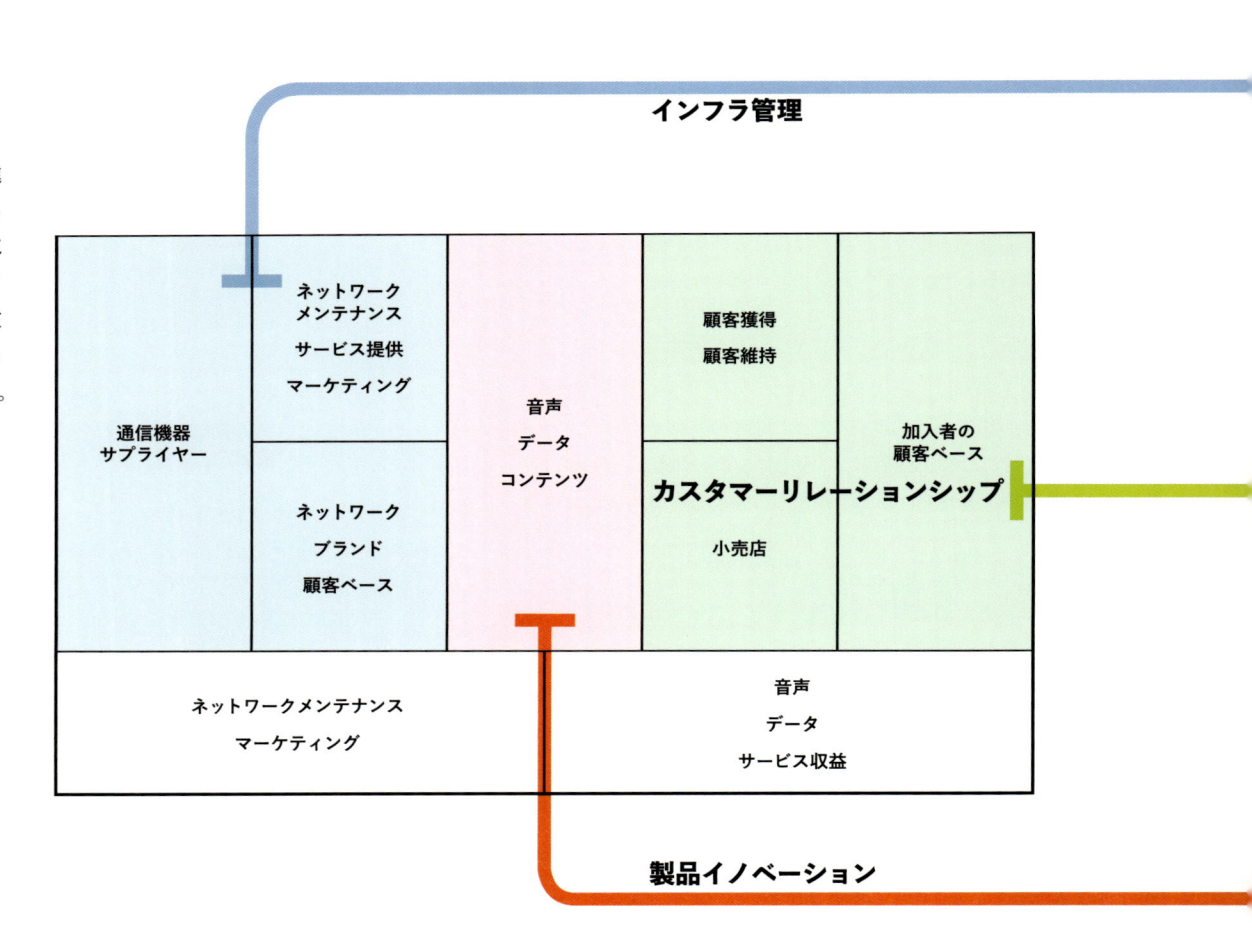

インフラ管理

通信機器サプライヤー	ネットワークメンテナンス サービス提供 マーケティング	音声 データ コンテンツ	顧客獲得 顧客維持	加入者の顧客ベース
	ネットワーク ブランド 顧客ベース		**カスタマーリレーションシップ** 小売店	

ネットワークメンテナンス マーケティング	音声 データ サービス収益

製品イノベーション

通信機器メーカー

フランステレコムやKPN、ボーダフォンは、そのネットワークの運用、メンテナンスを通信機器メーカーであるノキア シーメンス ネットワークス、アルカテル・ルーセント、エリクソンなどにアウトソースしています。メーカーは複数の通信会社で運用することによる規模の経済が働くため、ネットワークを低コストで運用できます。

通信会社のアンバンドル

インフラビジネスをアンバンドルしたあと、通信会社はブランディングと顧客やサービスの細分化(セグメンテーション)に注力することができました。こうした顧客との関係には、重要な資産とコアビジネスが含まれています。顧客に集中し、既存の契約者の財布シェアを高めることによって、顧客の獲得、維持のための何年にもわたる投資を活用することができます。戦略的アンバンドリングを行った最初のモバイル通信会社のひとつであるBharti Airtelは、今ではインドの通信会社の最大手です。ネットワーク運用をエリクソンとノキア シーメンス ネットワークスに、ITインフラをIBMにアウトソースすることで、顧客との関係を築くというコアコンピタンスに集中することができました。

コンテンツプロバイダー

製品やサービスのイノベーションを起こすためには、通信会社はより小さなクリエイティブな企業へとアンバンドルするといいでしょう。イノベーションを起こすにはクリエイティブな才能が必要であり、人を惹きつける優れた仕事をするのは一般的に、より小さくダイナミックな組織です。通信会社は、地図情報、ゲーム、ビデオ、音楽といった新しい技術、サービス、メディアコンテンツをコンスタントに提供する複数のサードパーティと協業することになるでしょう。これにはオーストリアのMobilizyとスウェーデンのtatの例があげられます。Mobilizyは、スマートフォン向けに位置情報に基づいたサービスソリューションに特化し、人気の携帯旅行ガイドを開発しています。tatは、先進的な携帯ユーザーインターフェイスの開発に特化しています。

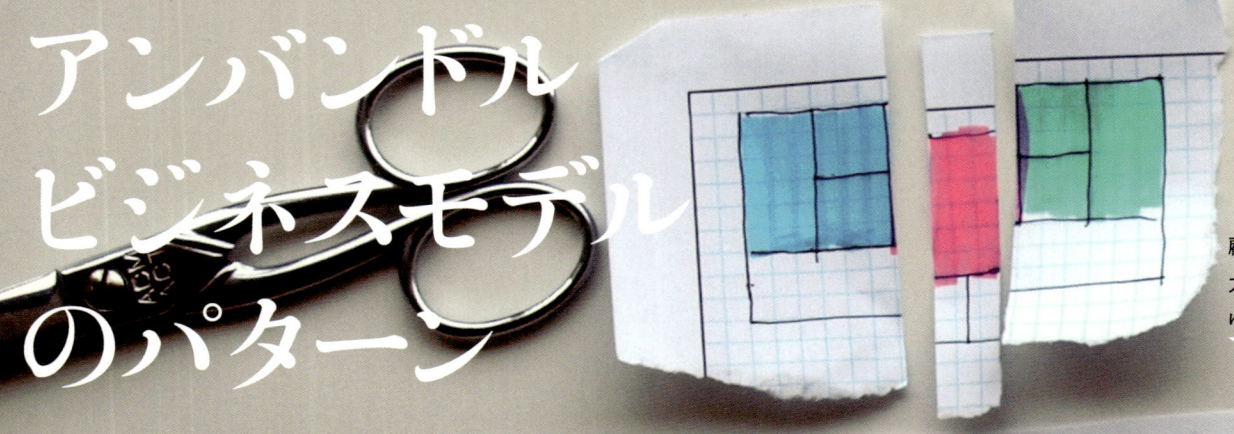

アンバンドルビジネスモデルのパターン ×3

顧客を理解し、サービスを提供し、強力な顧客との関係を築くためにあらゆる要素がカスタマイズされます

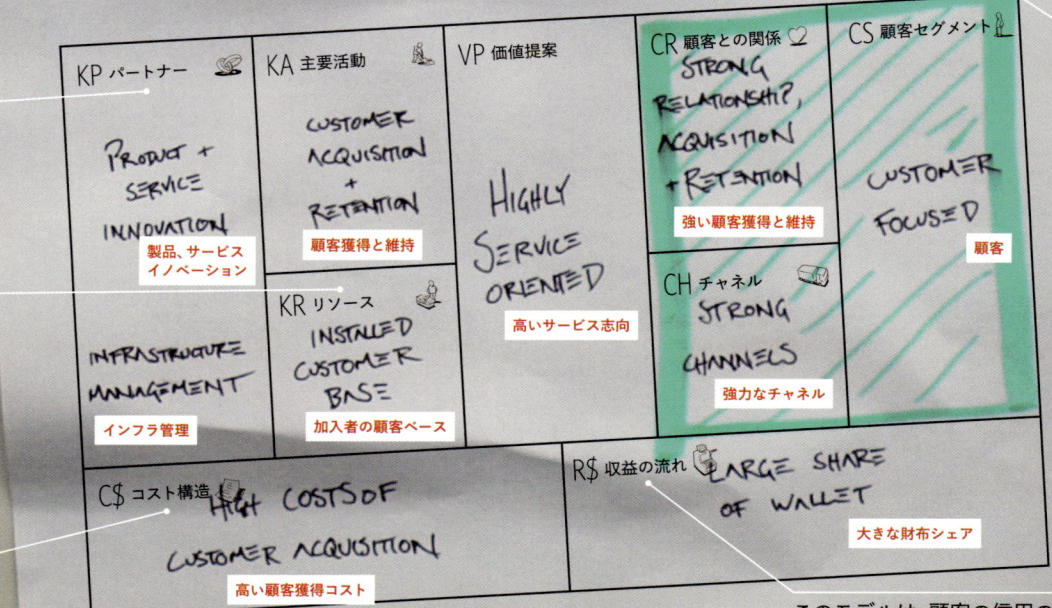

製品とサービスのイノベーション。インフラはサードパーティから獲得

重要な資産、リソースは、顧客ベースと長年にわたって獲得した契約者からの信用

KP パートナー	KA 主要活動	VP 価値提案	CR 顧客との関係	CS 顧客セグメント
PRODUCT + SERVICE INNOVATION **製品、サービスイノベーション**	CUSTOMER ACQUISITION + RETENTION **顧客獲得と維持**	HIGHLY SERVICE ORIENTED **高いサービス志向**	STRONG RELATIONSHIP, ACQUISITION + RETENTION **強い顧客獲得と維持**	CUSTOMER FOCUSED **顧客**
	KR リソース INSTALLED CUSTOMER BASE **加入者の顧客ベース**		CH チャネル STRONG CHANNELS **強力なチャネル**	
C$ コスト構造 HIGH COSTS OF CUSTOMER ACQUISITION **高い顧客獲得コスト**		R$ 収益の流れ LARGE SHARE OF WALLET **大きな財布シェア**	

INFRASTRUCTURE MANAGEMENT **インフラ管理**

顧客獲得と維持が主要なコスト。ブランディングとマーケティング費用が含まれます

このモデルは、顧客の信用の上に築かれた、幅広い製品から収益を上げることが目的です。すなわち、より大きな「財布シェア」の獲得です

65

主要な活動は、新しい製品やサービスを市場に出すための研究開発です

製品とサービスは、市場へ直接投入することもできますが、通常、顧客との関係にフォーカスするB2Bの代理店を通じて提供されます

インフラサービスの提供に特化した活動

ビジネス顧客へサービスを提供

- R&D管理
- 魅力ある人を惹きつける
- 強力な人材プール
- 人材費
- 製品・サービスイノベーション
- B2C, B2B
- プレミアム価格

- インフラ開発と管理
- インフラサービス
- 規模とボリューム
- 高い固定費と高いフォーカス
- 日用品
- B2B顧客

このモデルの主要リソースであるクリエイティブな人材を獲得するための高いコスト

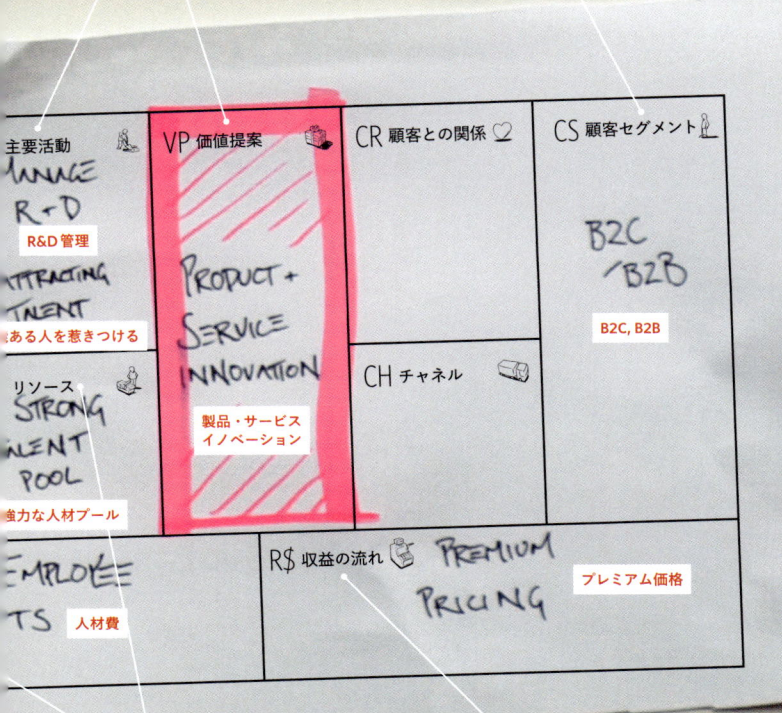

新奇性による高いプレミアム価格

プラットフォームは高い固定費が特徴で、規模とボリュームによってレバレッジをかけます

低い利益率と大きな販売量による収益

The Long Tail

ロングテール

[定義] パターンNo.2

ロングテールビジネスモデルとは、多くのものを少しずつ販売するモデルです。あまり頻繁に売れないニッチ製品を数多く提供します。ニッチ製品の売上を集めると、少数のベストセラーによる収益に依存するこれまでのモデルと同じくらい、大きな収益を上げることができます。ロングテールビジネスモデルは、低い在庫コストに加え、ニッチコンテンツに興味のある購入者が手に入れられるようにするしっかりとしたプラットフォームが必要です。

【REF·ER·ENCES】
1 『ロングテール ——「売れない商品」を宝の山に変える新戦略』クリス・アンダーソン、早川書房、2006
2 「ロングテール」ワイアードマガジン、クリス・アンダーソン、2004

【EX·AM·PLES】
Netflix、eBay、YouTube、Facebook、Lulu.com

Patterns

# of Sales
販売数

TOP 20%
上位20%
たくさんの量が売れる
少数の製品にフォーカスする

クリス・アンダーソンによって提示されたロングテールのコンセプトは、メディア産業におけるシフトを表します。すなわち、たくさん売れる少数のヒット商品を販売するビジネスから、少ししか売れないニッチ商品をたくさん販売するビジネスへのシフトです。アンダーソンは、ニッチ商品がどれくらい売れれば、その売上の合計が、ヒット商品による売上を超えるのかを示しました。

アンダーソンは、メディア産業においてこの現象が起こるには、3つの要因があると考えています。

1. 制作ツールの大衆化。技術コストの低下によって、個人が数年前には高価すぎて手が出なかったツールに、手が届くようになりました。多くの熱心なアマチュアによって、プロレベルの音楽が録音され、ショートフィルムが製作され、シンプルなソフトウェアが開発されています。

2. 流通の大衆化。インターネットによって、デジタルコンテンツの流通がコモディティ化しました。在庫、コミュニケーション、取引のコストが劇的に下がり、ニッチ製品に対する新しい市場が生まれました。

3. 需要と供給をつなげる検索コストの低下。ニッチコンテンツを販売するときの切実な課題は、興味を示すような潜在顧客を見つけることです。強力な検索とリコメンデーションエンジン、ユーザーのレーティング評価、同好のコミュニティなどによって、顧客の探索が非常に簡単になりました。

LONG TAIL
ロングテール
少ししか売れない製品を数多く扱う

アンダーソンの調査では、まずメディア産業に注目しました。たとえば、オンラインビデオレンタル会社であるNetflixが、多くのニッチ映画を取り扱うようになりました。ニッチ映画は、あまり頻繁にはレンタルされませんが、Netflixの広範なニッチ映画から得られる収益は、人気映画のレンタル収益に匹敵するものでした。

しかしアンダーソンは、ロングテールがメディア産業以外にも適用できることを示しました。オンラインオークションサイトのeBayは、ヒット製品でないものを少量ずつ売買する、巨大なオークションユーザー群によって支えられています。

商品数 # of Products

出版産業の変革

古いモデル

作品が出版されることを夢見て、野心的な著者が原稿を出版社に送るのだけれども、何度も門前払いを食らう。こうした話を誰もが耳にしたことがあるでしょう。この出版社と著者のステレオタイプのイメージは、たしかに真実を含んでいます。伝統的な書籍出版のモデルでは、多くの著者、原稿をふるいにかけ、最低限の販売目標を達成しそうなものを選ぶという選抜プロセスによって成り立っていました。望みの薄そうな著者や作品は、編集、デザイン、印刷、プロモーションをするほどの利益がでないという理由で、拒絶されます。出版社は、多くの読者に手に取られる、大量印刷できる本に興味を持っているのです。

	コンテンツ獲得 出版 販売	幅広く受ける コンテンツ（理想的にはヒットするもの）	—	幅広い読者
—	出版ノウハウ コンテンツ		書店 ネットワーク	
出版／マーケティング			卸販売での収益	

新しいモデル

Lulu.comは、誰もが出版できるようにすることで、ベストセラー中心の伝統的な出版モデルをひっくり返しました。Lulu.comのビジネスモデルは、ニッチのアマチュア著者に、作品を市場に出す手伝いをすることにあります。オンラインのマーケットプレイスを通じて、作品を制作、印刷、流通させるツールを提供することで、伝統的な参入障壁を取り除いたのです。これは、伝統的なモデルである、市場に出すにふさわしい作品を選ぶモデルとは対照的です。Lulu.comは多くの著者を惹きつければ惹きつけるほど、より成功していきます。これは著者自身も読者となるからです。ひとことで言えば、Lulu.comは、ユーザーによって作られたニッチコンテンツのロングテールによって著者と読者をつなぐ、マルチサイドプラットフォームなのです（P76参照）。今では何千人もの著者が、Lulu.comを出版と書籍販売のセルフサービスツールとして利用しています。こうしたことが可能になるのは、注文されてはじめて本が印刷される仕組みにあります。ある書籍の失敗など、Lulu.comには取るに足らないことです。売れなくても、コストはまったくかからないからです。

	プラットフォーム開発 流通	セルフパブリッシングサービス	同好コミュニティ オンラインプロフィール	ニッチ著者
	プラットフォーム オンデマンド印刷インフラ	ニッチコンテンツのマーケットプレイス	LULU.COM	ニッチ読者
プラットフォーム開発、管理		販売コミッション（低い） 出版サービス料		

レゴの新しいロングテール

デンマークの玩具メーカーであるレゴは、1949年、レゴブロックの製造を開始しました。何世代にもわたって楽しまれ、宇宙ステーション、海賊、中世といったさまざまなテーマで、膨大な数のキットを発売してきました。しかし、玩具産業の競争が激化する中で、成長の新しい道筋を見つける必要に迫られました。そこで、スターウォーズやバットマン、インディ・ジョーンズなど大ヒット映画に登場するキャラクターのライセンスを獲得しました。ライセンス料は高額ですが、目覚しい収益を上げることも分かりました。

2005年には、ユーザーコンテンツによる実験を開始、顧客が自分自身のレゴキットを組み合わせ、オンラインで注文できるようにしました。レゴデジタルデザイナーと呼べるソフトを使い、何千もの部品と12色の色を選ぶことで、顧客はオリジナルのビル、自動車、テーマ、キャラクターなどをデザインできるレゴファクトリーを導入。キットを入れる箱までデザインすることができました。このレゴファクトリーによってレゴをデザインする経験を通じて、受身のユーザーを能動的な参加者へと変えてしまいました。

これを実施するには、サプライチェーン構造の変革が必要でした。小ロット生産というレゴファクトリーのモデルに、インフラが完全に適応できているわけではありません。既存のリソースと活動にマイナーチェンジを加えて対処しています。

ビジネスモデルの観点から言えば、レゴはロングテール分野へと参入するため、マスカスタマイゼーションへと向かうステップを踏んだことになります。ユーザーがオリジナルのレゴセットをデザインするのを手助けすることに加え、今では、レゴファクトリーはユーザーのデザインしたセットをオンラインで販売しています。いくつかはよく売れ、いくつかはあまり売れないか、中にはまったく売れないものもあります。レゴにとって重要なのは、ユーザーのデザインしたセットによって、限られたベストセラーキットにフォーカスしていた既存の製品ラインを拡張できるという点です。今はまだ、レゴ全体の売上の中の小さな割合でしかありませんが、伝統的なマス市場モデルを補完したり代替するものとして、ロングテールモデルを実施する第一歩となっています。

レゴ

+
レゴのユーザーが
オリジナルデザインを作り、
オンラインで注文できます
=
レゴファクトリー

+
ユーザーは自分のデザインを
オンラインで登録、
販売することができます
=
レゴユーザーカタログ

レゴファクトリー：カスタマーがデザインしたキット

KP パートナー	**KA** 主要活動	**VP** 価値提案	**CR** 顧客との関係	**CS** 顧客セグメント
新しいレゴをデザインし、オンライン登録した顧客は、コンテンツと価値を生み出すパートナーとなります。	レゴは、カスタムメイドのレゴセットをパッケージし流通させるためのプラットフォームとロジスティックスを提供、管理しなければなりません。	オリジナルのキットを製作、展示し、販売するツールをレゴファンに提供することによって、レゴファクトリーは実質上、画一的なキットの製品ラインの拡張を行っています。	レゴファクトリーは、ニッチコンテンツに興味があり、画一的な小売商品を越えるものを欲しいと思っている顧客の周りに、ロングテールコミュニティを構築しています。	膨大な数の新しいカスタマーデザインキットは、標準セットを補完するものとして機能しています。レゴファクトリーは、カスタマイズデザインを作る顧客と他の顧客をつなぎ合わせています。顧客のマッチングプラットフォームとして機能しており、売上も伸びています。
	KR リソース		**CH** チャネル	
	主にマス市場に最適化されており、レゴファクトリーの活動に完全には適応はしていません。		レゴファクトリーの存在は、ウェブチャネルに大きく依存しています。	

C$ コスト構造	**R$** 収益の流れ
レゴファクトリーは、伝統的な小売モデルによってすでに発生している製造、流通コストを流用しています。	レゴファクトリーは、多くの数のカスタマーデザインキットにより小さな利益を生み出すことを目指しています。これは、伝統的な大量販売による収益に新しく加わった価値であると言えます。

Long Tail Pattern
ロングテールパターン

ニッチコンテンツの提供者（プロもしくはユーザー）はこのパターンにおける重要なパートナーです。

ロングテールビジネスモデルの価値提案は、ヒット商品と共存する幅広いニッチ商品の提供にあります。このモデルは、ユーザーの作るコンテンツによって構築されます。

ロングテールビジネスモデルはニッチな顧客にフォーカスします。

ロングテールビジネスモデルは、専門家とアマチュアのコンテンツ制作者の両方に関わり、ユーザーと製作者に対応するマルチサイドプラットフォーム（P76参照）を作ります。

KP パートナー	KA 主要活動	VP 価値提案	CR 顧客との関係	CS 顧客セグメント
NICHE CONTENT PROVIDERS ニッチコンテンツプロバイダー	プラットフォーム管理 SERVICE PROVISIONING サービスプロビジョニング PLATFORM PROMOTION プラットフォームプロモーション	LARGE SCOPE OF NICHE CONTENT ニッチコンテンツの多角化		MANY NICHE SEGMENTS 多くのニッチセグメント
	KR リソース USER GENERATED CONTENT ユーザー制作によるコンテンツ PLATFORM プラットフォーム	CONTENT PRODUCTION TOOLS コンテンツ制作ツール	CH チャネル INTERNET インターネット	NICHE CONTENT PROVIDERS ニッチコンテンツプロバイダー

C$ コスト構造	R$ 収益の流れ
PLATFORM MANAGEMENT + DEVELOPMENT プラットフォーム開発、管理	SELLING LESS OF MORE 売れない商品を宝の山に変える

リソースはプラットフォームであり、主要活動には、プラットフォームの開発、維持と、ニッチコンテンツの獲得、制作が含まれます。

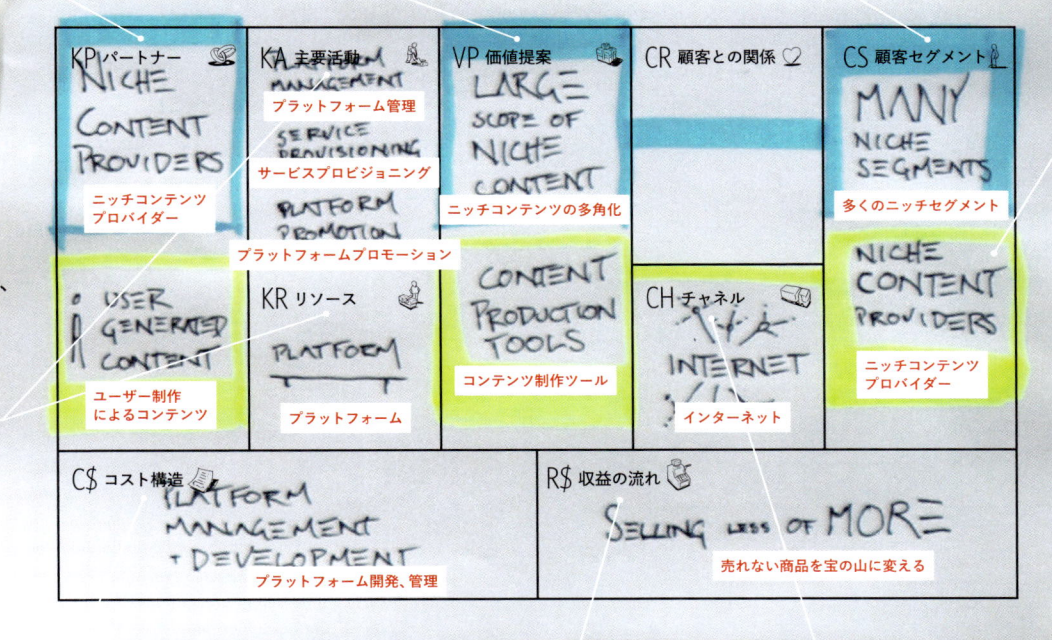

主要なコストは、プラットフォームを開発、維持するためのものです。

このモデルは多くの商品から生まれる小さな収益を集めることによって成り立っています。収益の流れは、広告、製品売上、会員費などさまざまです。

ロングテールビジネスモデルは、顧客との関係づくりや取引のためのチャネルとして、通常、インターネットに頼っています。

Multi-Sided Platforms

マルチサイドプラットフォーム

[定義] パターンNo.3

マルチサイドプラットフォームは、複数の顧客グループをつなぎあわせるもので、プラットフォーム上にほかの顧客グループが同時に存在する場合にのみ、価値が生まれます。プラットフォームにおいて、グループ同士の交流を促進することで価値が生み出されるのです。マルチサイドプラットフォームは、ユーザーを獲得すればするほど価値が高まっていき、この現象はネットワーク効果として知られています。

【REF·ER·ENCES】
1 「ツー・サイド・プラットフォーム戦略」アイゼンマン、パーカー、バン・アルスタイン著、DIAMONDハーバード・ビジネス・レビュー2007年6月号
2 Invisible Engines: How Software Platforms Drive Innovation and Transform Industries. Evans, Hagiu, Schmalensee, 2006
3 "Managing the Maze of Multi-sided Markets." Strategy & Business. Evans, David. 2003

【EX·AM·PLES】
Visa、Google、eBay、
マイクロソフト ウィンドウズ
フィナンシャルタイムズ

マルチサイドプラットフォームは、エコノミストにはマルチサイドマーケットとして知られていますが、重要なビジネス現象です。これまでも存在していましたが、情報技術の革新により急増しています。クレジットカードのVisaや、マイクロソフトのウィンドウズOS、フィナンシャルタイムズ、Google、ゲーム機のWii、Facebookなどは、成功したマルチサイドプラットフォームの一例です。より重要になってきているビジネスモデルパターンとして、取り上げてみようと思います。

マルチサイドプラットフォームとは、正確には、相互依存した複数の顧客グループを引き合わせるプラットフォームだということができるでしょう。いくつかのグループをつなげることで仲介者として価値を生み出すのです。たとえばクレジットカード事業では、小売店とカード所有者をつなげます。コンピュータのOSは、ハードウェアメーカーとアプリケーションメーカー、そしてユーザーとをつなぎます。新聞社は読者と広告主、ビデオゲーム機は、ゲーム開発会社とプレイヤーをつなげます。価値を生み出すた

めには、プラットフォームがすべてのグループを同時に惹きつけ、同時に関わっていくことが重要です。特定のユーザーグループにとってのプラットフォームの価値は、別のサイドのユーザーの数に、実質的に依存しています。ビデオゲーム機は、プラットフォームに十分な数のゲームが利用可能になって初めて、魅力が出てきます。また一方で、十分な数のゲームユーザーがそれをすでに使っている場合にのみ、ゲーム会社はゲームを開発しようと考えるでしょう。そのため、マルチサイドプラットフォームは、卵が先かニワトリが先かのジレンマに直面します。

この問題を解決するひとつの方法は、ひとつの顧客セグメントを支援することです。コストがかかっていたとしても、まず一方の顧客セグメントへ低価格ないしは無料のオファーをすることでユーザーを惹きつけておいて、その後にもう一方のサイドのユーザーを惹きつけるのです。マルチサイドプラットフォーム運営の難しさは、どのサイドを支援すべきなのか、顧客を惹きつけるための適切価格がいくらなのか、理解することにあります。

Segments ≧ 2
顧客セグメント ≧ 2

Customer Segment A
顧客セグメント A

FACILITATE INTERACTION
交流を促進する

Segment B
顧客セグメント B

Segment N
顧客セグメント N

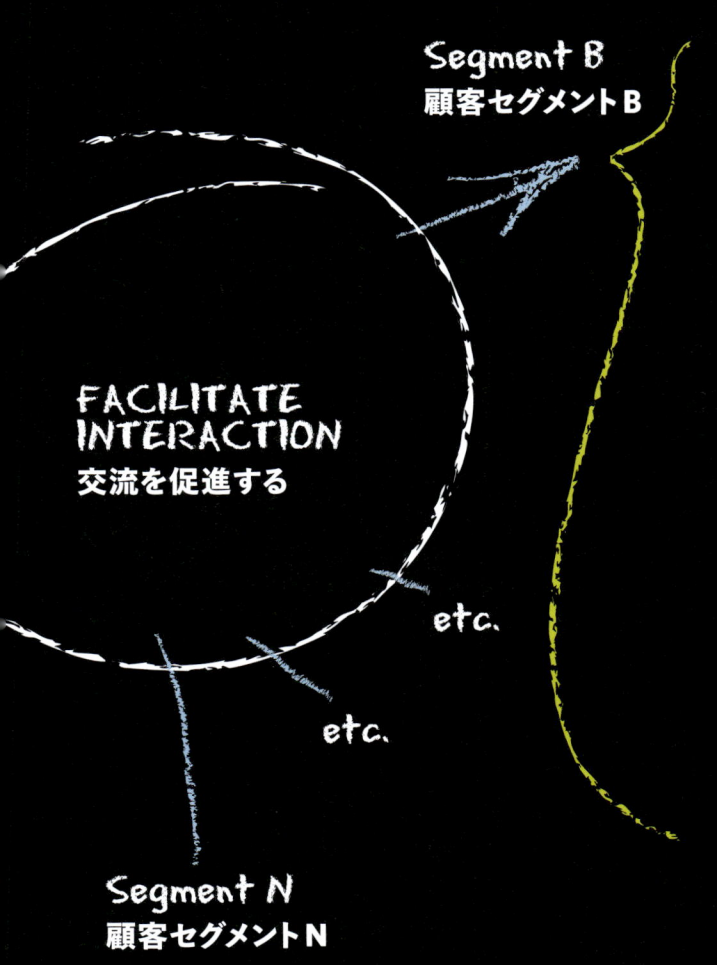

etc.
etc.

Metroがいい例でしょう。ストックホルムで始まった無料の日刊紙であるMetroは、今では世界中の多くの大都市で発行されています。1995年に設立され、瞬く間に大きな読者層を獲得できたのは、都市の通勤、通学者に対して、ストックホルム中の駅やバスの停留所において、無料配布されたからでした。このことが広告主にとって魅力となり、すぐに利益を上げることができました。もうひとつの例はマイクロソフトです。ウィンドウズソフトウェア開発キット（SDK）を無料配布することで、ウィンドウズOSに対する新しいアプリケーション開発を促しました。アプリケーションが増えれば増えるほど、多くのユーザーを惹きつけることになり、収益は増えていきました。一方、ソニーのプレイステーション3は、マルチサイドプラットフォーム戦略が裏目に出たケースです。のちのロイヤリティ収益を期待して、ソニーはゲーム機購入を支援しましたが、思ったほど販売数が伸びず、成果は芳しくありませんでした。

マルチサイドプラットフォームの運営者は、いくつかの重要な質問を自分自身に問いかける必要があります。両サイドにとって、十分な数の顧客を集められるだろうか。どちらのサイドがより、価格に敏感だろうか。支援のオファーで惹きつけることができるだろうか。この支援にかかる費用を回収できるだけの十分な収益を、もう一方のサイドからあげられるだろうか。

以下のページで、マルチサイドプラットフォームの3つの例の概略を説明します。まずはGoogleの戦略。続いて、任天堂、ソニー、マイクロソフトが微妙に異なる戦略でもって競合している様子を見ていきます。最後に、Appleがどのようにして、強力なマルチサイドプラットフォームの運営者へと進化しているのかを説明したいと思います。

Googleのビジネスモデル

Googleのビジネスモデルの根幹は、ウェブの世界で極限まで絞りこまれたテキスト広告をグローバルに提供することです。AdWordsを通じて、広告主は広告とリンクをGoogleの検索ページ（と、あとで触れるアフィリエイトコンテンツネットワークにも）に表示することができます。Googleの検索エンジンを使うと、検索結果の横に、検索ワードにふさわしい広告だけが表示されます。広告主にとって、特定の検索結果やターゲットに合わせてキャンペーン内容を調整できる点が魅力です。このモデルは、多くの人がGoogleの検索エンジンを使わなければ機能しません。Googleにより多くの人が訪れることで、広告がより多く表示されることになり、結果として広告主により大きな価値を提供できるのです。

このように、広告主に提供する価値は、サイトにどれだけ多くの人を惹きつけるかにかかっています。そのため、2番目の顧客セグメントである消費者に対しては、強力な検索エンジンに加え、GmailやGoogleマップ、Picasa（オンラインフォトアルバム）などのツールを提供しています。また、さらにリーチを広げるために、Googleのウェブサイト以外でも広告表示できるようにしました。AdSenseと呼ばれるこのサービスによって、第三者がGoogleの広告収入の一部を手にすることになったのです。AdSenseはウェブサイトのコンテンツを分析して、適切なテキスト広告やバナー広告を表示、3つ目の顧客セグメントであるウェブオーナーがコンテンツで収入を得られるという価値を提供することになりました。

Googleは、異なる価値を3つの独立した顧客セグメントに提供している

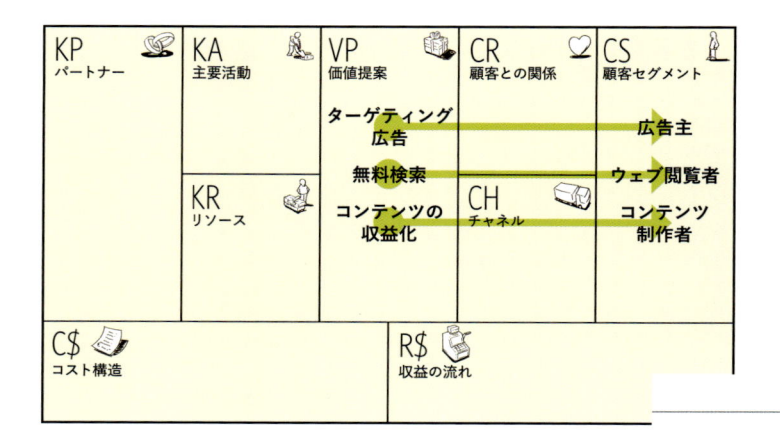

マルチサイドプラットフォームとして、Googleは他とは異なる収益モデルを持っています。広告主という顧客セグメントからの収益は、他の2つの顧客セグメントへの無料サービスに当てられています。より多くの広告が表示されれば、広告主からの収益も増えるので、理にかなっていると言えます。そして広告収益が増えれば、コンテンツオーナーにとってもAdSenseパートナーになる動機につながります。広告主は、こうした広告スペースを直接Googleから購入するわけではなく、広告キーワードへ入札して買い付けます。この入札は、AdWordsのオークションサービスを通じて行われ、人気のあるキーワードほど、費用がかかる仕組みです。AdWordsから得られる実収益は、検索エンジンとAdSenseユーザーへの無料オファーの継続的な改善を可能にしています。

Googleの主なリソースは、検索プラットフォームです。これは3つの異なるサービスを補強しています。ウェブ検索（Google.com）、広告（AdWords）、そして第三者コンテンツのマネタイズ（AdSense）です。高度に複雑化された、独自の検索とマッチメイキングアルゴリズムに基づいており、高度なITインフラにサポートされています。

Googleの3つの主要活動は、次のように定義されます。
（1）検索インフラの構築とメンテナンス、
（2）3つのサービスの管理、
（3）プラットフォームを新しいユーザー、コンテンツオーナー、広告主へとプラットフォームを訴求。

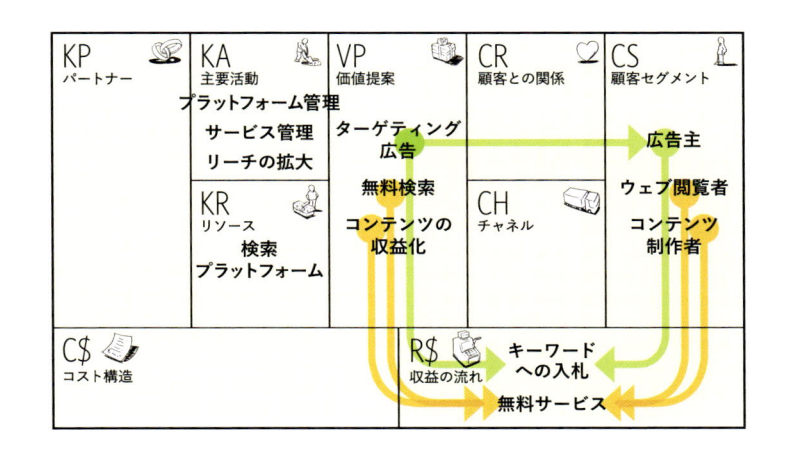

Googleの収益の流れはひとつであり、その収益が他のサービスを支えている

Wii vs PSP、Xbox
同じパターン、異なるフォーカス

PSPとXboxのフォーカス

ビデオゲーム機は、いまや数百億ドルのビジネスであり、マルチサイドプラットフォームのよい例です。ゲーム機メーカーはゲーム開発会社を惹きつけるため、できるだけ多くのプレイヤーを獲得しなければなりません。一方で、プレイヤーは十分な数の面白いゲームが遊べなければ、ゲーム機を買いません。ゲーム産業では、ソニーのプレイステーション、マイクロソフトのXbox、任天堂のWiiが、しのぎを削っています。この3社はすべてマルチサイドプラットフォームに基づいていますが、ソニー、マイクロソフトのビジネスモデルと任天堂のアプローチには、実質的な違いがあり、既存マーケットに対して、確実な答えがないことを示しています。

テクノロジーの新しい活用法と、驚くほど異なるビジネスモデルによって、任天堂のWiiが圧勝するまでは、ソニーとマイクロソフトがゲーム機市場を支配していました。Wiiの立ち上げ以前、任天堂は負のスパイラルに陥り、急速にマーケットシェアを失い、倒産の瀬戸際まで行きました。Wiiによってすべてが変わり、マーケットリーダーの地位を獲得しました。

ビデオゲームメーカーは、それまで熱心なゲームファンをターゲットとし、価格とパフォーマンスを競っていました。本格的なゲームファンは、ゲーム機を選ぶとき、グラフィックやゲームのクオリティ、プロセッサのスピードといった要素を重視します。結果として、メーカーは極めて洗練された高級なゲーム機を開発し、赤字覚悟で販売し、他の2つの収益の流れを持つハードウェアを支えていました。

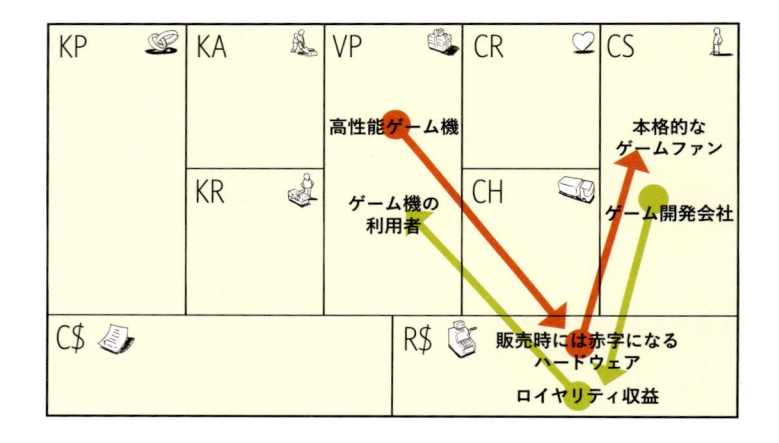

当初メーカーは、自社用のゲームを開発、販売していました。続いて、サードパーティがそのゲーム機に対応するゲームを開発し、そのロイヤリティ収益を得るようになりました。これは典型的なマルチサイドプラットフォームビジネスモデルのパターンです。できるだけ多くのゲーム機を市場に出すために、一方のサイドである消費者を支援するのです。そしてもう一方のサイドであるゲーム開発会社から、収益を上げることになります。

Wiiのフォーカス

任天堂Wiiは、すべてを変えてしまいました。競合他社のように、Wiiはマルチサイドプラットフォームビジネスに基づいていますが、これまでとは異なる要素を持っています。任天堂は、伝統的なマーケットである少数の熱心なゲームファンではなく、多くのカジュアルなゲームプレイヤーを狙いました。ジェスチャーによって操作できる特別なコントローラーを備えた手頃な値段のゲーム機によって、そうしたプレイヤーの心をつかんだのです。Wii Sports、Wii Music、Wii Fitといったモーションコントロールゲームは、膨大な数のカジュアルゲームプレイヤーを魅了しました。この差別化はまた、新しいタイプのマルチサイドプラットフォームの基礎となりました。

ソニーとマイクロソフトは、コストのかかる専用の最新テクノロジーによって熱心なゲームファンを狙い、マーケットシェアを獲得するためにハードウェアの価格を抑えました。一方、任天堂は、パフォーマンスを気にしない顧客セグメントにフォーカスし、モーションコントロールによる「楽しさの要素」によって顧客を誘引したのです。これは新しく強力なチップセットに比べて、ずっと安上がりな技術イノベーションでした。これによりWiiは、低コストで製造ができ、販売における補助金が不要となったのです。これが任天堂とライバルのソニー、マイクロソフトとの一番の違いです。任天堂はWiiのプラットフォームの両方のサイドから収益を上げています。消費者へのゲーム機販売、ゲーム開発会社からのロイヤリティの両方から利益を得ているのです。

3つの連結されたビジネスモデルの要素によって、Wiiの商業的成功を説

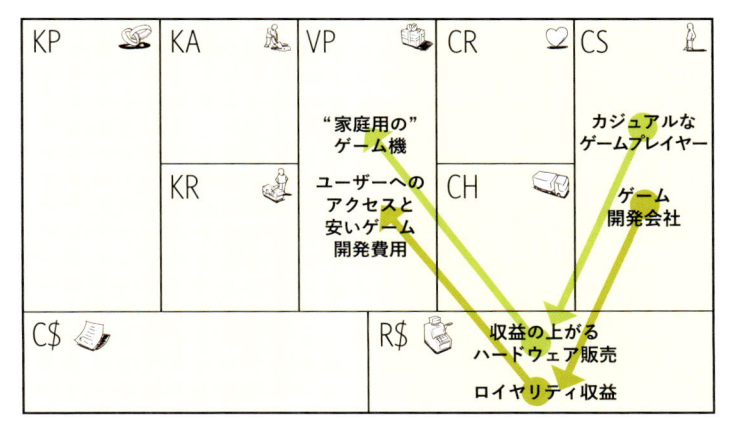

同じパターンだが、異なるビジネスモデルの任天堂Wii

明することができるでしょう。
（1）低価格の差別化された製品（モーションコントロール）、
（2）テクノロジーを気にしない新しい未開拓の市場にフォーカスする（カジュアルなゲームプレイヤー）、
（3）両方のサイドから収益を上げるマルチサイドプラットフォーム
この3つの要素はすべて、過去のゲーム業界の伝統を打ち破るものでした。

Appleのプラットフォーム
運営者への進化

Appleの製品ラインのiPodからiPhoneへの進化は、強力なビジネスモデルパターンへの移行を強調するものになっています。iPodは単体のデバイスでしたが、iPhoneでは、App Storeを通じてAppleがサードパーティのアプリケーションを管理するマルチサイドプラットフォームへと進化しています。

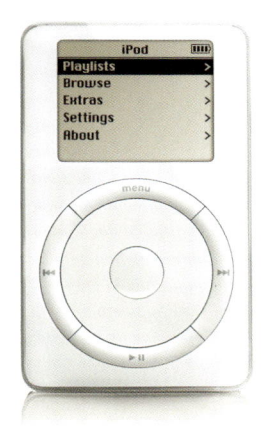

| iPod | マルチプラットフォーム
ビジネスモデルへの変更 | iPod & iTunes | プラットフォームビジネ
スモデルの強化 | iPhone & App Store |

2001 — 2003 — 2008

Appleは2001年にiPodを単体の製品として立ち上げました。ユーザーはiPodへ自分のCDをコピーしたり、インターネットから音楽をダウンロードすることができました。iPodはさまざまなところで手に入れた音楽をためておく、技術面におけるプラットフォームでした。この時点では、Appleはビジネスモデルにおけるプラットフォームとして活用していませんでした。

2003年になると、iTunes Music Storeが導入され、iPodと統合されます。ユーザーが簡単にデジタル音楽を購入、ダウンロードできるようになりました。これは、プラットフォーム効果を活用した最初の試みです。音楽の権利者を直接、購入者とつなげたのです。この戦略により、Appleは世界最大のオンライン音楽販売会社としての立場を手に入れました。

2008年には、大人気のiPhoneに対しApp Storeを立ち上げることで、プラットフォーム戦略を強化して行きました。App Storeによって、ユーザーはアプリケーションを直接iTunes Storeから購入、ダウンロードし、iPhoneにインストールできるようになりました。アプリケーション開発者は、App Storeを通じてアプリケーションを販売しなくてはならず、Appleは売上の30%のロイヤリティを徴収しました。

マルチサイド
プラットフォームパターン

価値提案では、3つの分野で価値を作り出します。すなわち、顧客セグメントの誘引、異なる顧客セグメントとのマッチング、そして、プラットフォームでの決済によるコストの引き下げです。

マルチサイドプラットフォームのビジネスモデルは独特の構造を持っています。2つ以上の顧客セグメントを持ち、それぞれに価値提案と収益の流れがあります。さらに、顧客セグメントは他のセグメントなしに存在できません。

このビジネスモデルパターンの主要なリソースは、プラットフォームです。プラットフォーム管理、サービスプロビジョニング、プラットフォームのプロモーションの3つの活動があります。

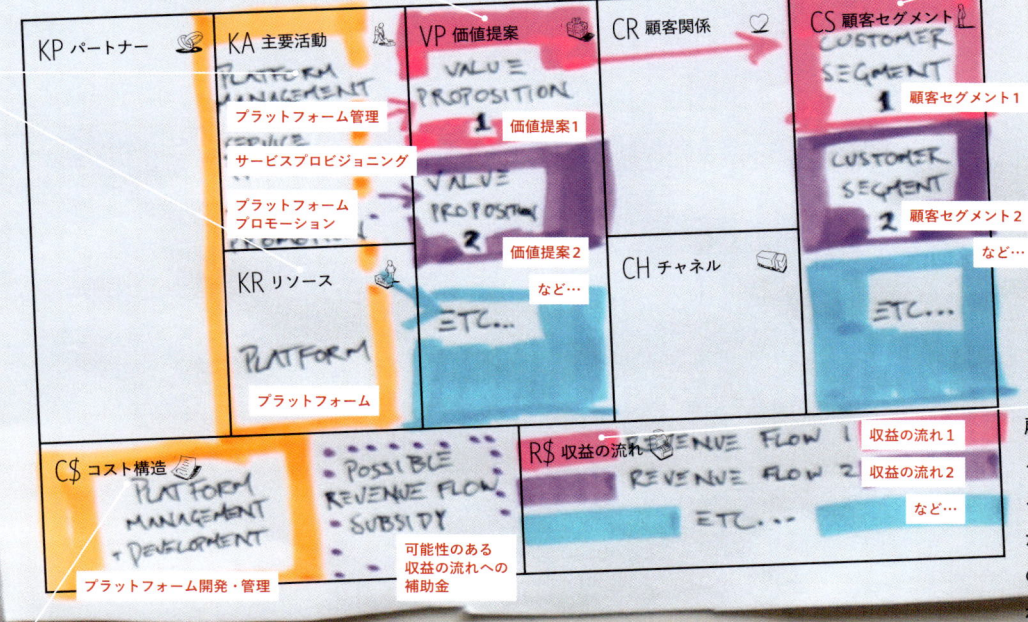

KP パートナー	KA 主要活動	VP 価値提案	CR 顧客関係	CS 顧客セグメント
	PLATFORM MANAGEMENT — プラットフォーム管理 SERVICE — サービスプロビジョニング PLATFORM PROMOTION — プラットフォームプロモーション	VALUE PROPOSITION 1 — 価値提案1 VALUE PROPOSITION 2 — 価値提案2 ETC… — など…		CUSTOMER SEGMENT 1 — 顧客セグメント1 CUSTOMER SEGMENT 2 — 顧客セグメント2 ETC… — など…
	KR リソース PLATFORM — プラットフォーム		CH チャネル	

C$ コスト構造		R$ 収益の流れ	
PLATFORM MANAGEMENT + DEVELOPMENT — プラットフォーム開発・管理	POSSIBLE REVENUE FLOW SUBSIDY — 可能性のある収益の流れへの補助金	REVENUE FLOW 1 — 収益の流れ1 REVENUE FLOW 2 — 収益の流れ2 ETC… — など…	

主要なコストとしては、プラットフォームの管理、開発に関わるものがあります。

顧客セグメントはそれぞれ、異なる収益の流れを生み出します。あるセグメントは、他のセグメントからの収益の流れを受けて、無料のオファーや割引価格を受けられるでしょう。どのセグメントを援助するのかという選択は、重要な価格設定の判断であり、マルチサイドプラットフォームのビジネスモデルの成功を決めるものです。

FREE as a Business Model

ビジネスモデルとしてのフリー戦略

[定義] パターンNo.4

フリー戦略：フリービジネスモデルにおいて、少なくともひとつの顧客セグメントは、無料オファーの恩恵を継続的に受けられます。パターンの違いによって、無料オファーが可能になるのです。支払いをしない顧客の費用は、ビジネスモデルの別の部分か、他の顧客セグメントによって支払われます。

【REF·ER·ENCES】
1 「フリー：〈無料〉からお金を生みだす新戦略」クリス・アンダーソン著、小林弘人監修、高橋則明訳、日本放送出版協会、2009
2 "How about Free? The Price Point That Is Turning Industries on Their Heads." Knowledge@Wharton. March 2009.
3 Free: The Future of a Radical Price. Anderson, Chris. Hyperion, 2009

【EX·AM·PLES】
Metro（フリーペーパー）、Flickr、オープンソース、Skype、Google、無料携帯電話

何かを無料で提供するということは、つねに魅力的な価値提案です。1セントでも価格のついたものに比べ、何倍もの需要を喚起することを、どんなマーケターもエコノミストも認めています。最近ではこうした無料オファーが、特にインターネット上で急増しています。当然、どのようにして無料で提供するシステムを作るのか、実際の収益を上げられるのかという疑問が浮かぶでしょう。回答のひとつとしては、オンラインのデータ保存容量など、無料のものを作りだすコストが劇的に下がったことがあげられます。しかし実際の利益を生み出すには、どうにかして売上を上げなければなりません。

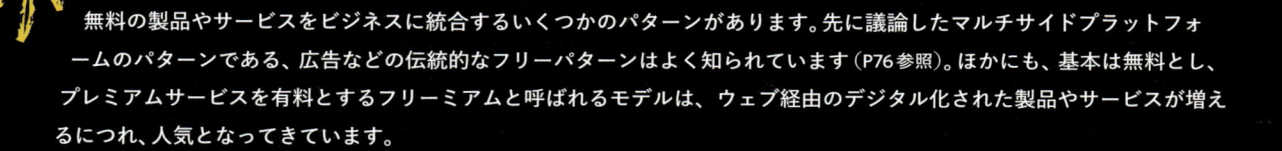

無料の製品やサービスをビジネスに統合するいくつかのパターンがあります。先に議論したマルチサイドプラットフォームのパターンである、広告などの伝統的なフリーパターンはよく知られています (P76参照)。ほかにも、基本は無料とし、プレミアムサービスを有料とするフリーミアムと呼ばれるモデルは、ウェブ経由のデジタル化された製品やサービスが増えるにつれ、人気となってきています。

すでに紹介したロングテールのコンセプト (P66を参照) を紹介したクリス・アンダーソンは、フリーのコンセプトの認知を広める手助けをしました。無料オファーの増加には、デジタル製品・サービスにおいて基本的に異なるエコノミクスが関連していることを、アンダーソンは示したのです。たとえば、歌を作りレコーディングするには、アーティストが時間とお金を費やすことになりますが、インターネット上でのデジタル複製と流通のコストは、限りなくゼロに近くなっています。そのため、コンサートや物販のような別の収益の流れを見つけられれば、アーティストはウェブを通じて世界中のオーディエンスに無料で楽曲を告知、配信することができるのです。無料楽曲の実験を成功させたアーティストには、RadioheadやNine Inch Nailsのトレント・レズナーがいます。

このセクションでは、フリーを実行可能なビジネスモデルにする3つの異なるパターンを見ていきます。それぞれ異なるエコノミクスが働いていますが、少なくともひとつの顧客セグメントは、継続して無料オファーを享受できるという共通の特徴を持っています。3つのパターンとは、(1) マルチサイドプラットフォームによる無料オファー (広告ベース)、(2) 基本は無料で、プレミアムサービスを有料で提供 (いわゆるフリーミアムモデル)、(3) 無料もしくは低価格の最初のオファーで誘引して継続購入をさせる「エサと釣り針」モデルです。

(How) can you set it free?
どうすればそれを無料にできるのだろう？

広告：マルチサイドプラットフォームモデル

広告は、無料オファーを可能にする収益源として確立された手法です。テレビやラジオ、ウェブ、そして最も洗練された形式であるGoogleのターゲット広告などがあります。ビジネスモデルという観点で言えば、広告に基づくフリーは、マルチサイドプラットフォームの一形態です（P76参照）。無料のコンテンツ、製品、サービスでユーザーを惹きつける一方で、広告スペースを広告主に販売して収益を上げます。

このパターンのよい例が、ストックホルムでスタートし、今では世界中の多くの都市で手に入るフリーペーパーMetroです。Metroのすごいところは、伝統的な日刊紙のモデルを修正したそのやりかたにあります。まず新聞を無料で提供し、次に交通量の多いエリアや公共交通網において、手配りやセルフサービスのニューススラックで配布したのです。これには独自の流通ネットワークの構築が必要でしたが、短期間のうちに大量部数を達成することができました。最後に、通勤する若い人が、仕事場への短い移動時間に楽しむ程度の手軽な新聞を作ることで、編集コストを削減したのです。同じようなモデルを使って、すぐに競合他社が参入しましたが、Metroはいくつかの対策をして、彼らを追い詰めました。たとえば、駅やバスの停留所でのニューススラックを管理し、ライバル紙がコストのかかる手配りをしなければならないようにしたのです。

移動時間に読める程度の日刊紙に限定して、編集チームのコストを最小化

無料配布と通行量の多い場所や公共交通網で配布することによる大きな部数の確保

Metro

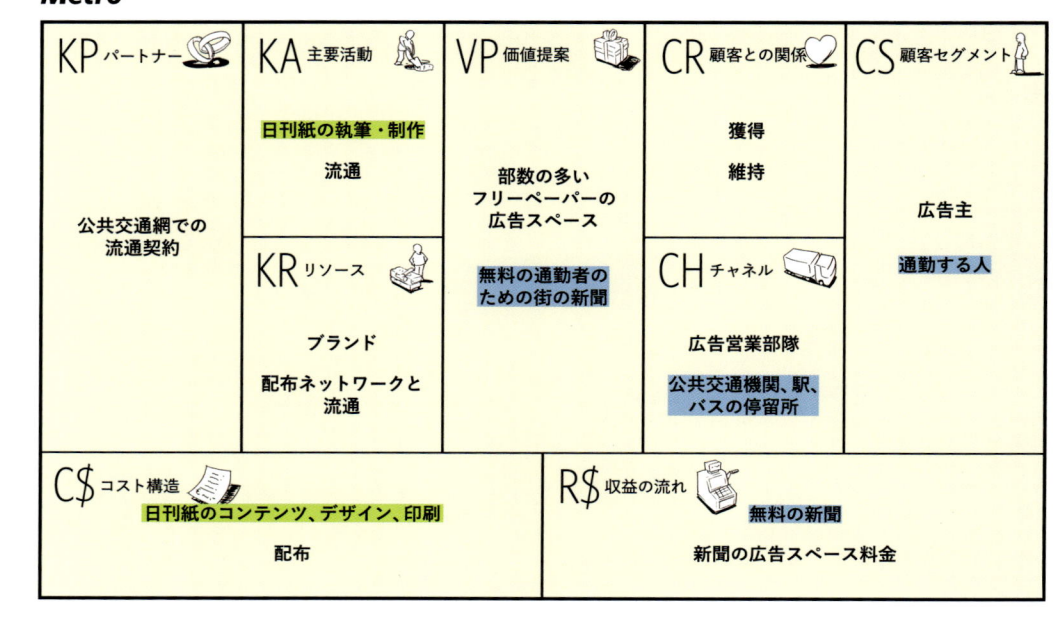

KP パートナー	KA 主要活動	VP 価値提案	CR 顧客との関係	CS 顧客セグメント
公共交通網での流通契約	日刊紙の執筆・制作 流通	部数の多いフリーペーパーの広告スペース 無料の通勤者のための街の新聞	獲得 維持	広告主 通勤する人
	KR リソース		CH チャネル	
	ブランド 配布ネットワークと流通		広告営業部隊 公共交通機関、駅、バスの停留所	

C$ コスト構造	R$ 収益の流れ
日刊紙のコンテンツ、デザイン、印刷 配布	無料の新聞 新聞の広告スペース料金

マス≠自動的に広告料が入ってくる

ソーシャルネットワーキングサービスのFacebookが示すように、多くのユーザーを抱えれば自動的に、広告収益の黄金郷が訪れるわけではありません。Facebookは、2009年5月には2億人以上のアクティブユーザーを抱え、一日に1億以上のログオンがされていると言われています。数字上、Facebookは世界で最も大きなソーシャルネットワークです。しかし専門家によれば、Facebookの広告は、伝統的なウェブ広告よりも反応率が低いそうです。Facebookにとって、広告はいくつかある収益の流れのひとつにすぎませんが、とはいえ巨大なユーザー群がそのまま、大きな広告収益を保証しないことは明らかです。原稿執筆時点では未上場企業であるFacebookは、収益データを公開していません。

Facebook

トラフィックの多いソーシャルネットワークでの広告スペース 無料のソーシャルネットワーク	マスカスタマイズ 広告営業部隊 facebook.com	広告主 世界中のウェブユーザー
	無料のアカウント facebook上の広告スペース料	

新聞：無料にすべきかどうか

フリーのインパクトを超えようとしている新聞業界。無料で手に入るインターネットコンテンツとフリーペーパーに挟まれて、伝統的な新聞社のいくつかはすでに倒産してしまいました。Pew Research Centerの調査によると、アメリカの新聞業界では2008年、ニュースをオンラインで得る人の数が、新聞や雑誌を超えたそうです。

伝統的に、新聞や雑誌は、3つの収益源に依存しています。売店での売上、定期購読、そして広告です。はじめの2つは急速に減っており、3番目の広告料も十分な伸びを示していません。多くの新聞がオンラインでの読者を獲得していますが、それに応じた広告料の獲得には至っていません。一方で、優れたジャーナリズムを保証する、編集チームの高い固定費は、変わらないままです。

いくつかの新聞は、オンライン有料購読の実験を行いましたが、結果はさまざまです。もし似たような記事が、CNN.comやMSNBC.comといったサイトで無料閲覧できるのなら、有料化は難しいでしょう。特別なオンラインコンテンツを有料購読するよう、読者を促すことができた新聞はほとんどありません。

また一方で、Metroのような無料の配布物からの攻撃も受けています。Metroは、まったく異なるフォーマットとニュースクオリティ、そして新聞を読まない若い読者にフォーカスしていますが、徐々に有料紙への圧力を高めています。ニュースに課金することの難しさが増しているのです。

起業家の何人かは、オンラインスペースにフォーカスした新しいフォーマットを実験しています。たとえば、ニュースを配信しているTrue/Slant（truslant.com）は、それぞれの分野の60人以上の専門家による記事をひとつのサイトに集めています。ライターには、True/Slatによって生み出される広告料とスポンサー収入が分割して支払われます。広告主は広告料を支払うことで、ニュースコンテンツに合わせた広告素材を表示することができます。

無料広告：
マルチサイド
プラットフォーム
のパターン

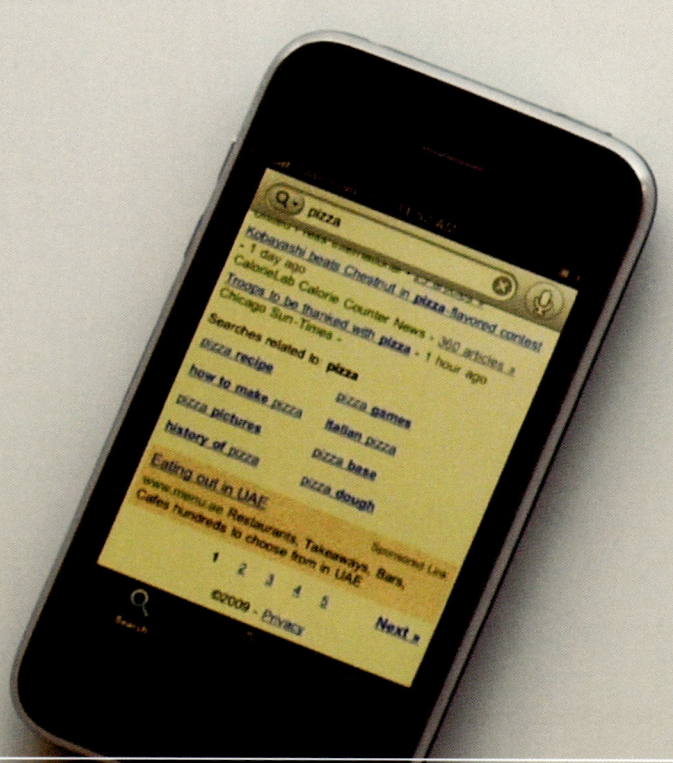

正しい製品やサービス、多くのトラフィックによって、プラットフォームは広告主にとって興味深いものになります。それにより、無料製品・サービスを支えるための広告料を請求できます。

KP パートナー	KA 主要活動	VP 価値提案	CR 顧客との関係	CS 顧客セグメント
	プラットフォーム開発・管理 PLATFORM DEVELOPMENT + MAINTENANCE	AD SPACE + HIGH FREQUENTATION 広告スペースと頻繁な訪問		ADVERTISERS 広告主
	KR リソース PLATFORM プラットフォーム	PRODUCT OR SERVICE 製品とサービス	CH チャネル	CUSTOMERS 顧客

C$ コスト構造		R$ 収益の流れ
PLATFORM COSTS プラットフォームコスト	CUSTOMER ACQUISITION COSTS 顧客獲得コスト	AD FEES 広告費 FREE 無料

主要なコストは、プラットフォームの開発、維持に関わるものです。トラフィック増加と読者維持のコストも上がっていきます。

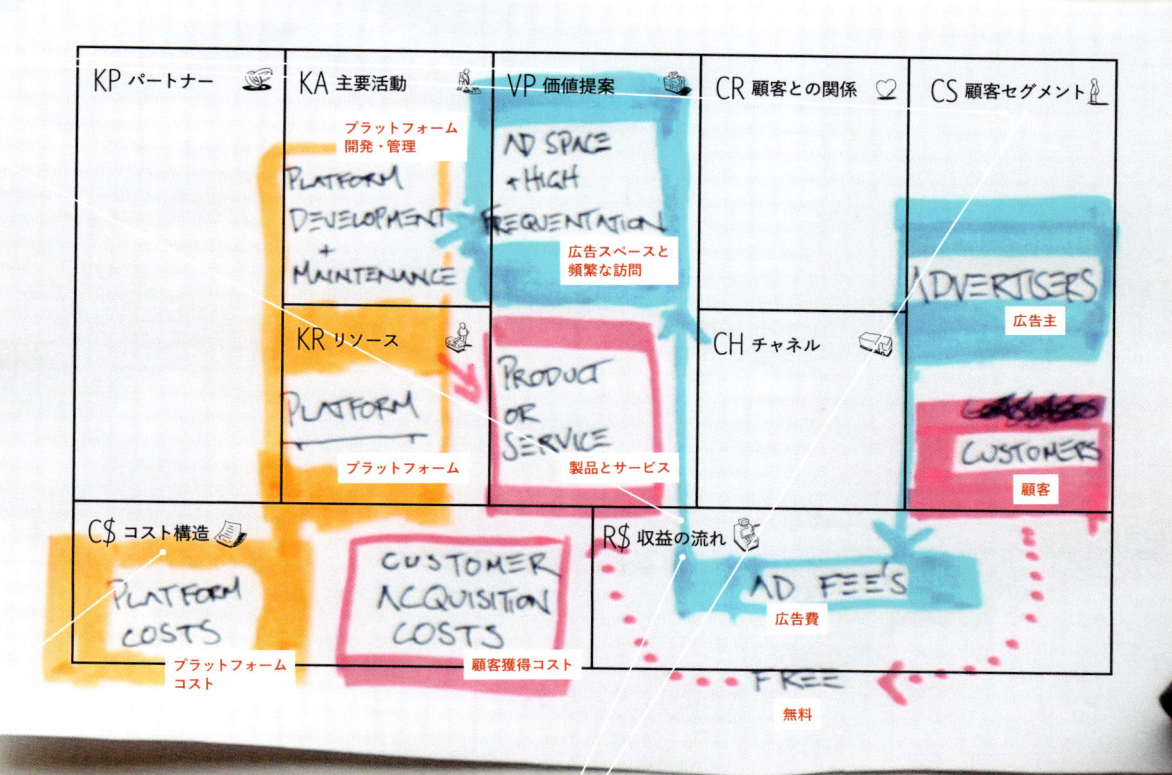

無料の製品・サービスは、プラットフォームへの高いトラフィックを生み出し、広告主への魅力を高めます。

Patterns

フリーミアム　基本は無料、それ以上は有料で

"フリーミアム"という言葉はジャリド・ルーキンによって発案され、ベンチャーキャピタリストであるフレッド・ウィルソンのブログで広まりました。これは多くのウェブビジネスで採用されているモデルで、無料の基本サービスと有料のプレミアムサービスとを組み合わせたものです。フリーミアムモデルは、大きな無料ユーザーの顧客ベースに特徴があります。このうち有料サービスに移行するのはごくわずかで、

多くの場合、有料のプレミアムサービスへの移行は10%を超えません。少数の有料ユーザーが無料ユーザーを支えることになるのです。これは、無料ユーザーの追加費用が低いからこそ可能になります。
フリーミアムモデルにおいて着目すべきは、
（1）無料ユーザーにかかる平均コスト
（2）無料ユーザーから有料プレミアムユーザーへの移行率、です。

2005年にYahooによって買収された人気の写真共有サイトFlickrは、フリーミアムのよい例です。Flickrのユーザーは無料で基本アカウントを登録でき、画像をアップロード、共有することができます。無料サービスは、保存容量や月のアップロード数などの制約があります。少額の年間費用を支払ってプロアカウントを購入すると、無制限のアップロードと保存容量、追加機能を利用できます。

Flickr

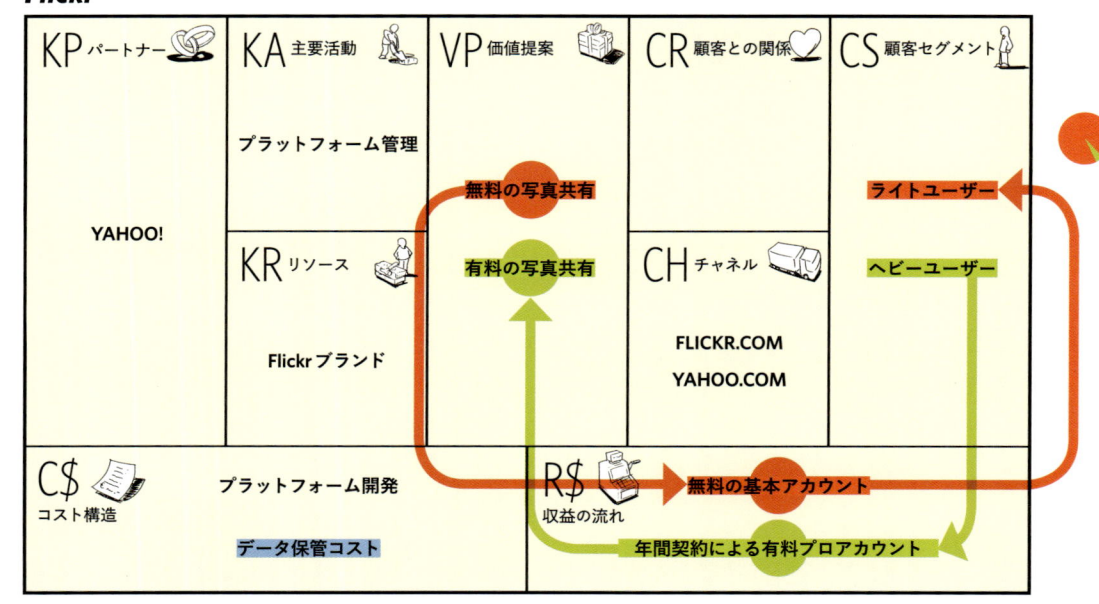

KP パートナー	KA 主要活動	VP 価値提案	CR 顧客との関係	CS 顧客セグメント
YAHOO!	プラットフォーム管理	無料の写真共有		ライトユーザー
	KR リソース Flickr ブランド	有料の写真共有	CH チャネル FLICKR.COM YAHOO.COM	ヘビーユーザー

C$ コスト構造	R$ 収益の流れ
プラットフォーム開発 データ保管コスト	無料の基本アカウント 年間契約による有料プロアカウント

プラットフォーム開発に関連する抑えられた固定費　共有される写真の数による変動費

ライトユーザーへの基本アカウントの大きな顧客ベース　有料のプロユーザーの小さな顧客ベース

オープンソース　ひねりを加えたフリーミアム

企業向けソフトウェア産業のビジネスモデルは通常、2つの特徴があります。ひとつは製品を構築する専門的なソフトウェア開発者の一団をサポートするための高い固定費です。2つ目は、ユーザーライセンスの販売と定期的なソフトウェアのアップデートです。

アメリカのソフトウェア会社レッドハットは、このモデルを転換しました。ソフトウェアをゼロからつくるのではなく、何千というソフトウェアエンジニアがボランティアで開発したオープンソースソフトウェアを基盤にして、製品を作り上げました。企業が頑丈でライセンスフィーのいらないオープンソースに興味がある一方で、それを提供、メンテナンスするための法的な責任をもつ企業がいないことに、気後れしていたことに、レッドハットは気づきました。レッドハットは、リナックスに代表されるような、安定し、テストも済んでいる商用化された製品を提供することによって、このギャップを埋めたのです。

レッドハットのリリースする製品は7年にわたってサポートされます。顧客はこのアプローチにより、オープンソースの優位性であるコストと安定性を手に入れることができ、同時にひとつの会社で公式に「保有」されていない製品の不確実性から自らを守ることができたのです。レッドハットもまた、費用のかからないオープンソースコミュニティによって継続的に改善されるソフトウェアカーネルの恩恵を受けていました。これは、レッドハットの開発コストを、実質的に下げることになりました。

当然、レッドハットも収益を上げなければなりません。従来のソフトウェアの収益モデルである、大きなアップデートに対してクライアントに課金するのではなく、会費制をとりました。年会費を支払うことで、いつでも最新のレッドハット製品を手に入れることができ、無制限のサポートも受けられ、さらに製品の法的な所有者とのやり取りに関する安全性も担保されました。リナックスや他のオープンソースなど、多くのバージョンが無料で手に入るにもかかわらず、多くの企業が、こうしたメリットに対してお金を支払いました。

Red Hat レッドハット

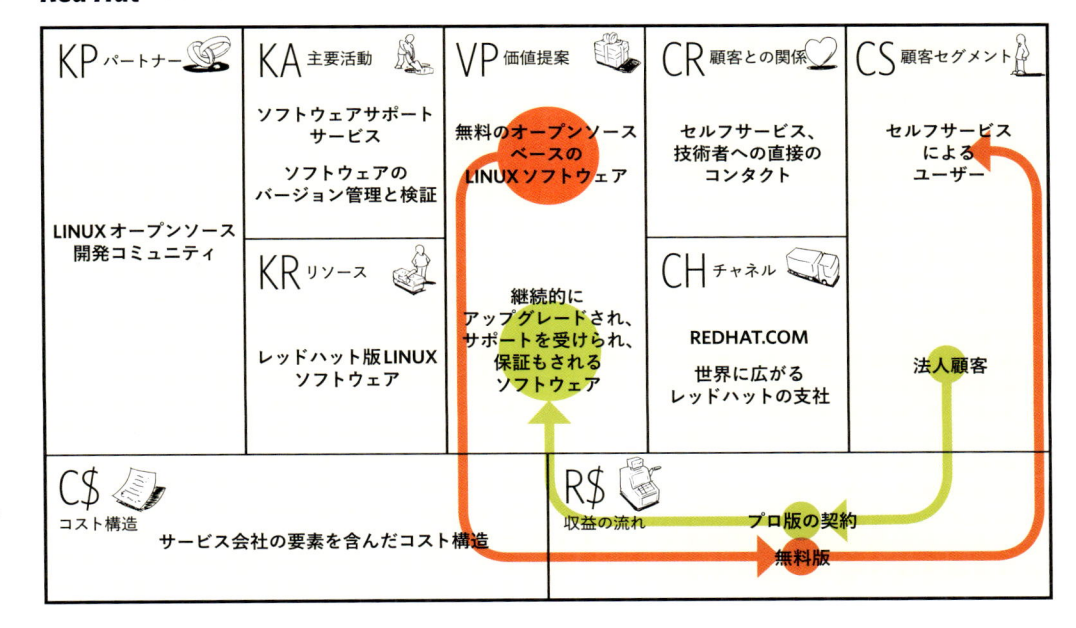

KP パートナー	KA 主要活動	VP 価値提案	CR 顧客との関係	CS 顧客セグメント
LINUX オープンソース開発コミュニティ	ソフトウェアサポートサービス / ソフトウェアのバージョン管理と検証	無料のオープンソースベースのLINUXソフトウェア / 継続的にアップグレードされ、サポートを受けられ、保証もされるソフトウェア	セルフサービス、技術者への直接のコンタクト	セルフサービスによるユーザー / 法人顧客
	KR リソース		CH チャネル	
	レッドハット版LINUXソフトウェア		REDHAT.COM / 世界に広がるレッドハットの支社	

C$ コスト構造	R$ 収益の流れ
サービス会社の要素を含んだコスト構造	プロ版の契約 / 無料版

Skype

Skypeは、無料のインターネット電話によって通信業界を破壊する、フリーミアムの興味深い例を提供してくれています。Skypeは、同名の会社によって開発されたソフトウェアで、コンピュータやスマートフォンにインストールすると、ユーザーは無料で他人に電話をかけることができます。Skypeがこうしたサービスを提供できるのは、通信キャリアとはまったく異なるコスト構造を持っているからです。無料電話は、ユーザーのハードウェアとインターネット通信インフラを活用した、いわゆるピア・ツー・ピアと呼ばれる技術に基づき、インターネット経由で行われます。そのため、Skypeは、電話会社のように自分のネットワークを管理する必要がなく、小さな費用負担だけで追加のユーザーをサポートできます。Skypeは、バックエンドのソフトウェアとユーザーアカウントをホストするサーバーを除き、自分自身でインフラをほとんどもつ必要がありません。

ユーザーは、SkypeOutと呼ばれるプレミアムサービスを通じて、固定電話や携帯電話に電話をかけるときにだけ、料金を支払います。しかしこの料金も非常に低く抑えられています。具体的には、企業のネットワークトラフィックを取り扱うiBasisやLevel3といったホールセールキャリアの通話料とほとんど変わらない金額になります。

Skype

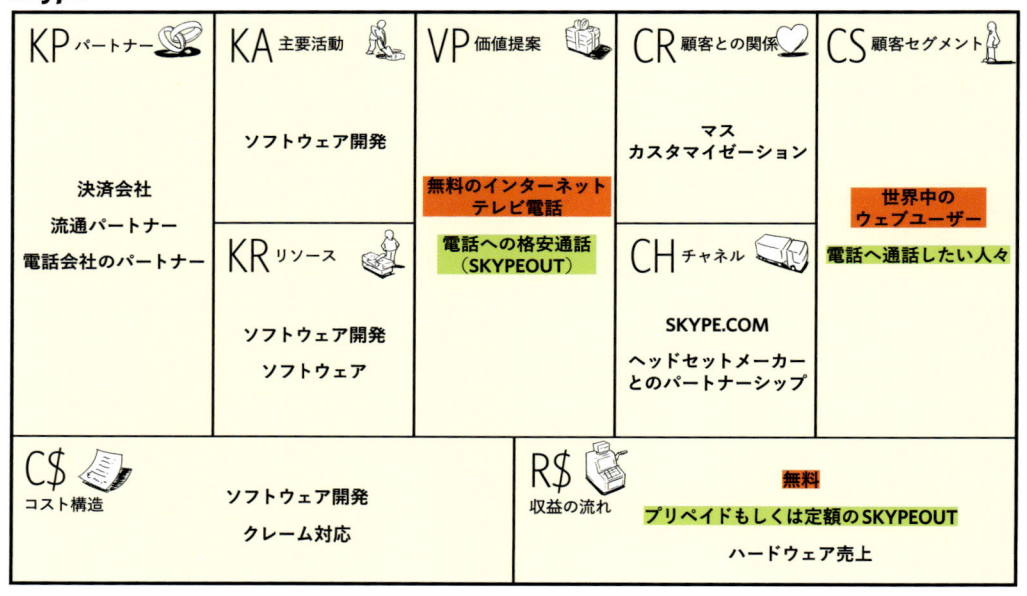

KP パートナー	KA 主要活動	VP 価値提案	CR 顧客との関係	CS 顧客セグメント
決済会社 流通パートナー 電話会社のパートナー	ソフトウェア開発 KR リソース ソフトウェア開発 ソフトウェア	無料のインターネット テレビ電話 電話への格安通話 （SKYPEOUT）	マス カスタマイゼーション CH チャネル SKYPE.COM ヘッドセットメーカー とのパートナーシップ	世界中の ウェブユーザー 電話へ通話したい人々

C$ コスト構造	R$ 収益の流れ
ソフトウェア開発 クレーム対応	無料 プリペイドもしくは定額のSKYPEOUT ハードウェア売上

Skypeは、2004年の創業以来、4億人以上のユーザーが1000億回も無料で通話したと言っています。2008年には5億5000ドルの売上を報告していますが、利益がどの程度なのか詳しい会計情報は公表されていません。IPOの際に、より詳しい情報を知ることができるでしょう。

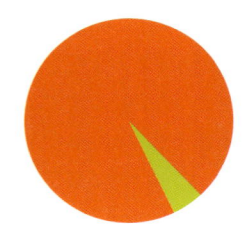

90％以上のSkypeユーザーが無料サービスに登録しています

有料のSkypeOutによる電話は、全体の利用の10％以下にすぎません

5年以上の歴史
4億人以上のユーザー
1000億回以上の無料通話
2008年には
5億5000万ドルの売上

Skypeの登場により通信産業は壊滅的なダメージを受け、音声通話のコストはゼロに近づくことになりました。電話会社は初め、なぜSkypeが無料通話を提供するのか理解せず、真剣に捉えようとしませんでした。また、伝統的な電話会社の顧客のほんのごく一部しか、Skypeを使いませんでした。しかし時間が経つにつれ、国際電話をSkypeでかけようという顧客は増えていき、電話会社の最も大きな収益源を侵食していきました。典型的な破壊的ビジネスモデルであるこのパターンは、伝統的な音声通話ビジネスに大きく影響し、Telegeographyの調査によれば、今日では、Skypeは国際電話サービスでの世界最大の企業となっています。

Skype対電話会社

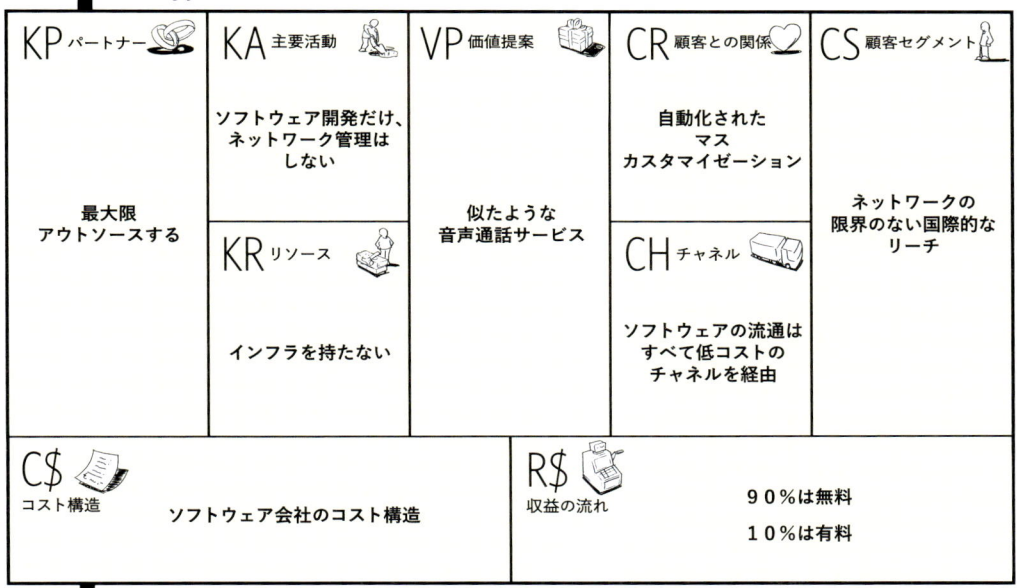

KP パートナー	KA 主要活動	VP 価値提案	CR 顧客との関係	CS 顧客セグメント
最大限アウトソースする	ソフトウェア開発だけ、ネットワーク管理はしない	似たような音声通話サービス	自動化されたマスカスタマイゼーション	ネットワークの限界のない国際的なリーチ
	KR リソース		CH チャネル	
	インフラを持たない		ソフトウェアの流通はすべて低コストのチャネルを経由	

C$ コスト構造	R$ 収益の流れ
ソフトウェア会社のコスト構造	90%は無料 / 10%は有料

Skypeは、ソフトウェア会社のエコノミクスに基づく音声通話サービス会社です

ソフトウェアを配布し、顧客にSkype同士の無料通話を提供しても、コストはほとんどかかりません

保険モデル：逆さまのフリーミアム

フリーミアムモデルにおいては、フリーミアムサービスへの支払いをする少数の顧客ベースが、支払いをしない大多数の顧客を支えることになります。保険モデルではこれが逆転します。フリーミアムモデルが逆さまになっているのです。保険モデルでは、万が一の、しかし経済的には大打撃となる事故から身を守るために、多くの顧客が少額の定期的な費用を支払っています。つまり、保険料を払っている多くの顧客が、実際の支払いを受ける少数の人々を支える構造になっています。もちろん、支払いをしている顧客はいつでも、保険金を受け取る側に回ることができます。

REGAの例を見てみましょう。REGAはスイスのNPOで、ヘリコプターや飛行機を使って医療スタッフを事故現場、特にスイスの山岳地帯に派遣します。この組織は、200万人以上の後援者によって支えられており、後援者はその代わり、費用を支払うことなくREGAの救助を受けることができます。山岳救助は非常に高額で、スキー休暇や夏のハイキング、山のドライブでのアクシデントに対する高額請求から守ってくれるREGAは、後援者たちにとって魅力的なサービスです。

REGA

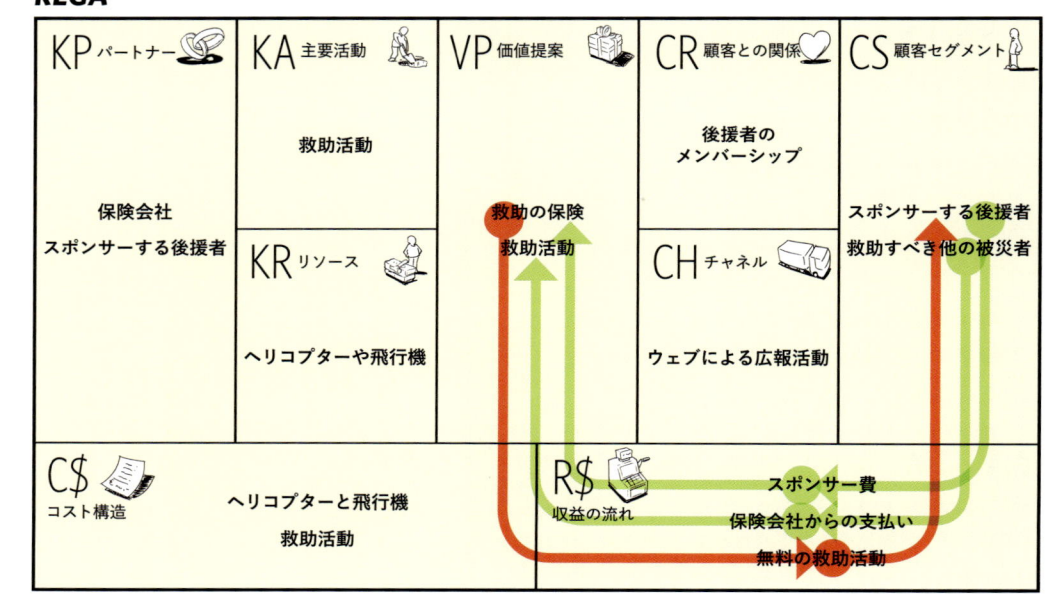

KP パートナー	KA 主要活動	VP 価値提案	CR 顧客との関係	CS 顧客セグメント
保険会社 スポンサーする後援者	救助活動	救助の保険 救助活動	後援者のメンバーシップ	スポンサーする後援者 救助すべき他の被災者
	KR リソース ヘリコプターや飛行機		CH チャネル ウェブによる広報活動	

C$ コスト構造	R$ 収益の流れ
ヘリコプターと飛行機 救助活動	スポンサー費 保険会社からの支払い 無料の救助活動

多くの顧客による支払いによって、少数の保険金支払いをカバーします

"デジタル化するあらゆる産業が、
　遅かれ早かれ無料になる"

Wired Magazine編集長
クリス・アンダーソン

"誤った方向に導く法論理のもとで、
　我々の仕事を他人が持ち去っていくのを、
　もはや傍観しているわけにはいかない"

AP通信社 会長
ディーン・シングルトン

"価格がゼロにおける需要は、
　価格が非常に低い場合の需要の
　数十倍以上になる"

ウォートン大学 助教授
カーティック・ホサナガー

"Googleは実体のある企業ではない。
　砂上の楼閣だ"

マイクロソフトCEO
スティーブ・バルマー

フリーミアム
パターン

102

Patterns

フリーミアムパターンにおいては、プラットフォームが最も重要な資産です。それにより、無料の基本サービスを提供するときの追加費用（限界費用）を低く抑えられるからです。

このパターンのコスト構造は、3つに分かれます。固定費、無料アカウント追加にかかる低い限界費用、そしてプレミアムアカウントへの費用です。

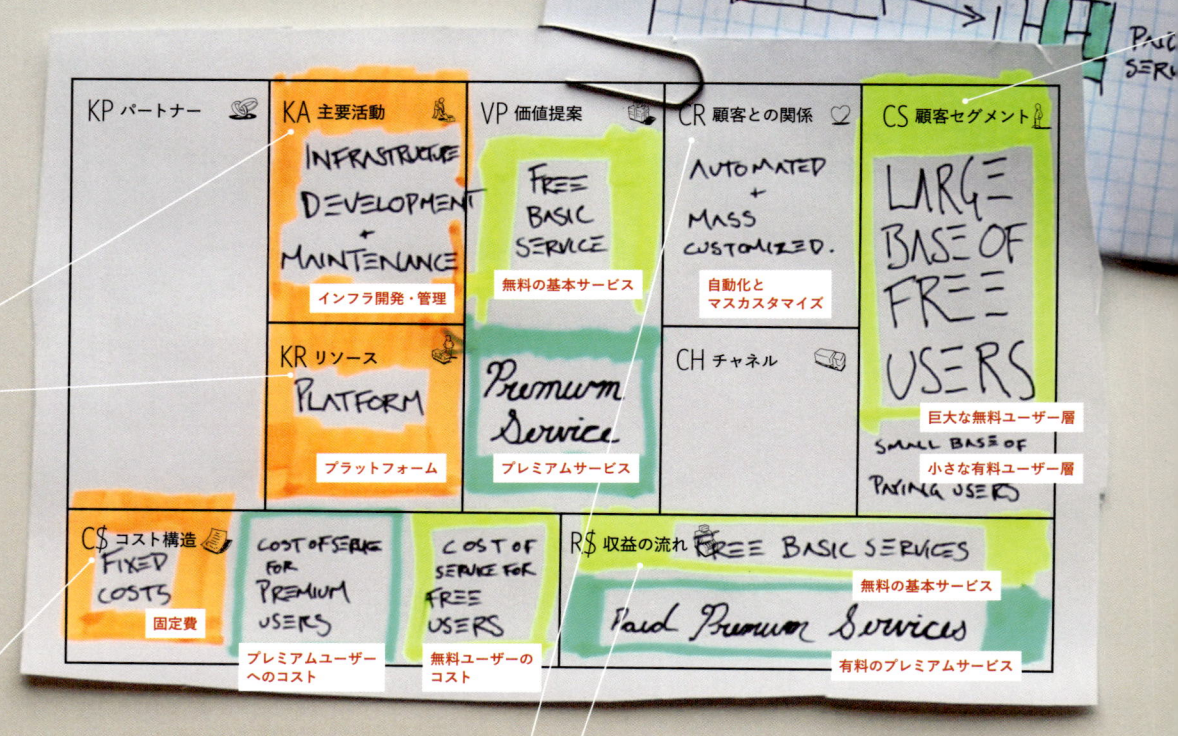

多くの無料ユーザーを扱うために、顧客との関係は自動化され、コストを低くしなければなりません。

無料からプレミアムアカウントへのコンバージョン率は、重要な数値です。

ユーザー
どのくらい多くのユーザーを、プレミアムビジネスモデルに移行できるかを記述します。

ビジネスモデルを運用するために、システム費などの固定費が発生します。

KP パートナー

KA 主要活動
INFRASTRUCTURE DEVELOPMENT + MAINTENANCE
インフラ開発・管理

KR リソース
PLATFORM
プラットフォーム

VP 価値提案
FREE BASIC SERVICE
無料の基本サービス

Premium Service
プレミアムサービス

CR 顧客との関係
AUTOMATED + MASS CUSTOMIZED.
自動化とマスカスタマイズ

CH チャネル

CS 顧客セグメント
LARGE BASE OF FREE USERS
巨大な無料ユーザー層
SMALL BASE OF PAYING USERS
小さな有料ユーザー層

C$ コスト構造
FIXED COSTS
固定費
COST OF SERVE FOR PREMIUM USERS
プレミアムユーザーへのコスト
COST OF SERVICE FOR FREE USERS
無料ユーザーのコスト

R$ 収益の流れ
FREE BASIC SERVICES
無料の基本サービス
Paid Premium Services
有料のプレミアムサービス

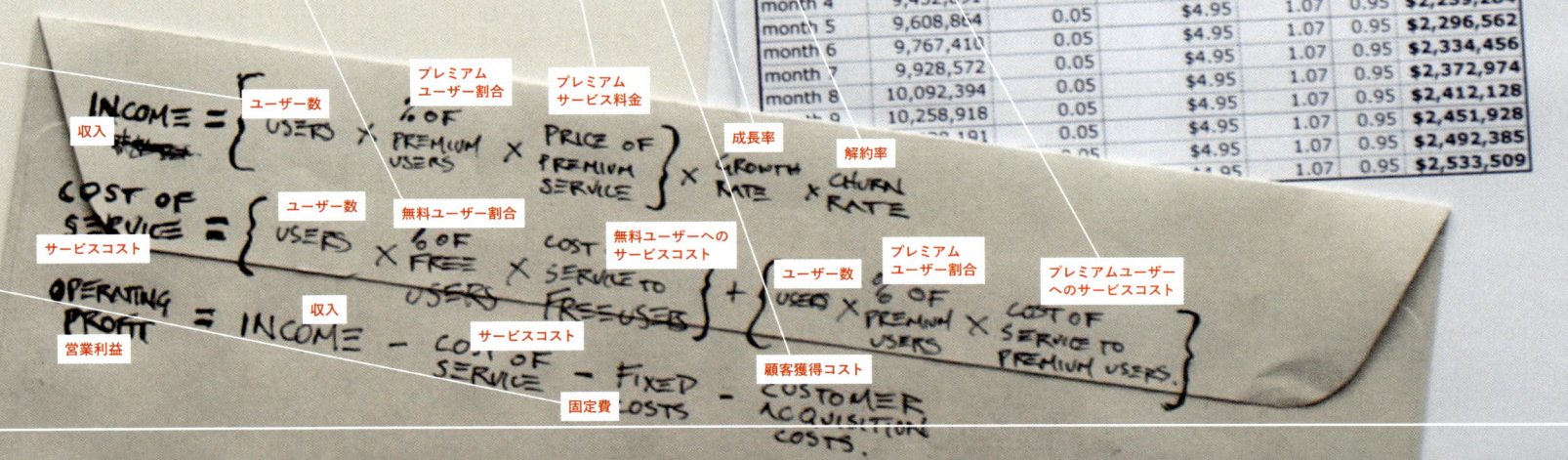

フリーミアムモデルは、少数の有料ユーザーによって支えられる大きな無料サービスユーザーによって特徴付けられます。

ユーザーは無料で基本サービスを利用でき、お金を支払うことで追加オプションを受けられるプレミアムサービスに加入できます。

サービス費用とは、企業が無料もしくはプレミアムサービスをユーザーに提供するための平均コストです。

成長率と解約率は、どれくらいの人数が解約するのか、これからユーザーとなるのかを示します。

顧客獲得コストは、新しいユーザーの獲得に必要なコストです。

プレミアムサービス料金は、プレミアムサービスの平均料金です。

プレミアムユーザー・無料ユーザー率は、プレミアムユーザーと無料ユーザーの割合を示します。

operating profit period	income	cost of service	fixed costs	customer acquisition costs	operating profit
month 1	$2,116,125	$391,500	$1,100,000	$650,000	
month 2	$2,151,041	$397,960	$1,100,000	$650,000	-$25,375
month 3	$2,186,533	$404,526	$1,100,000	$650,000	$3,081
month 4	$2,222,611	$411,201	$1,100,000	$650,000	$32,007
month 5	$2,259,284	$417,986	$1,100,000	$650,000	$61,
month 6	$2,296,562	$424,882	$1,100,000		
month 7	$2,334,456	$431,893			
month 8	$2,372,974				
month 9	$2,				

cost of service period	users	% of free users	cost of service free users	users	% of premium users	cost of service premium users	cost of service to all users
month 1	9,000,000	0.95	$0.03	9,000,000	0.05	$0.30	$391,500
	9,148,500	0.95	$0.03	9,148,500	0.05	$0.30	$397,960
		0.95	$0.03	9,299,450	0.05	$0.30	$404,526
					0.05	$0.30	$411,201
							$417,986

income period	users	% of premium users	price of premium service/month	growth rate	churn rate	income
month 1	9,000,000	0.05	$4.95	1.07	0.95	$2,116,125
month 2	9,148,500	0.05	$4.95	1.07	0.95	$2,151,041
month 3	9,299,450	0.05	$4.95	1.07	0.95	$2,186,533
month 4	9,452,891	0.05	$4.95	1.07	0.95	$2,222,611
month 5	9,608,864	0.05	$4.95	1.07	0.95	$2,259,284
month 6	9,767,410	0.05	$4.95	1.07	0.95	$2,296,562
month 7	9,928,572	0.05	$4.95	1.07	0.95	$2,334,456
month 8	10,092,394	0.05	$4.95	1.07	0.95	$2,372,974
	10,258,918	0.05	$4.95	1.07	0.95	$2,412,128
		0.05	$4.95	1.07	0.95	$2,451,928
		0.05	$4.95	1.07	0.95	$2,492,385
			$4.95	1.07	0.95	$2,533,509

$$INCOME = \{USERS \times \%\ OF\ PREMIUM\ USERS \times PRICE\ OF\ PREMIUM\ SERVICE\} \times GROWTH\ RATE \times CHURN\ RATE$$

$$COST\ OF\ SERVICE = \{USERS \times \%\ OF\ FREE\ USERS \times COST\ OF\ SERVICE\ TO\ FREE\ USERS\} + \{USERS \times \%\ OF\ PREMIUM\ USERS \times COST\ OF\ SERVICE\ TO\ PREMIUM\ USERS\}$$

$$OPERATING\ PROFIT = INCOME - COST\ OF\ SERVICE - FIXED\ COSTS - CUSTOMER\ ACQUISITION\ COSTS$$

エサと釣り針モデル

「エサと釣り針」モデルは、関連商品やサービスの継続購入を促すための、魅力的な、低価格もしくは無料の導入提案が特徴のビジネスモデルパターンです。このパターンは、ロスリーダーもしくはカミソリと刃モデルとしても知られています。ロスリーダーとは、最初はお金を失うような提案であっても、引き続き行われる購入によって利益を生み出そうとする意図をもつものです。カミソリと刃は、使い捨てのカミソリの刃（P105参照）の発明者であるアメリカのビジネスマン、キング・C・ジレットによって有名になったビジネスモデルです。顧客を導入提案によって惹きつけ、その後の販売によって利益を上げるアイデア一般を、ここでは「エサと釣り針」パターンと呼びたいと思います。

携帯電話産業は、無料提供によるエサと釣り針パターンの格好の例です。今では、無料の携帯電話端末を提供することで、サービス契約をしてもらうやり方は標準となっています。電話会社は最初、携帯電話を無料で渡すことで損失が出ますが、それはすぐに、月額料金でカバーすることができます。無料提供によってその場では顧客を満足させ、のちの継続的な収入を生み出すのです。

無料携帯電話のエサと釣り針

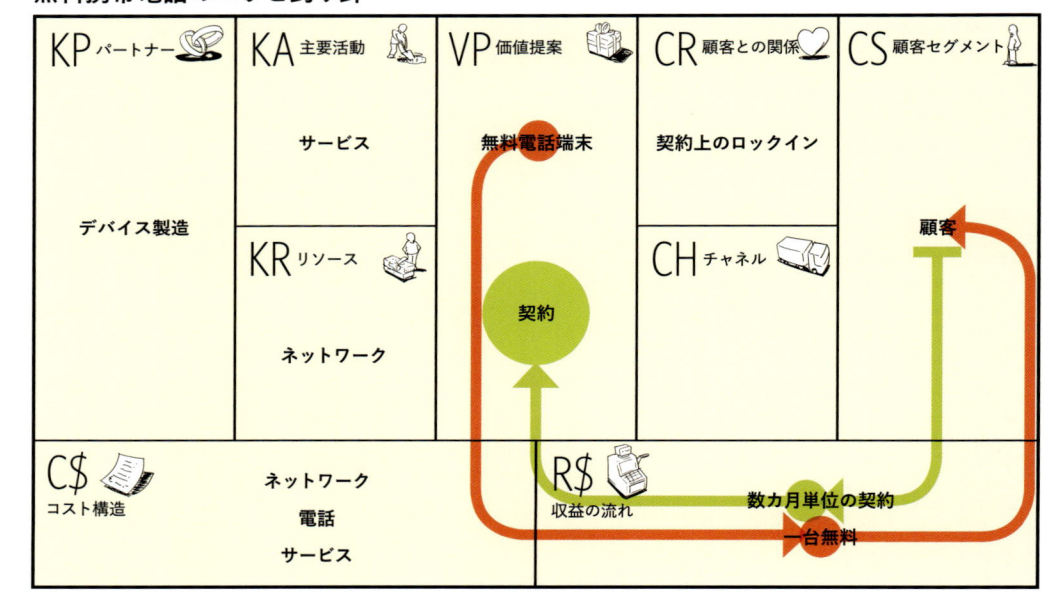

KP パートナー	KA 主要活動	VP 価値提案	CR 顧客との関係	CS 顧客セグメント
デバイス製造	サービス	無料電話端末	契約上のロックイン	顧客
	KR リソース		CH チャネル	
	ネットワーク	契約		
C$ コスト構造	ネットワーク 電話 サービス	R$ 収益の流れ	数カ月単位の契約 一台無料	

エサと釣り針パターンは、最初、使い捨てのカミソリを販売する方法から派生したものです。1904年、使い捨ての替刃を最初に商品化したキング・C・ジレットは、替刃の需要を喚起するために、カミソリ本体を格安もしくは無料で配布することを決断しました。今日でもジレットは、シェービング製品の卓越したブランドであり続けています。このモデルの重要なポイントは、低価格もしくは無料の製品と、企業が高い利益を上げられる、（通常、使い捨ての）付属品購入との間の強い関連です。顧客のロックインが、このパターンの成功には不可欠です。特許によって、競合がジレットのカミソリ本体への安い替刃を提供できないようにするのです。実際、今日でも、カミソリ本体は、世界中で最も頑丈に特許で守られた消費者製品のひとつで、潤滑油となるストライプ状のスムーサーからカートリッジを入れ替えるシステムまで、1,000以上の特許で守られています。

このパターンは、ビジネスの世界では人気で、インクジェットプリンターを始め、多くの産業で応用されています。HP、エプソン、キヤノンといったメーカーは、プリンタを低価格で販売し、インクカートリッジの販売で利益を上げています。

カミソリと替刃：ジレット

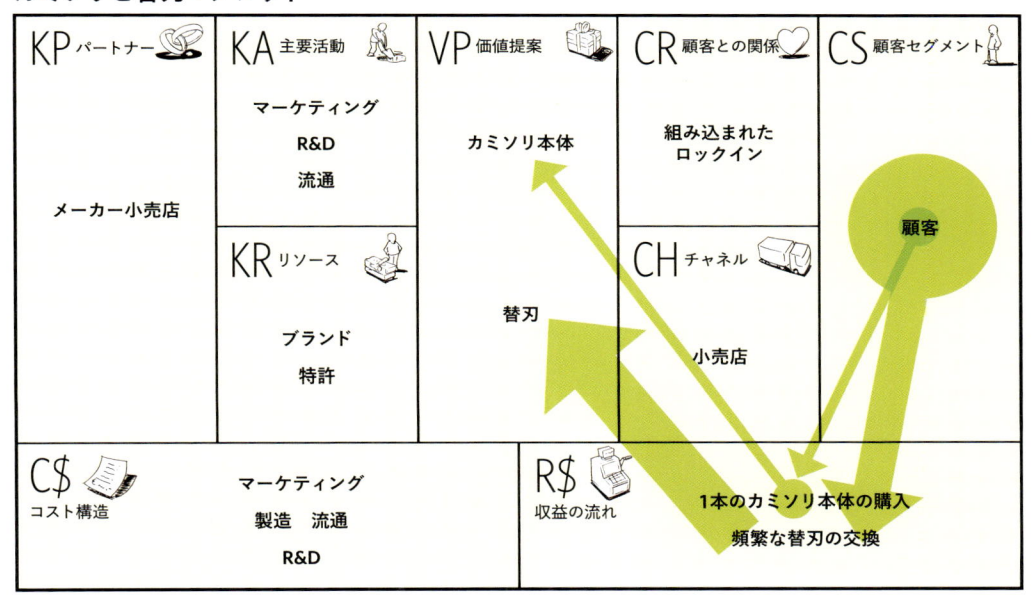

KP パートナー	KA 主要活動	VP 価値提案	CR 顧客との関係	CS 顧客セグメント
メーカー小売店	マーケティング R&D 流通	カミソリ本体	組み込まれたロックイン	顧客
	KR リソース	替刃	CH チャネル	
	ブランド 特許		小売店	

C$ コスト構造	R$ 収益の流れ
マーケティング 製造 流通 R&D	1本のカミソリ本体の購入 頻繁な替刃の交換

エサと釣り針パターン

107

低価格、もしくは無料の「エサ」は顧客を引き寄せ、密接に関連した（使い捨ての）付属品、サービスを持ちます。

このパターンは、最初の製品と付属品、サービスとの間の、密接な関連もしくはロックインに特徴付けられます。

顧客は、低価格もしくは無料の製品、サービスによるその場の満足に引き寄せられます。

最初の、一度だけ購入する製品はほとんど利益になりませんが、継続購入される利益率の高い付属品、サービスによって埋め合わせをします。

エサと釣り針のパターンは、強いブランドが必要です。

関連製品、サービスの提供にフォーカスします。

重要なコスト構造の要素は、最初の製品への補助金と、関連製品、サービスの製造コストです。

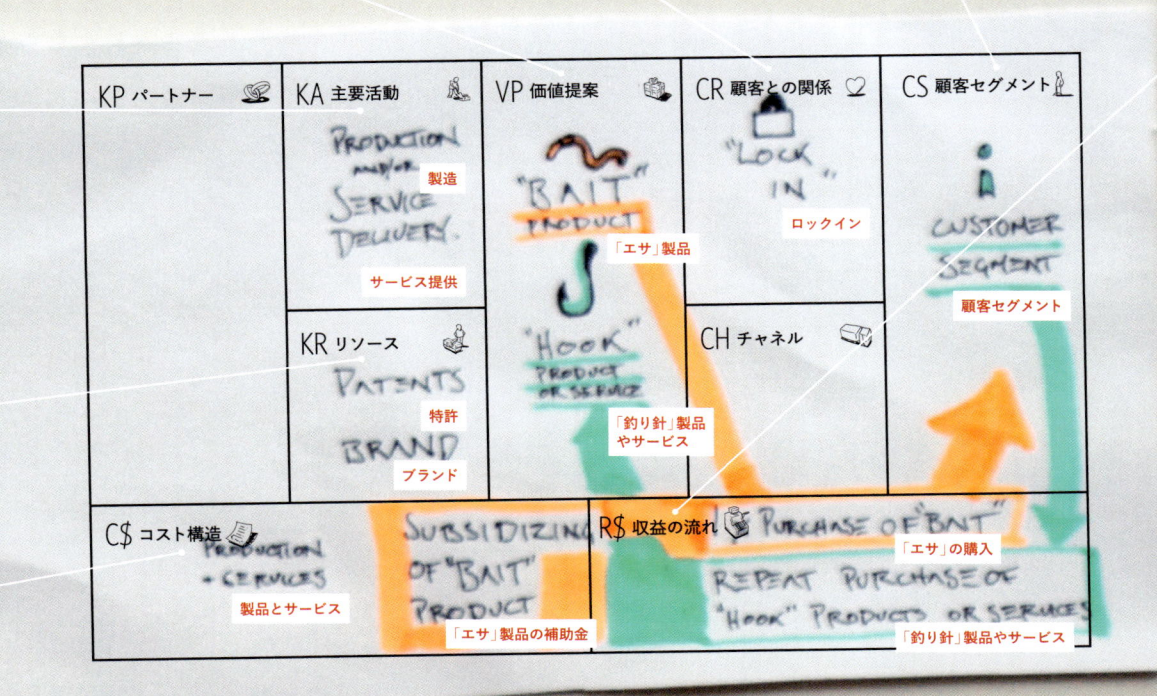

KP パートナー	KA 主要活動	VP 価値提案	CR 顧客との関係	CS 顧客セグメント
	PRODUCTION AND/OR SERVICE DELIVERY（製造／サービス提供）	"BAIT" PRODUCT（「エサ」製品）	"LOCK IN"（ロックイン）	CUSTOMER SEGMENT（顧客セグメント）
	KR リソース PATENTS（特許） BRAND（ブランド）	"HOOK" PRODUCT OR SERVICE（「釣り針」製品やサービス）	CH チャネル	

C$ コスト構造	R$ 収益の流れ
PRODUCTION + SERVICES（製品とサービス） / SUBSIDIZING OF "BAIT" PRODUCT（「エサ」製品の補助金）	PURCHASE OF "BAIT"（「エサ」の購入） / REPEAT PURCHASE OF "HOOK" PRODUCTS OR SERVICES（「釣り針」製品やサービス）

Patterns

Open Business Models

オープンビジネスモデル

[定義] パターンNo.5

オープンビジネスモデルとは、他のパートナーと組織的にコラボレーションして価値を創りだすために使うモデルです。これは企業内で外部のアイデアを実行する「アウトサイド・イン」や、社内のアイデアや眠っている資産を外部パートナーに提供する「インサイド・アウト」によって行われます。

【REF·ER·ENCES】
1 「オープンビジネスモデル 知財競争時代のイノベーション」(ヘンリー・チェスブロウ著、栗原潔 訳、翔泳社、2007)
2 "The Era of Open Innovation." MIT Sloan Management Review. Chesbrough, Henry. N° 3, 2003.

【EX·AM·PLES】
P&G、グラクソ・スミスクライン、InnoCentive

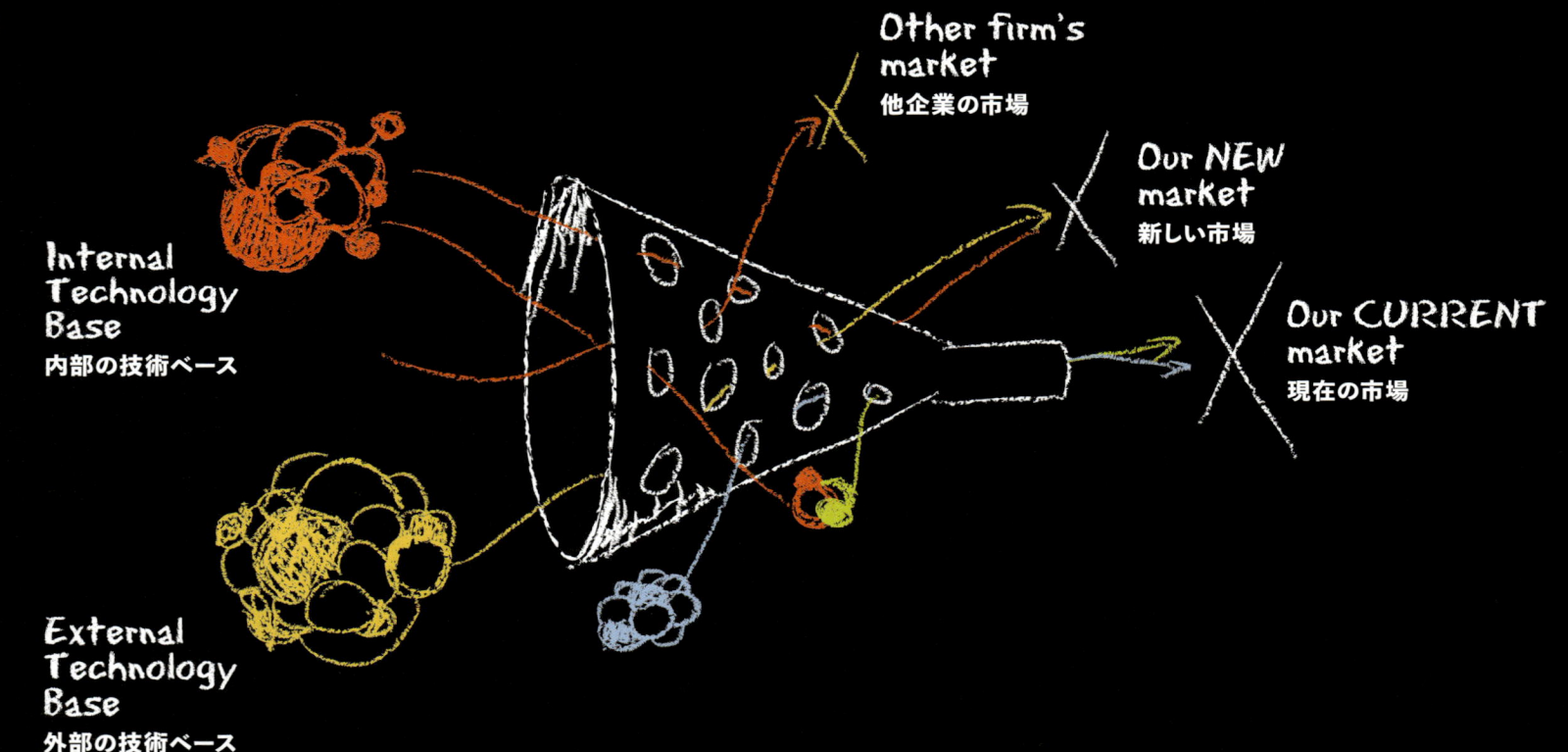

Other firm's market
他企業の市場

Our NEW market
新しい市場

Our CURRENT market
現在の市場

Internal Technology Base
内部の技術ベース

External Technology Base
外部の技術ベース

オープンイノベーションとオープンビジネスモデルは、ヘンリー・チェスブロウによる用語です。企業の開発プロセスを外部企業に公開することを意味しています。知識の流通が重視される世界では、外部の知識、知的財産、製品をイノベーションプロセスに統合することによって、より多くの価値を生み出し、優れた研究開発を行うことができるとチェスブロウは主張しました。さらに、企業内に眠る製品、技術、知識そして知的財産は、外部パートナーにライセンスしたり、ジョイントベンチャーを作ったり、スピンオフすることによってマネタイズできることを示しました。チェスブロウは、「アウトサイド・イン」のイノベーションと「インサイド・アウト」イノベーションを区別しました。アウトサイド・インは、外部のアイデアや技術、知的財産を、企業内の開発や商品化のプロセスへと持ち込むことによって行われます。この背景には、ビジネスモデルを強化するために、外部の技術にますます頼っている現状があります。インサイド・アウトでは、知的財産権や技術、使用していない資産のライセンスや売却によって行われます。ここでは、オープンイノベーションを行うときのビジネスモデルパターンを記述していきます。

PRINCIPLES OF INNOVATION
イノベーションの原則

Closed クローズド	Open オープン
優秀な人材を雇う	社内外の優秀な人材と一緒に働く
研究開発から利益を得るためには、発見、開発、商品化まで自社で行わなければならない	外部の研究開発によって大きな価値を生み出せる。内部の研究開発は、その価値の権利の一部を主張するために必要である
業界で最高の研究を行った企業が勝つ	利益を得るためには、必ずしもゼロから研究開発を行う必要はない
業界で最高のアイデアを生み出した企業が勝つ	社内外のアイデアを一番うまく活用した企業が勝つ
イノベーションプロセスをコントロールすることで、競合他社は我々のアイデアから利益を得られないようにする	自社のイノベーションを他社に利用させて利益を得たり、自社の利益になるのであればいつでも、他社の知的財産を購入する

出典：チェスブロウ2003年、ウィキペディア2009年

P&G：コネクト＆ディベロップメント

2000年6月、P&Gの株価が値崩れする中、取締役を長年務めていたA.G.ラフリーが新しいCEOに就任しました。P&Gを復活させるため、ラフリーは企業の中心にイノベーションを据えることを決断しました。ただし、研究開発費を増やす代わりに、新しいイノベーション文化を構築することにフォーカスしたのです。すなわち、内部の研究開発だけでなく、オープンな研究開発アプローチへの移行です。ポイントは、外部パートナーを通じて内部の研究を進める「コネクト＆ディベロップメント」戦略。ラフリーは当時15％だった外部パートナーとの開発割合を、50％まで引き上げるという野心的なゴールを設定しました。2007年にはこのゴールを達成し、研究開発費は若干増えたものの、その生産性は85％も上昇しました。

内部のリソースと外部の研究開発活動を結びつけるために、P&Gはそのビジネスモデルの中に3つの「橋」を構築しました。それが技術系の起業家、インターネットプラットフォーム、そしてP&Gの退職者たちです。

❶ 技術系の起業家たちは、大学や他企業の研究者との関係を組織的に構築しているビジネスユニット出身の上級研究者です。彼らは外の世界で調査を行い、P&G内部で抱える問題の解決を探し出す「ハンター」として活動します。

❷ インターネットプラットフォームを通じて、P&Gは世界中にいる問題解決の専門家たちとつながっています。InnoCentives（P114参照）といったプラットフォームによって、P&Gの社員ではない研究者に、研究上の問題を開示することができます。効果的な解決方法を開発した人へは、賞金が与えられます。

❸ 外部とのオープンイノベーションの「橋」として立ち上げたプラットフォームYourEncore.comを通じて、退職者からの知識を集めます。

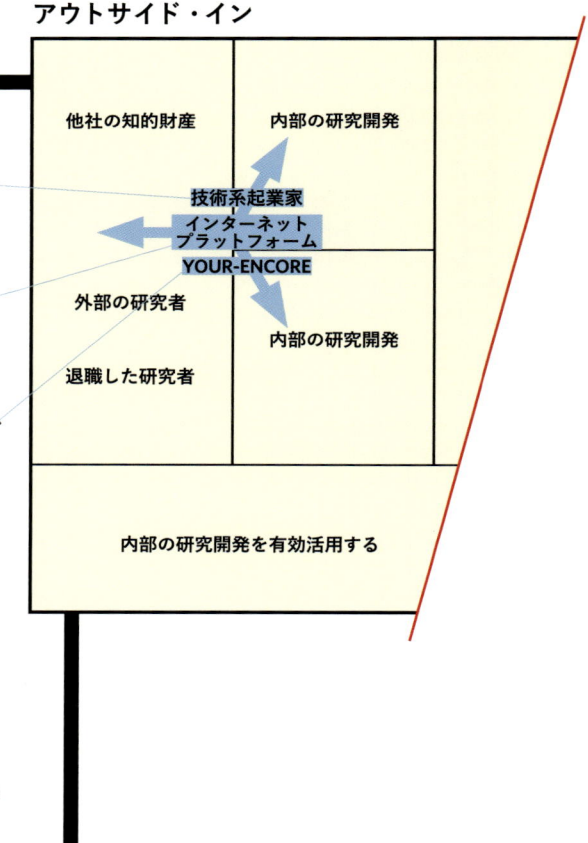

アウトサイド・イン

他社の知的財産	内部の研究開発
技術系起業家／インターネットプラットフォーム／YOUR-ENCORE	
外部の研究者	内部の研究開発
退職した研究者	
内部の研究開発を有効活用する	

グラクソ・スミスクラインのパテントプール

オープンイノベーションへのインサイド・アウトのアプローチは通常、利用していない特許や技術などの内部資産のマネタイズが中心です。しかし、グラクソ・スミスクラインの「パテントプール」と呼ばれる研究戦略のケースは、その動機は、若干異なります。企業のゴールは、世界中の貧しい国々に薬が行き渡るようにすることで、解明されていない病気についての調査を促進することです。その方法として、薬の開発に必要な知的財産権をパテントプールにおいて、他の研究者が利用できるようにするのです。製薬会社は、主にヒット商品の開発に力を入れるため、研究されていない病気に関連する知的財産は、活用されないことが多いのです。そこでパテントプールによって、異なる権利保有者から知的財産を集めて、活用しやすくするのです。これにより、ひとりの権利保有者によって研究開発がブロックされてしまうのを避けることができます。

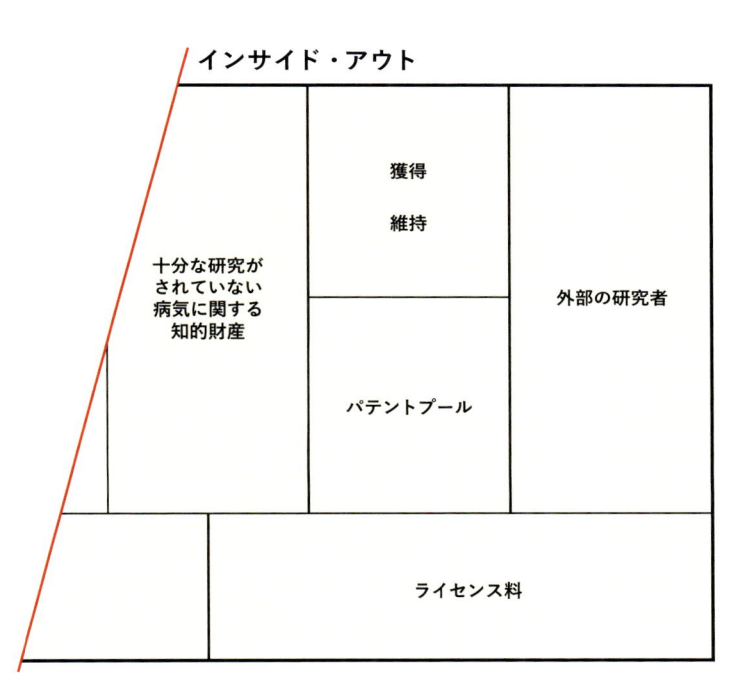

インサイド・アウト

十分な研究がされていない病気に関する知的財産	獲得 / 維持	外部の研究者
	パテントプール	
ライセンス料		

貧困国における病気に関する、利用されていない内部のアイデア、研究開発、知的財産は、「プール」されることで価値を生み出します

コネクターとしてのInnoCentive

外部の研究者からの洞察を求めている企業は、問題を解決できる知識を持つ人材や組織を惹きつけようとするとき、かなりのコストがかかります。一方、自分の知識を応用したい研究者にとっても、魅力的なチャンスを探すのはけっこうな負担でした。InnoCentiveはここに事業機会を見つけました。

InnoCentiveは、解決すべき研究課題をもつ組織と、困難な問題を解決したいと思っている世界中の研究者たちとの間のコネクションを提供しています。もともと、製薬会社のイーライリリー社の一部門であったInnoCentiveは、いまや独立した仲介者として、NPO、行政組織、P&GやSolvayなどの企業、ロックフェラー財団などと取引をしています。イノベーション上の問題をInnoCentiveのウェブサイトに載せた企業は「Seeker」と呼ばれます。問題を解決した人には、5,000ドルから100万ドルまでの賞金を用意しています。一方、リストに載せられた問題を解決しようとする研究者は「Solver」と呼ばれます。InnoCentiveの価値提案は、SeekerとSolverを集め、つなぐことです。これは、マルチサイドプラットフォームのビジネスモデル（P76参照）を彷彿とさせるかもしれません。オープンビジネスモデルパターンをもつ企業は、検索コストを下げるため、このようなプラットフォームの上に構築されるのです。

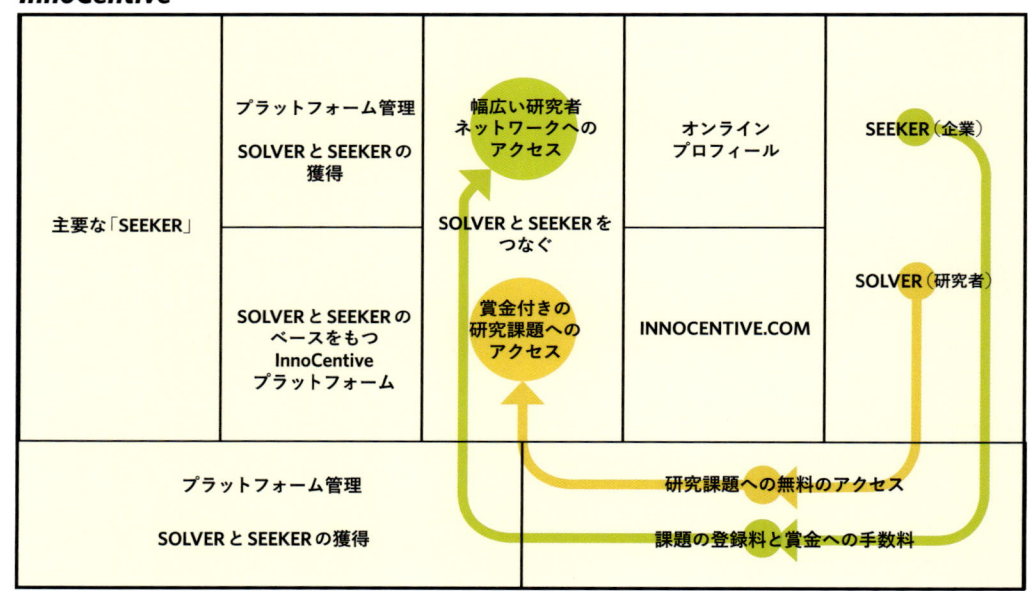

InnoCentive

主要な「SEEKER」	プラットフォーム管理 SOLVERとSEEKERの獲得	幅広い研究者ネットワークへのアクセス	オンラインプロフィール	SEEKER（企業）
		SOLVERとSEEKERをつなぐ		
	SOLVERとSEEKERのベースをもつInnoCentiveプラットフォーム	賞金付きの研究課題へのアクセス	INNOCENTIVE.COM	SOLVER（研究者）
プラットフォーム管理 SOLVERとSEEKERの獲得			研究課題への無料のアクセス	
			課題の登録料と賞金への手数料	

"オープンイノベーションは、
　豊富な知識にあふれた世界での経営に
　なくてはならないものです。
　優秀な人材すべてがあなたのために
　働いてくれるわけではないため、
　彼らを見つけ、つながり、そして彼らの
　できることを広げなければなりません。"

オープン・イノベーション・センター エグゼクティブ・ディレクター
カリフォルニア大学バークレー校ビジネススクール教授
ヘンリー・チェスブロウ

"長い間、自社内ですべてを行うことを
　優先すべきだと思われてきましたが、
　我々は、社内外問わず、
　あらゆるソースから生まれる
　イノベーションを探求し始めています。"

P&G　社長兼CEO
A.G.ラフリー

"成長するためには、社内だけでなく、
　多くの戦略的パートナーとの
　関係構築によって、その能力を
　拡張させなければならないと、
　ネスレは認識しています。
　オープンイノベーションを採用し、
　戦略的パートナーと
　重要な新市場、新商品の開発機会を、
　積極的に共創しています。"

ネスレ・イノベーションパートナーシップ 所長
ヘルムート・トレイトラー

アウトサイド・インパターン

ときには他業種ということもある外部組織は、さまざまな洞察、知識、特許、製品などを、内部の研究開発グループに提供します。

外部知識を活用するには、外部の組織と内部のビジネスプロセスおよび研究開発チームをつなぎ合わせる活動が必要になります。

外部イノベーションの利用には、外部ネットワークの入り口となる特定のリソースが必要になります。

外部のイノベーションの成果を獲得するには、費用がかかります。しかし、外部で生まれた知識と先進的な研究プログラムの構築によって、企業は商品化プロセスを短縮でき、また内部の研究開発の生産性を高めることができます。

強いブランド、強い流通チャネル、顧客との強い関係をもつ企業は、アウトサイド・インのオープンビジネスモデルが適しています。外部のイノベーションを使って、既存のカスタマーリレーションシップを活用できます。

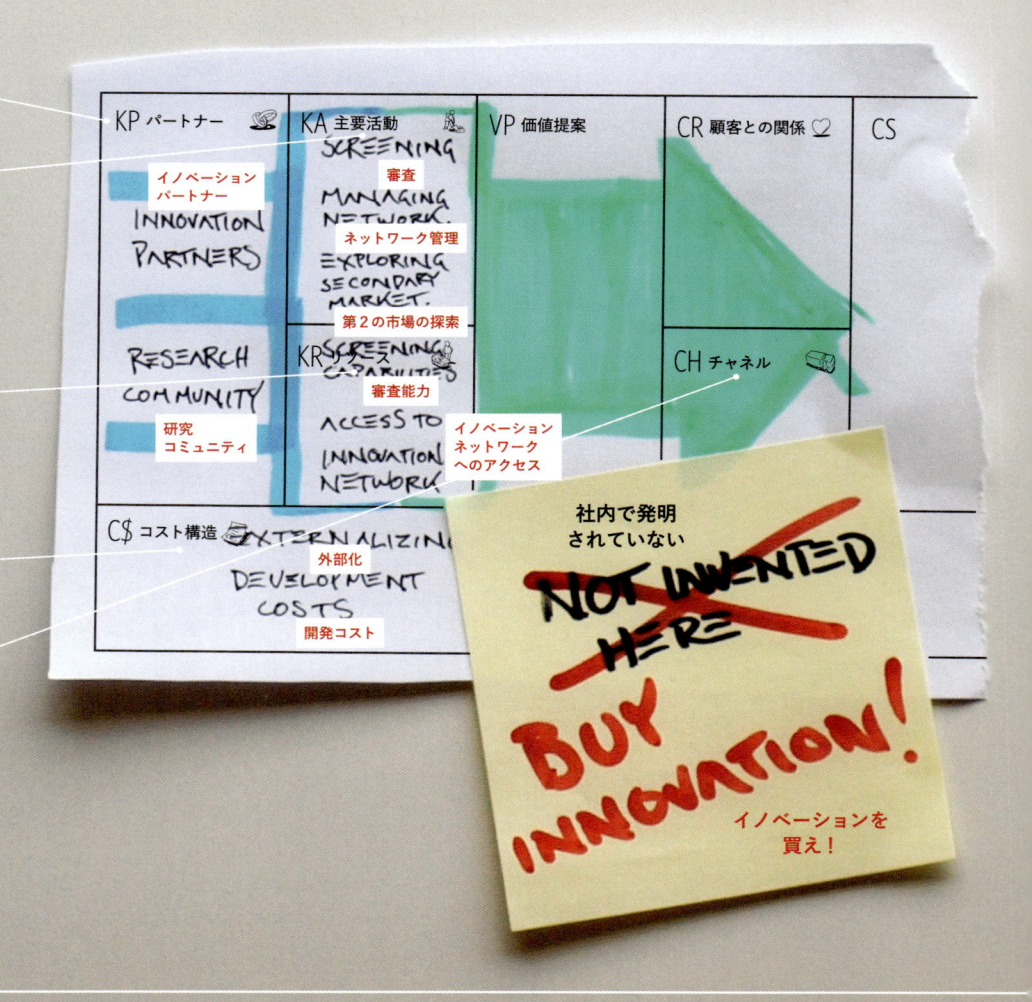

社内で発明されていない

~~NOT INVENTED HERE~~

BUY INNOVATION!

イノベーションを買え！

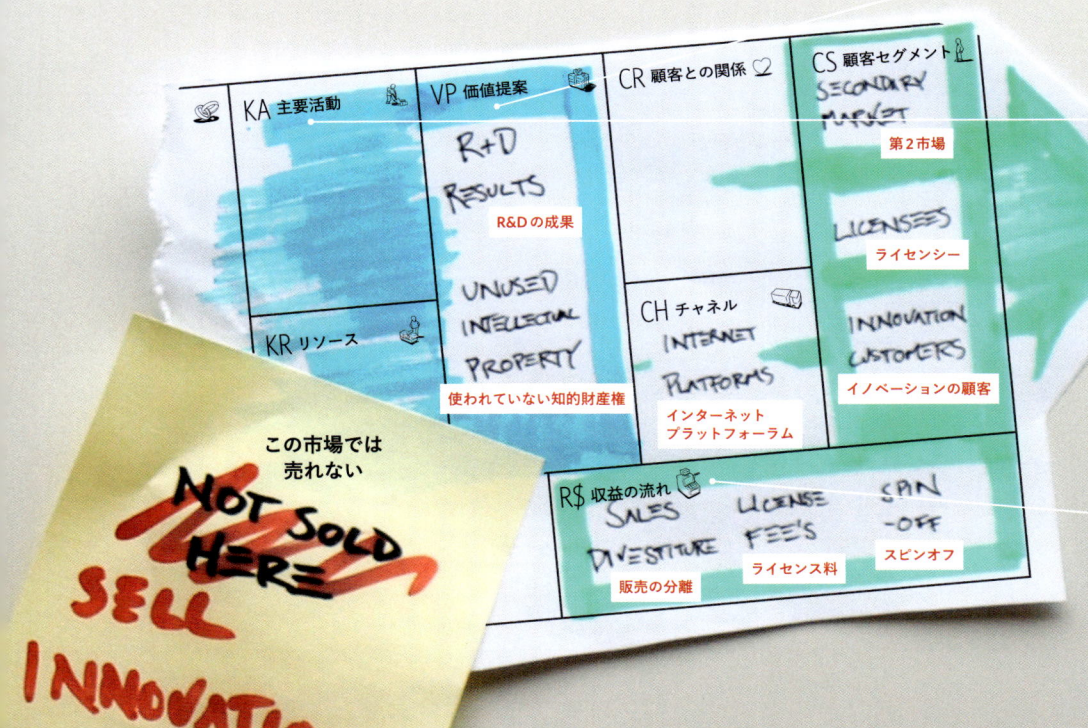

インサイド・アウトパターン

戦略上、運営上の理由により、社内で活用されていない研究開発の成果は、他の業界では高い価値をもつかもしれません。

社内の研究開発部隊を持つ組織は、通常、利用していない知識、技術、知的財産を持っています。コアビジネスにフォーカスするため、そのうちのいくつかは、価値があるのにもかかわらず、放置されています。これは、インサイド・アウトのビジネスモデルにとって、好条件です。

他社に、活用していない社内のアイデアを有効活用してもらうことで、収益の流れを簡単に加えられます。

KA 主要活動

VP 価値提案
- R+D RESULTS（R&Dの成果）
- UNUSED INTELLECTUAL PROPERTY（使われていない知的財産権）

CR 顧客との関係

CS 顧客セグメント
- SECONDARY MARKET（第2市場）
- LICENSEES（ライセンシー）
- INNOVATION CUSTOMERS（イノベーションの顧客）

KR リソース

CH チャネル
- INTERNET PLATFORMS（インターネットプラットフォーラム）

R$ 収益の流れ
- SALES
- DIVESTITURE（販売の分離）
- LICENSE FEE'S（ライセンス料）
- SPIN-OFF（スピンオフ）

NOT SOLD HERE SELL INNOVATION
この市場では売れない イノベーションを売れ！

パターンの概要

	アンバンドル・ビジネスモデル	ロングテール
状況（BEFORE）	インフラ管理、製品イノベーション、カスタマーリレーションシップを一企業内に統合。	価値提案は、高収益の顧客だけを対象としている。
課題	コストが割高になる。企業内での企業文化の衝突が起こり、望ましくないトレードオフが発生する。	収益の小さいセグメントに、特定の価値提案を行うことは、コスト高になる。
解決策（AFTER）	3つの異なる、互いに補完的なモデルに、ビジネスをアンバンドルする。 ・インフラ管理　・製品イノベーション ・カスタマーリレーションシップ	収益の小さいニッチな顧客セグメントに対して価値提案を行う。その収益をすべて足すと大きな利益になる。
根拠	ITとマネジメントツールの向上により、異なるビジネスモデルを低コストで分離、連動させることができるようになり、トレードオフも取り除くことができる。	ITとオペレーション管理の向上により、多くの新しい顧客に対して、低コストでカスタマイズされた価値提案を行えるようになった。
例	プライベートバンク 携帯電話会社	出版産業（Lulu.com） レゴ

マルチサイドプラットフォーム	ビジネスモデルとしてのフリー戦略	オープンビジネスモデル
ひとつの価値提案は、ひとつの顧客セグメントを対象としている。	高い価値があり、コストもかかる価値提案は、お金を支払う顧客にだけ提供される。	研究開発リソースと主要な活動は、企業内で行われるべきである。 ・アイデアは企業内でのみ生まれる ・成果は企業内のみで活用される
企業のもつ既存の顧客ベース（たとえば、ゲーム機ユーザーにリーチしたいゲーム開発会社）へのアクセスに興味のある、新しい潜在顧客の獲得に失敗している。	高価格によって顧客が諦めてしまう。	研究開発の費用がかかり、生産性も低下する。
既存の顧客セグメントへの「アクセスを提供する」という価値提案を加える。（たとえば、ゲーム機メーカーがソフトウェア会社にユーザーへのアクセスを提供）	異なる収益の流れを持つ顧客セグメントに、価値提案を行う。そのうちのひとつは、無償もしくは低価格での提供となる。	内部の研究開発リソースと活動は、外部パートナーを利用することでさらに活用される。内部の研究開発の成果は、価値提案へと変換され、顧客セグメントに提供される。
複数の顧客セグメント間のプラットフォームを運営することで、企業は既存のモデルに、新しい収益の流れを追加できる。	ユーザー数を最大化するために、支払いをしない顧客セグメントは、支払いをする顧客によって支えられる。	外部ソースによる研究開発を獲得することは、コストも安く、結果として商品化プロセスの短縮になる。活用されないイノベーションを外部に売却することで、収益をもたらす。
Google 任天堂、ソニー、マイクロソフトなどのゲーム機メーカー Apple iPod、iTunes、iPhone	広告と新聞 Metro Flickr、オープンソース レッドハット、Skype ジレット、カミソリと替刃	P&G グラクソ・スミスクライン InnoCentive

120

Patterns

121

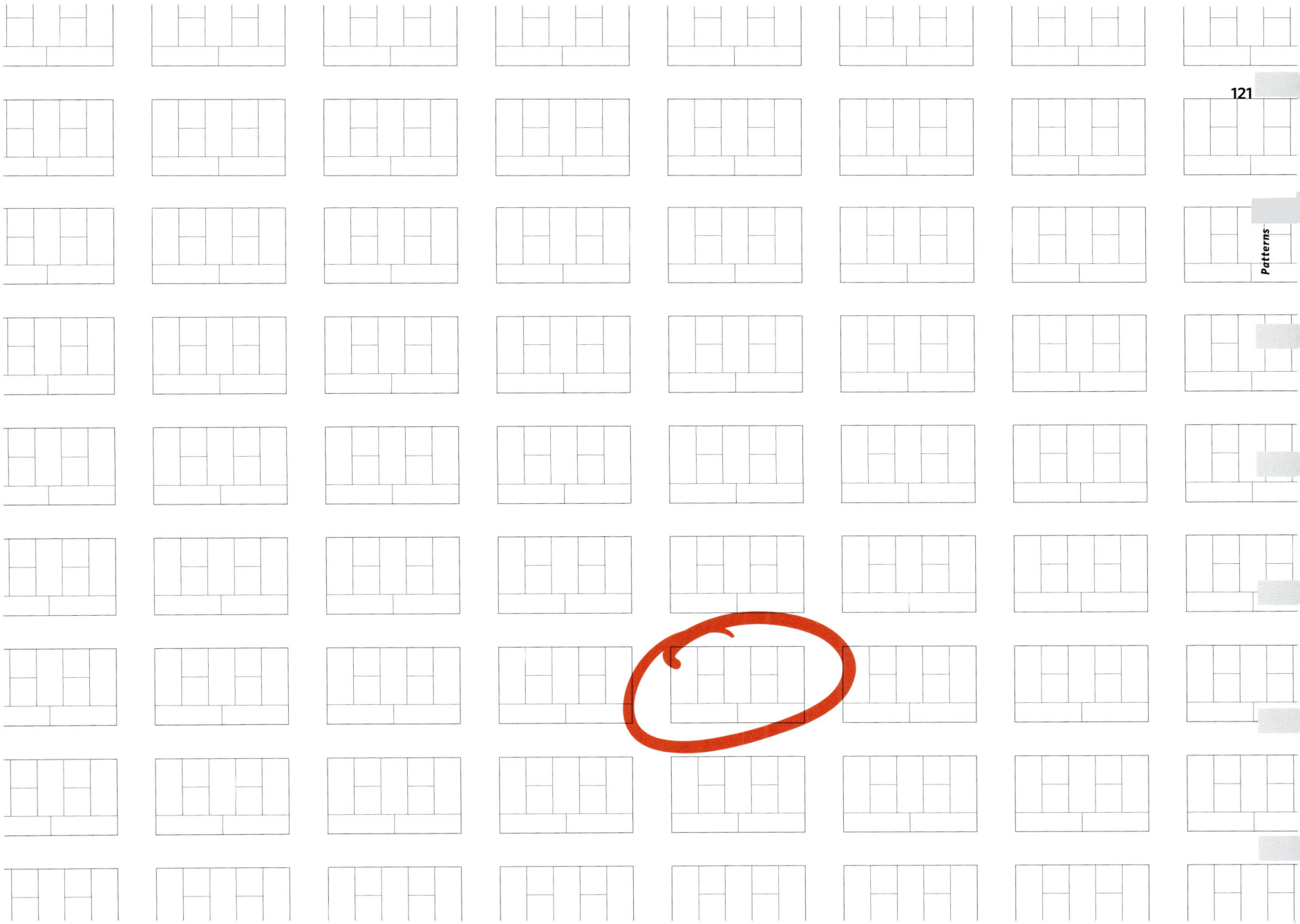

Patterns

Des

デザイン

Design

"ビジネスマンたちは、
ただデザイナーのことを
理解すればよいのではない。
自らデザイナーになる
必要があるのです。"

トロント大学ロットマン・スクール・オブ・マネジメント学長
ロジャー・マーティン

この章では、より革新的なビジネスモデルを構築するための、デザインの世界からきた技術やテクニックを紹介します。デザイナーのビジネスは、新しいものを生み出し、未開拓のものを発見し、機能を実現する最善の方法を見つけ出す厳しいものです。その中でデザイナーの仕事は、思考の限界を拡張し、新しい選択肢を生み出し、そして究極的にはユーザーのための価値を創り出すことです。これには、「まだ存在しない何か」を想像する力が必要です。デザインツールとデザイナー的スタンスは、ビジネスモデル開発で成功するために必要不可欠です。

ビジネスパーソンは、毎日知らず知らずのうちに、デザインに関わっています。組織や戦略、ビジネスモデルやプロセス、プロジェクトなどをデザインしているのです。このデザインにおいては、競合他社や技術、法環境など、複雑な要素を考慮しなければなりません。しかも、こうしたことを慣れない未知の世界で行わなければならなくなっているのです。これは、デザインそのものです。ビジネスパーソンに欠けているのは、ビジネススキルを補完するデザインツールです。

以下のページでは、顧客インサイト、アイデア創造、ビジュアルシンキング、プロトタイプ、ストーリーテリング、シナリオ作成の6つのビジネスモデルデザインのテクニックを紹介します。ストーリーも交えて紹介し、ビジネスモデルデザインへ実際に応用してみます。どのようにデザイン技術が適用できるかを示すため、エクササイズやワークショップも提案しています。それぞれのテクニックを深く知りたい方は、本の最後に参考文献を載せていますので、そちらをご覧ください。

デザイン

126 　顧客インサイト
134 　アイデア創造
146 　ビジュアルシンキング
160 　プロトタイピング
170 　ストーリーテリング
180 　シナリオ

テクニック_No.1
顧客インサイト

2008年のバレンタインデー

オスロ郊外の
オフィスビルの外では、
アメリカンスタイルの
ロゴ入りジャケットを着て、
ベースボールキャップを
かぶったノルウェーの
若者4人が、50年代の
ヒットソングについて、
活発な議論を
交わしていました。

世界で7番目に大きな携帯電話会社であるTelenorで働く上級心理学者リチャード・リン。その彼の投げかける質問に答えるのは、若いスノーボーダーです。リンは、ソーシャルネットワーク上での写真共有についてのインサイトを得るため、このグループにインタビューを行っています。リンの研究はTelenorが写真共有についての「ビッグ・ピクチャ（全体像）」を把握する助けとなります。彼はただ新しいケータイ写真共有サービスだけにフォーカスするのではなく、幅広い課題、たとえば人々の間の信頼関係や秘密主義、グループのアイデンティティや若者をつなげる社会機構について、写真共有の果たす役割を研究しています。最終的には、この研究によってTelenorは、よりよいサービスをデザイン、提供できるでしょう。

顧客インサイトに基づくビジネスモデル構築

企業は市場調査に多額の投資をしていますが、いざ製品やサービス、そしてビジネスモデルをデザインするときには、簡単に顧客視点を無視してしまいます。こうした過ちを避けなければ、よいビジネスモデルデザインはできません。これは、顧客の考えこそがイノベーションの源泉であるということではなく、ビジネスモデルを評価するのに顧客視点が含まれるべきだということを意味しています。イノベーションが成功するには、取り巻く環境や日常生活、関心、願望といった、顧客に関する深い理解が欠かせません。

AppleのiPodはよい例です。Appleは、人々がデジタルメディアプレイヤーそのものには興味がないことを理解していました。顧客は、音楽を含むデジタルコンテンツの検索、ダウンロード、視聴のシームレスな方法を望んでおり、そのためであれば喜んでお金を払うということを見抜いていたのです。違法ダウンロードが蔓延し、誰もオンライン上の音楽にお金を払わないだろうと考えられていた当時、こうした見方はユニークなものでした。Appleはこうした見方を退け、iTunesアプリ、iTunesオンラインストア、iPodを統合することによって、シームレスな音楽体験を作り上げました。この価値提案をビジネスモデルの核として、Appleはオンラインデジタル音楽市場を支配していきました。

ビジネスモデルデザインの土台となる、こうした正しい顧客理解を深めることは、簡単ではありません。製品やサービスデザインの分野では、社会科学者と共同して顧客理解を深める先進的な企業もあります。インテルやノキア、Telenorでは、よりよい製品、サービスを開発するために、人類学者や社会学者のチームが働いています。同じようなアプローチが、ビジネスモデルにも適用できるでしょう。

消費者市場に関わる先進的な企業の多くで、上級マネジメントが顧客に会い、営業チームと話をし、アウトレットモールに訪問するフィールドツアーを実施しています。他の産業でも、特に多額の投資が必要となるところでは、顧客との対話が日常のルーチンの一部となっています。しかし注意したいのは、イノベーションを起こすにあたっては、何が欲しいのかをただ顧客に聞くことよりも、顧客を深く理解することのほうがずっと困難だということです。

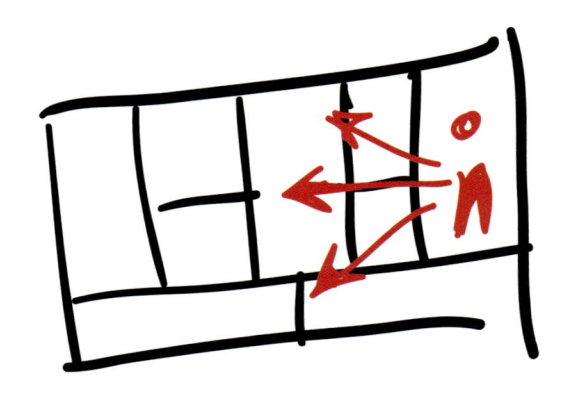

> 顧客視点を適用することは、ビジネスモデルデザインのプロセス全体を貫く大原則です。価値提案、流通チャネル、顧客との関係、そして収益の流れに関する選択は、顧客視点によって行われるべきです。

自動車製造のパイオニアであるヘンリー・フォードはかつて、「もし顧客に何が欲しいかと聞けば、より速い馬が欲しいと答えただろう」と言いました。

顧客が何を欲しているかということだけでなく、何を無視しているのかを知ることに、難しさがあります。将来の成長分野は、現時点でお金を生んでいる分野の外にあります。革新的なビジネスモデルを作ろうとするのであれば、既存の顧客セグメントだけを見るのではなく、新しい、これまでリーチしてないセグメントまで視野を広げるべきなのです。多くの革新的なビジネスモデルは、新しい顧客の満たされていないニーズを満足させることで成功しているからです。ステリオス・ハジ＝イオアヌによるeasyJetは、めったに飛行機に乗らなかった低所得者層にも、飛行機での旅行を可能なものにしました。Zipcarは、都市部に住む人がもつ自動車所有にまつわる不満を解消しました。年間費用を支払えば、時間単位で自動車を借りられるようにしたのです。どちらの例も、伝統的な航空旅行やカーレンタルといった、既存のモデルにおいて疎外されていた顧客セグメントの上に、新しいビジネスモデルを構築しています。

YOU ~~組織中心のビジネスモデルデザイン~~

~~何を顧客に販売できるか。~~
~~どうすれば顧客に最も効果的にリーチできるか。~~
~~顧客とどのような関係を構築する必要があるか。~~
~~どうすれば顧客から収益を上げられるか。~~

THEM! 顧客中心のビジネスモデル

顧客がしなければならないことに対して、どのようにお手伝いできるだろうか。
顧客の願望に対し、どうすれば期待に応えられるだろうか。
顧客はどのように扱われたいだろうか。企業として、どのように彼らの日常に寄り添えるだろうか。
顧客は、どのような関係構築を望んでいるだろうか。
どのような価値に対して、顧客はお金を払ってくれるだろうか。

SHIFTING YOUR PERSPECTIVE 視点を変えてみよう

What does she
THINK AND FEEL?
顧客は何を**考え感じている**のか。

大きな関心ごと、心配、願望

What does she
HEAR?
顧客は何を**聞いている**のか。

友人、上司、インフルエンサーが
言っていること

What does she
SEE?
顧客は何を**見ている**のか

環境、友人、市場が提案するもの

What does she
SAY AND DO?
顧客はどんなことを**言い、どんな行動**をしてるのか

公の場での態度、様子、他人へのふるまい

PAIN
痛みを与えるもの

おそれ、フラストレーション、障害物

GAIN
得られるもの

ウォンツとニーズ、成功の基準、障害物

共感マップ

社会科学者チームの力を借りられる企業はなかなかないと思いますが、顧客セグメントのプロフィールを描くことは誰でもできます。ビジュアルシンキングを扱うXPLANEにより開発された共感マップを使うといいでしょう。「シンプルな顧客分析ツール」とも呼ばれるこのツールは、顧客のデモグラフィックな特徴だけでなく、彼らを取り巻く環境や行動、関心、願望を理解するのに役立ちます。この顧客プロフィールにより、よりよい価値提案、より便利な顧客リーチの方法、顧客とのより適切な関係をデザインするためのガイドとなり、より強固なビジネスモデルを作ることができます。最終的には、顧客が何にお金を払うのかを理解することができます。

共感マップの使い方

まず、ブレーンストーミングをして、ビジネスモデルに関係しうるすべての顧客セグメントを書き出します。この中から3つの候補を選び、そのうちのひとつを使って、最初の作業を行います。

　この顧客にまず名前をつけ、収入、既婚かどうかなどといったデモグラフィックな特徴を与えます。それから左ページにある図を参照し、フリップチャートやホワイトボードを使って、次の6つの質問に答えながら、新しい顧客のプロフィールを構築します。

1 何を見ているのか

生活環境の中で、何を見ているかを記述します

- 見ているものはどのようなものか
- 何に囲まれているか
- どんな友人がいるのか
- どんなタイプの商品、サービスに日常的に触れているか
- どんな問題に遭遇するか

2 何を聞いているのか

環境からの影響を記述します

- 友人や配偶者は何と言っているか
- 誰がどのように影響を与えているか
- どのメディアが影響力を持っているか

3 何を感じ、何を考えているか

顧客の心の中で起こっていることを描き出します

- 誰にも言わないけれど、本当は重要だと思っていることは何か
- 感情を想像してみる。何に感動するだろうか
- そのためには徹夜してしまうくらい熱中することは何か
- 夢や願望を書き出してみよう

4 どんなことを言い、どんな行動をしているのか

顧客が言いそうなこと、公の場での振る舞いを想像します

- どんな態度を取るのか
- 他人にどんなことを言っているのか
- 顧客が言っていることと、実際に感じたり考えたりすることの間に、潜在的にどんな矛盾があるのか注目する

5 顧客の痛みとは何か

- 何に大きなフラストレーションを感じているか
- ウォンツやニーズを満たすのに障害となっているものは何か
- 取りたくないリスクは何なのか

6 顧客の得られるものは何か

- 本当に欲しいもの、必要としているものは何か
- 成功の基準は何か
- 目標達成のために取りうる戦略について考えてみよう

132

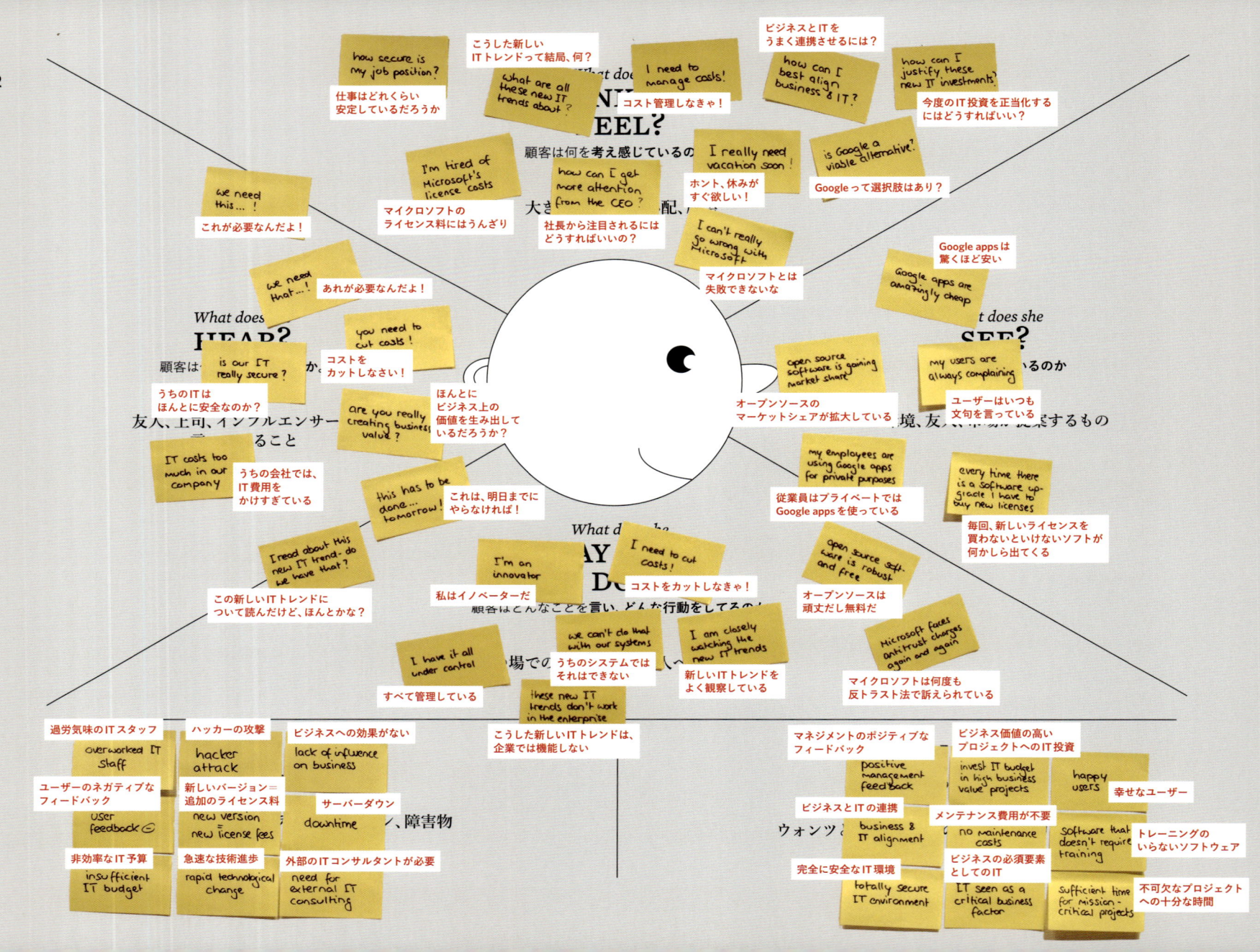

What does she FEEL?
顧客は何を考え感じているのか

- how secure is my job position? / 仕事はどれくらい安定しているだろうか
- こうした新しいITトレンドって結局、何？ / what are all these new IT trends about?
- I need to manage costs! / コスト管理しなきゃ！
- ビジネスとITをうまく連携させるには？ / how can I best align business & IT?
- how can I justify these new IT investments? / 今度のIT投資を正当化するにはどうすればいい？
- I'm tired of Microsoft's license costs / マイクロソフトのライセンス料にはうんざり
- how can I get more attention from the CEO? / 社長から注目されるにはどうすればいいの？
- I really need vacation soon / ホント、休みがすぐ欲しい！
- is Google a viable alternative? / Googleって選択肢はあり？
- I can't really go wrong with Microsoft / マイクロソフトとは失敗できないな
- Google apps are amazingly cheap / Google appsは驚くほど安い

What does she HEAR?
顧客は何を聞いているのか（友人、上司、インフルエンサーが言っていること）

- we need this…! / これが必要なんだよ！
- we need that…! / あれが必要なんだよ！
- you need to cut costs! / コストをカットしなさい！
- is our IT really secure? / うちのITはほんとに安全なのか？
- are you really creating business value? / ほんとにビジネス上の価値を生み出しているだろうか？

What does she SEE?
顧客は何を見ているのか（環境、友人が提案するもの）

- open source software is gaining market share / オープンソースのマーケットシェアが拡大している
- my users are always complaining / ユーザーはいつも文句を言っている
- my employees are using Google apps for private purposes / 従業員はプライベートではGoogle appsを使っている
- every time there is a software upgrade I have to buy new licenses / 毎回、新しいライセンスを買わないといけないソフトが何かしら出てくる
- open source software is robust and free / オープンソースは頑丈だし無料だ
- Microsoft faces antitrust charges again and again / マイクロソフトは何度も反トラスト法で訴えられている

What does she SAY and DO?
顧客はこんなことを言い、どんな行動をしているのか

- IT costs too much in our company / うちの会社では、IT費用をかけすぎている
- this has to be done… tomorrow! / これは、明日までにやらなければ！
- I read about this new IT trend - do we have that? / この新しいITトレンドについて読んだけど、ほんとかな？
- I'm an innovator / 私はイノベーターだ
- I need to cut costs! / コストをカットしなきゃ！
- I have it all under control / すべて管理している
- we can't do that with our systems / うちのシステムではそれはできない
- I am closely watching the new IT trends / 新しいITトレンドをよく観察している
- these new IT trends don't work in the enterprise / こうした新しいITトレンドは、企業では機能しない

PAIN 市場での障害物

- overworked IT staff / 過労気味のITスタッフ
- hacker attack / ハッカーの攻撃
- lack of influence on business / ビジネスへの効果がない
- user feedback ☹ / ユーザーのネガティブなフィードバック
- new version = new license fees / 新しいバージョン＝追加のライセンス料
- downtime / サーバーダウン
- insufficient IT budget / 非効率なIT予算
- rapid technological change / 急速な技術進歩
- need for external IT consulting / 外部のITコンサルタントが必要

GAIN ウォンツ

- positive management feedback / マネジメントのポジティブなフィードバック
- invest IT budget in high business value projects / ビジネス価値の高いプロジェクトへのIT投資
- happy users / 幸せなユーザー
- business & IT alignment / ビジネスとITの連携
- no maintenance costs / メンテナンス費用が不要
- software that doesn't require training / トレーニングのいらないソフトウェア
- totally secure IT environment / 完全に安全なIT環境
- IT seen as a critical business factor / ビジネスの必須要素としてのIT
- sufficient time for mission-critical projects / 不可欠なプロジェクトへの十分な時間

B2Bの顧客を理解するための共感マップ

2008年10月、マイクロソフトは、オフィス製品をオンラインで提供する計画を発表しました。この発表によれば、顧客はWordやExcel、などのオフィスアプリケーションをブラウザ経由で利用できるようになります。これにより、マイクロソフトはビジネスモデルを再設計することになりました。このビジネスモデルイノベーションはまず、主要な購入セグメント、すなわち、IT戦略を定義し、包括的な購入決定を行うCIOの顧客プロフィールを作るところから始められるでしょう。さて、CIOの顧客プロフィールはどのようなものになるでしょうか。

あなたのビジネスモデルの仮説に対して、継続的に質問を投げかけるための顧客視点を構築することが目的です。顧客プロフィールによって、よりよい質問が生まれます。たとえば、この価値提案によって、顧客のもつ現実の問題を解決できるだろうか、お金を本当に払おうとするだろうか、どのようにコンタクトされたいと思っているだろうか、といった質問です。

テクニック_No.2
アイデア創造

2007年3月

エルマー・モックは、
壁を覆うポスト・イットの
海の中で、ピーターが
興奮気味にアイデアを
話しているのを、
注意深く聞いていました。

ピーターの勤める製薬グループは、エルマー率いるイノベーションコンサルティング会社Creaholic社を、画期的な製品開発のために雇いました。彼は、3日間のオフサイトミーティングに参加するイノベーションチームの6人のメンバーのひとりでした。

このグループは意図的に、異なるレベルの経験、バックグラウンドを持つ異質なメンバーが集められました。メンバー全員が成熟した専門家でありながら、単なる技術者としてではなく、現在の状況に満足しない消費者として参加していました。Creaholic社は彼らに、専門知識はドアの外において、遠い記憶の詰まった「バックパック」ひとつでやってくるように言ったのです。

3日間、6人は消費者の縮図となり、技術的、経済的制約からみずからを解放することによって、画期的な解決策への想像力を解き放ちました。アイデアは衝突し、新しい考えを生み、そして多くの潜在的な解決案を考えついた後で、ようやく専門知識を活用しました。そして、最も可能性のある案をひとつ選び出したのです。

エルマー・モックは、画期的なイノベーションの実績を数多く持っています。伝説的なスウォッチの2人いた創案者のうちのひとりでもあります。以来、彼とCreaholicのチームは、BMW、ネスレ、Mikron、Givaudanといった企業のイノベーションを手伝い、成功させてきました。

エルマーは、歴史ある企業においてイノベーションを生み出すことが、どれほど困難かを知っています。このような企業は、予測可能性、具体的な職務、収支予測を要求します。しかし本当のイノベーションは、体系的なカオスと言うべきものから生まれます。そしてCreaholicは、このカオスを使いこなす方法を見つけたのです。エルマーとそのチームは、常にイノベーションのことばかりを考え続けています。

新しいビジネスモデルのアイデアをつくる

既存のビジネスモデルをマッピングするのと、新しい革新的なビジネスモデルをデザインするのとでは、まったく別物です。後者で必要になるのは、多くのアイデアを生み出し、その中から最も優れたものを選別するクリエイティブなプロセスです。このプロセスをアイデア創造といいます。アイデア創造の技術は、新しいビジネスモデルをデザインするのに、極めて重要です。

伝統的に、多くの産業において、その産業を特徴付ける支配的なビジネスモデルといったものが存在していました。しかしこうした状況は、急激に変化しています。今では、以前よりはるかに多くのオプションを使って、新しいビジネスモデルをデザインできます。異なるビジネスモデル同士が同じ市場の中で競合することも珍しくなく、産業の境界はもはや消えつつあります。

新しいビジネスモデルを作るときには、現状を無視し、そして運営上の問題について心配してはいけません。これはなかなか困難です。しかしそうしなければ、本当に新しいアイデアを生み出すことはできません。

そもそもビジネスモデルイノベーションとは、過去を振り返ることではありません。過去には、未来のビジネスモデルの可能性は、ほとんど見当たらないからです。また、ビジネスモデルイノベーションは、競合を観察することでもありません。なぜなら、イノベーションとは模倣することでもベンチマークすることでもなく、価値を創造し、収益を生み出すための新しい仕組みを作ることだからです。さらに言えば、ビジネスモデルのイノベーションは、隠れた顧客ニーズに応えるための、権威への挑戦に他ならないのです。

新しいオプション、よりよいオプションを考え出すには、オプションをリストに落としこむ前に、膨大な量のアイデアを思いついておく必要があります。つまり、アイデア創造は2つのフェーズに分けられることになります。量を追求するアイデア創出と、アイデアを議論し、組み合わせ、実行可能ないくつかのオプションに落としこむアイデア統合のプロセスです。このオプションは、必ずしも破壊的ビジネスモデルとは限りません。競争力を高めるために、既存のビジネスモデルの境界を拡張するイノベーションもありえます。

いくつかの異なる出発点から、革新的なビジネスモデルのアイデアを作り出すことができるでしょう。ここでは、2つの方法を見ていきます。ひとつが、ビジネスモデルキャンバスを利用して、イノベーションの震源地を決める方法、そしてもうひとつが、「もし～だったら」という質問を利用する方法です。

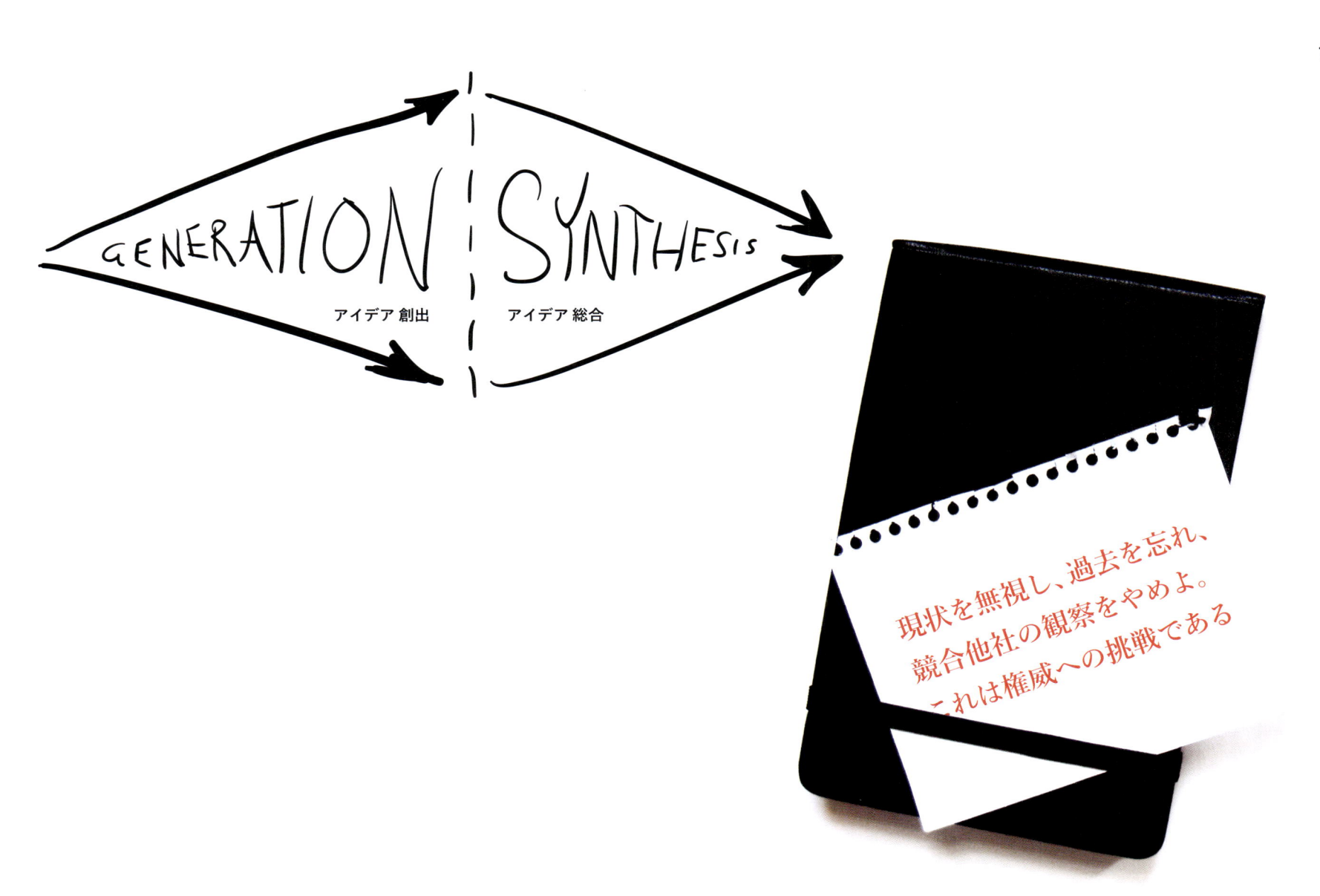

GENERATION | SYNTHESIS

アイデア 創出 | アイデア 総合

現状を無視し、過去を忘れ、競合他社の観察をやめよ。これは権威への挑戦である

ビジネスモデルイノベーションの震源地

ビジネスモデルのイノベーションに関するアイデアは、どこからでもやってきます。9つの構築ブロックのいずれも、出発点になり得ます。変革をもたらすビジネスモデルのイノベーションは、複数のブロックに影響を与えるでしょう。ここでは、イノベーションの4つの震源地をみていこうと思います。すなわち、リソース主導、価値提案主導、顧客主導、そしてファイナンス主導です。

この4つの震源地は、大きなビジネスモデルの変更のスタート地点となり、他の8つのブロックに強いインパクトをもたらすでしょう。時には、こうしたイノベーションが、複数の震源地から起こることもあります。また、ビジネスモデルの強み、弱み、機会、脅威（P216参照）を調べるSWOT分析によって特定された部分から変革が起こることもあります。

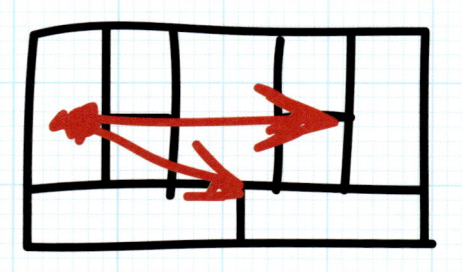

リソース主導
リソース主導のイノベーションは、組織の既存のインフラやパートナーシップを使って、ビジネスモデルを拡張したり転換したりすることです。

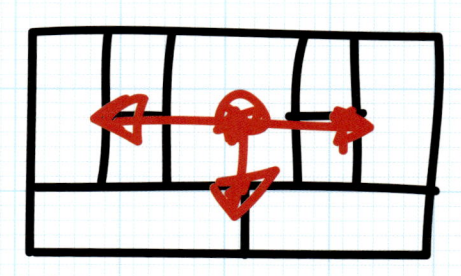

価値提案主導
価値提案主導のイノベーションは、他の構築ブロックに影響をあたえるような新しい価値を作り出すことです。

例：Amazon.comの小売インフラを、他の企業へサーバー能力と保存領域を提供することで、Amazonのウェブサービスが生まれました。

例：メキシコのセメントメーカーであるCemexは、業界標準が48時間以内のところを、4時間以内にセメントを建設現場に届けることを約束し、そのビジネスモデルを変革しました。これにより、Cemexはメキシコ国内の企業から、世界で最も大きなセメントメーカーへと躍進しました。

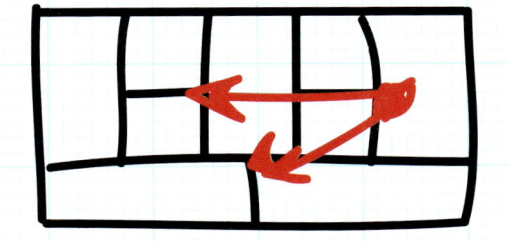

顧客主導
顧客主導のイノベーションは、顧客ニーズやアクセスの簡便化、利便性の向上に基づくものです。このイノベーションも当然、他の構築ブロックに影響を及ぼします。

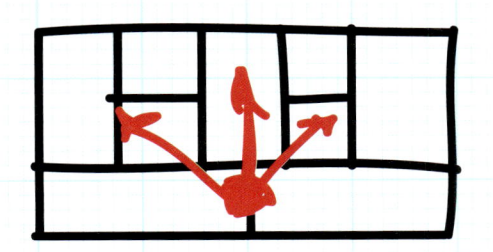

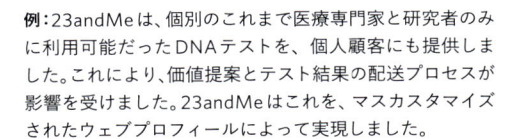

ファイナンス主導
新しい収益の流れや価格メカニズム、コスト削減によるイノベーションで、これもまた、他の構築ブロックに影響を与えます。

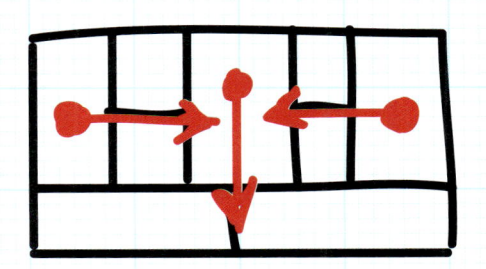

複数の組み合わせによるもの
複数の地点から起こるイノベーションで、他の複数の構築ブロックに大きなインパクトを与えます。

例：23andMeは、個別のこれまで医療専門家と研究者のみに利用可能だったDNAテストを、個人顧客にも提供しました。これにより、価値提案とテスト結果の配送プロセスが影響を受けました。23andMeはこれを、マスカスタマイズされたウェブプロフィールによって実現しました。

例：Xeroxは1958年、最初のコピー機のひとつであるXerox914を開発しました。これは、市場では価格が高すぎました。そこでXeroxは、新しいビジネスモデルを構築しました。コピー機を月額95ドルでリースし、そこに月2,000枚までのコピー代金を含め、追加コピーに対しては1枚あたり5セントを請求しました。顧客は新しいコピー機を手に入れ、毎月何千枚ものコピーをし始めました。

例：プロ用の建設機材メーカーであるHiltiは、機材を売り払って終わりというビジネスから、機材を一式、貸与する方式へと転換しました。これによりHiltiの価値提案が大きく変化しただけでなく、1回きりの売却益から、サービス収益へと、その収益の流れも変化しました。

「もし〜なら」という仮定質問の力

革新的なビジネスモデルがなかなか思いつけないのは、現状から考えてしまうためです。現状は想像力を抑えこんでしまうのです。この問題を解決するひとつの方法は、既存の仮説に「もし〜なら」という仮定の質問をぶつけてみることです。うまくビジネスモデルの要素が揃えば、不可能だと考えていたことも可能になるかもしれません。「もし〜なら」という質問は、既存のモデルによって押し付けられている制約から自由にしてくれるのです。思考を刺激してくれますし、解決しがたい問題をなんとかしようと、気持ちが駆り立てられます。

日刊紙のマネージャーなら、自身に次のように問いかけるでしょう。もし紙の新聞をやめて、AmazonのKindleやウェブサイトでのデジタル配信にしたらどうなるだろうか。制作費や流通コストは劇的に下がる一方、失われた紙媒体での広告収益を補ったり、読者をデジタルチャネルに移行させる必要があると考えられます。

「もし〜なら」の仮定質問は単なる出発点にすぎません。その仮定がうまくいくようなビジネスモデルを見つけるよう促すのです。いくつかの仮定質問は、あまりに過激で答えられないままでしょう。それが現実化するには、適切なビジネスモデルを必要とするケースも出てきます。

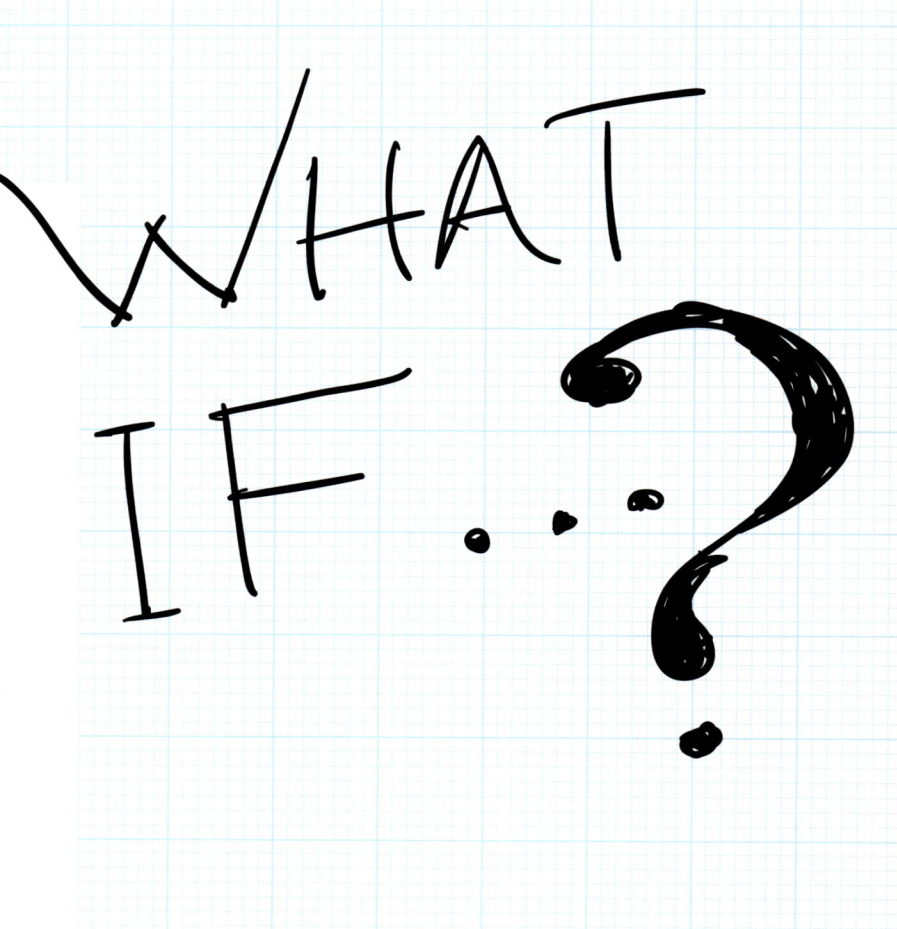

大きな倉庫から、パッケージされた部品一式を運び出し、家に帰って自分で家具を組み立てたとしたらどうでしょうか。今では一般的になっているこの方法は、IKEAが1960年に導入するまでは、誰も考えつきませんでした。

航空会社がエンジンを購入せず、エンジンの運行に対して時間単位で支払うとしたらどうでしょうか。これにより、ロールスロイス社は、赤字続きのイギリスのメーカーから、世界で2番目に大きな大型ジェットエンジンを提供するサービス企業に転換しました。

海外に無料で電話できるとしたらどうでしょうか。

これは2003年、Skypeが立ち上げた、インターネット経由の無料音声通話サービスです。5年後、Skypeは4億人のユーザーを獲得し、無料通話は累計1000億回に達しました。

自動車会社が車を販売せず、移動サービスを提供したとしたらどうでしょうか。2008年、ダイムラーは、ドイツの都市ウルムでの実験的なビジネスcar2goを立ち上げました。car2goは、利用料（分単位）を支払うことで、街のどこでも車をピックアップでき、乗り捨てることもできます。

銀行から借りるのではなく、個人同士で互いにお金を貸し合うとしたらどうでしょうか。イギリスのZopaは2005年、インターネット上でP2Pの融資サービスプラットフォームを立ち上げました。

バングラデシュの村民すべてが電話を手にしたとしたらどうでしょうか。これはグラミンフォンが、マイクロファイナンスを提供するグラミン銀行とのパートナーシップのもと、実現したことです。当時、バングラデシュは、世界でも最も電話利用者の少ない地域でした。今では、グラミンフォンはバングラデシュで最も多くの税金を支払う企業となっています。

アイデア創造プロセス

アイデア創造プロセスは、いくつかのかたちをとります。
ここでは、革新的なビジネスモデルのオプションを作るための一般的なアプローチについて説明します。

1. チーム構成
質問：私たちのチームは、新鮮なビジネスモデルアイデアを作り出すのに
十分な多様性をもっていますか。
　正しいチームづくりは、効果的なビジネスモデルアイデアを作るために不可欠です。勤続年数、年齢、経験レベル、部署、顧客知識、専門知識などの観点から、多様なメンバーを集めましょう。

2. 熱中する
質問：ビジネスモデルのアイデアを創りだす前に、
どんな要素を学んでおくべきですか。
　理想的には、顧客や見込み客の調査や研究、新しい技術の精査、既存のビジネスモデルの査定などにおいて、プロジェクトに熱中するフェーズをチームメンバーが体験するといいでしょう。熱中は数週間続くこともありますし、数回程度のワークショップで終わることもあります。

3. 拡張する
質問：ビジネスモデルのそれぞれのブロックについて、
どんなイノベーションが想像できますか。
　このフェーズでは、できるだけ多くのアイデアを出すため、解決策の幅を広げていきます。9つの構築ブロックのどこから始めても大丈夫です。このフェーズのゴールは量であり、質ではありません。ブレインストーミングのルールを適用して、批評するのではなくアイデアを出すことにフォーカスしましょう（P144参照）。

4. 基準を設けて選択する
質問：ビジネスモデルアイデアに優先順位をつけるため、
最も重要な基準は何ですか。
　解決策の幅を広げたあとには、チームは取り扱える程度までアイデアの数を減らすために、基準を設定します。基準とは、ビジネスの内容に沿って決められ、想定される実行時間や、顧客が示すであろう抵抗、競合優位性に与えるインパクトといったものが含まれます。

5. プロトタイピング
質問：リストに上がったビジネスモデルを完成させたら、
どんなふうになるでしょうか。
　基準を定義したら、多くのアイデアを、3～5個へと絞り込んでリストにしましょう。そして、それぞれのアイデアをビジネスモデルキャンバスを使ってプロトタイプとして描き、議論していきましょう。

多様なチームを作る

新しいアイデアを作り出す作業は、クリエイティブ系の人だけのものだと思われがちです。しかし実際には、組織全体から集められた多様な参加者が必要です。ビジネスモデルにおけるイノベーションとは、ビジネスモデルの新しい構築ブロックや、構築ブロックの新しい組み合わせを探し出すことであり、流通チャネル、収益の流れ、リソースといったキャンバスの9つの構築ブロックすべてに関わります。そのため、さまざまな分野からのインプットとアイデアが必要になるのです。

適切なチームが、ビジネスモデルの新しいアイデアを作るのに欠かせないというのは、こういう理由からです。ビジネスモデルのイノベーションを考える仕事は当然、研究開発部門や経営戦略部門だけに限定されるべきではなく、イノベーションチームは多様なメンバーによって構成されるべきなのです。多様性があれば、新しいアイデアを生み出し、議論し、選ぶことが容易になります。外部の人間、ときには子どもでさえも、チームに加えることを考えてもいいくらいです。これほどまでに多様性はよく機能するのですが、ただし、参加者が人の話を積極的に聞くよう傾聴のしかたを教え、重要なミーティングにおいては、中立的なファシリテーターが参加することも必要になります。

多様なイノベーションチームのメンバーとは、次の通りです。
・さまざまな事業部から来ている
・さまざまな年齢層
・異なる専門領域
・勤続年数もバラバラ
・さまざまな経験をもつ
・異なる文化的バックグラウンド

ブレインストーミングのルール

フォーカスを定める
まず、シンプルな問題提起から始めます。顧客ニーズについてはっきりさせておくことが理想です。議論を遠くへ脱線させることなく、常にこの問題提起に戻るようにしましょう。

ルールを強制する
ブレストのルールを前もってはっきりさせ、全員に強制しましょう。最も重要なルールは、「判断を保留する」「一度にひとつの発言」「量を目指す」「ビジュアルで表現する」「突拍子もないアイデアを奨励する」などです。ファシリテーターはこうしたルールが守られるように監視します。

ビジュアルで考える
誰もが見える場所に、アイデアを書き出したり、スケッチします。アイデアを集めるよい方法は、ポスト・イットにメモし、壁に貼り出すことです。アイデアを移動させたり、グループ分けすることができます。

準備する
今ある課題に熱中するブレストができるよう、準備をしましょう。この準備には、現地調査、顧客との議論など、問題に没頭するためのあらゆる準備が含まれます。

Fast Company 誌の記事「よいブレストのための7つの秘訣」でのIDEO社トム・ケリー氏へのインタビューより。

ブレストを成功させるには、ルールが必要です。これらのルールは、よいアイデアを数多く生み出す助けとなるでしょう。

ウォームアップ：シリー・カウ エクササイズ

チームのクリエイティブな流れが生まれるようにするため、アイデア創造のセッションを、シリー・カウ（バカげた牛）エクササイズのようなウォームアップから始める方法もあります。やり方はこうです。参加者に、牛を使った3つの異なるビジネスモデルを書くよう指示します。まず、ミルクを作る、1日中食べている、モーと鳴くといったような牛の特徴を出してもらいます。そして、そうした特徴を使った革新的なビジネスモデルを考えてもらうのです。与えられた時間は3分です。

本当にバカげたものにしてしまっては、このエクササイズは逆効果になりうることも忘れてはいけませんが、上級マネジメント、会計士、リスクマネージャー、起業家といった人たちに試したところ、非常にうまくいっています。人々を日々のビジネスのルーチンワークから解放し、常識から切り離し、クリエイティブ能力のスイッチを入れることが、このエクササイズの目的です。

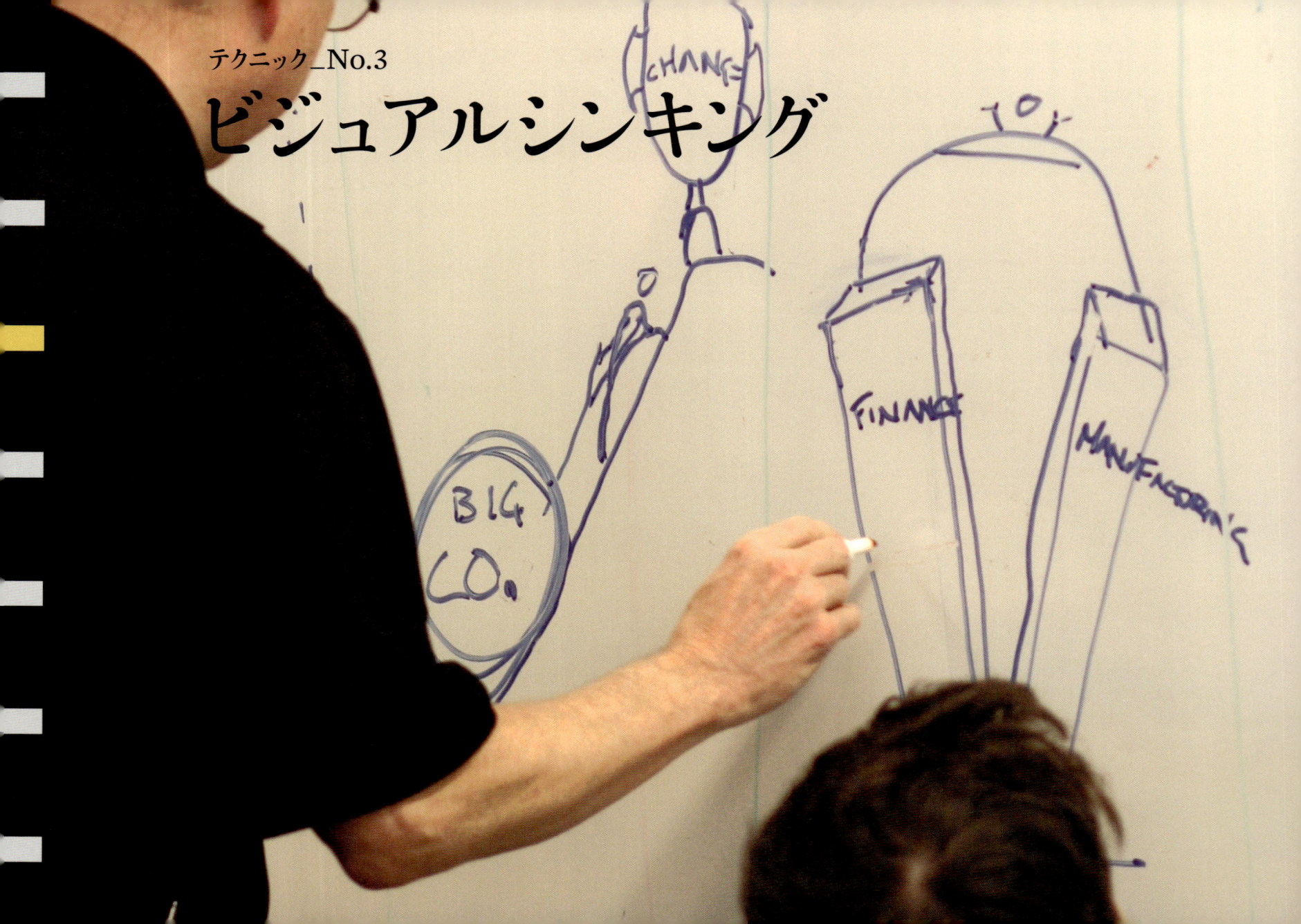

テクニック_No.3
ビジュアルシンキング

2006年10月

会議室の壁に
掲示されたポスターには、
14人のメンバーが
熱心にスケッチを描いた
ポスト・イットが、
無数に貼りつけられていました。
ほとんどアートの授業の
雰囲気ですが、
技術系の大企業
ヒューレット・パッカード本社で
行われていることなのです。

HP社全社から呼び集められた14人の参加者は、全員、情報マネジメントに関わっていました。このグローバル企業が情報の流れをどのように管理していくのか、全体像を描くワークショップに参加するために、ここに集まったのです。

コンサルティング会社XPLANEの創業社長であるデイブ・グレイが、このミーティングをファシリテートしました。企業戦略から現場での実施まで、あらゆる問題を明確にするため、XPLANEはビジュアルシンキングのツールを活用しました。XPLANEのアーティストと一緒に、デイブは14人のHPの専門家がグローバル企業の中で共有される情報の全体像について、理解を深める手助けをしました。このグループはスケッチを掲げながら、情報共有について議論し、要素間の関係を明らかにし、失われたピースを埋め合わせ、複数の問題への合意を形成していきました。

笑みを浮かべながら、よくある誤解についてデイブはこう話します。理解できるまで何も描くべきではないという人もいますが、まったく間違いです。それどころか、理解し、議論を円滑にするためにも、ヘタでもスケッチをすべきなのだ、と。14人の共同作業に、XPLANEのビジュアライゼーションのアプローチは非常にうまく機能しました。14人はビジュアルを通じて深く問題を理解し、グローバル企業における情報管理の方法についての1ページのシンプルな図解を完成させました。世界の成功している企業リストにも見えるXPLANEの顧客リストは、この種のビジュアルシンキングの価値を理解する組織が増えていることを示しています。

ビジュアルシンキングの価値

ビジュアルシンキングは、ビジネスモデル構築に欠かせません。絵やスケッチ、図解やポスト・イットなどのツールを使ったビジュアルシンキングによって初めて、ビジネスモデルを議論することができるのです。なぜなら、ビジネスモデルはさまざまな構築ブロックの相互関係によって成り立ち、図解しないことには理解するのが難しい複雑な概念だからです。

ビジネスモデルは、ひとつの要素が他に影響するシステムであり、全体を捉えて初めて意味をなします。ビジュアライズすることなく全体図を把握するのは、難しいのです。そして実際、ビジネスモデルをビジュアルとして描写することによって、暗黙に置かれた仮説が、目に見える情報へと置き換わるのがわかります。モデルが可視化され、すっきりとした議論が可能になるのです。ビジュアル技術はビジネスモデルに命を与え、メンバー間の共創を促します。

スケッチされたモデルは、議論をいつでも戻せるような目印の役割を果たします。これは非常に重要です。なぜなら、議論が抽象的なものから具体的なものになり、ディベートの質を高めてくれるからです。すでにあるビジネスモデルを改善しようというときには特に、ビジュアルで表現することによって、論理の破綻を明るみに出したり、議論を促進することになるでしょう。同様に、まったく新しいビジネスモデルをデザインするときも、絵を描き、絵を加えたり、動かしたりすることによって、異なるオプションの選択について議論することができるはずです。

ビジネスはすでに、図解やグラフといったビジュアル技術を頻繁に利用しています。そうした要素は、報告書や計画書の中のメッセージをはっきりさせるために使われます。しかし、こうしたビジュアル技術は、議論や探求、ビジネス上の問題定義にはあまり使われてきませんでした。あなたが出席した会議では、役員は壁に絵を描いていたでしょうか。しかし、ビジュアルシンキングは戦略立案プロセスにおいてこそ必要とされます。すなわち、抽象的なものを具体的なものにし、要素間の関係に光を当て、複雑なものを単純化することによって、戦略的な探求を強化するからです。ここでは、定義、議論、ビジネスモデルの変更のプロセスを通じて、ビジュアルシンキングがどのように役立つのかを見ていきます。

また、2つのテクニックについて言及します。すなわち、ビジネスモデルキャンバスと組み合わせたときのポスト・イットとスケッチの使い方です。さらにビジュアルシンキングによって改善される、理解、対話、探求、コミュニケーションという4つのプロセスについて議論していきます。

Design

ポスト・イットによる
ビジュアライゼーション

ポスト・イットは、ビジネスモデルを手軽に扱えるようにするための必須のツールです。ポスト・イットは、アイデアを運ぶコンテナのような機能を果たし、加えたり、取り除いたり、ビジネスモデルの構築ブロック間を簡単に移動できます。これは非常に重要です、なぜなら、ビジネスモデルの議論において、ビジネスモデルキャンバスのどの構築ブロックにどの要素があるべきなのか、すぐに合意することはなかなかないからです。議論のあいだ、新しいアイデアを見つけるために、何度も取り除かれたり、移動したりします。

ここに3つのシンプルなガイドラインがあります。(1) 太いマーカーを使う、(2) ひとつのポスト・イットにはひとつの要素だけを書く、(3) 要点がわかるよう短く記述する、というものです。太いマーカーを使うことで、ひとつのポスト・イットに情報を詰め込みすぎることがなくなり、読みやすくなります。

また注意すべきことは、ポスト・イットによるビジネスモデルの最終形にいたるまでの議論もまた、結果同様に重要だということです。どのポスト・イットがどこに置かれ、取り除かれるかという議論や、ある要素が他に与える影響についての論争は、参加者がビジネスモデルやそのダイナミクスを深く理解するのに役立つからです。そうしたこともあり、ポスト・イットは、ビジネスモデルブロックを表現する単なる付箋という以上の、戦略的議論の方向性を決めるツールと捉えられるのです。

絵によるビジュアライゼーション

絵は、ポスト・イット以上に強力なツールです。なぜなら、人は言葉よりも図像に強く反応するからです。絵はメッセージを即座に伝えます。シンプルな絵は、多くの言葉を必要とするようなアイデアを伝えられるのです。

これは考えるより行うほうが簡単です。笑顔をした棒線の人を描けば、感情が伝わります。お金の入った大きなバッグと小さなバッグは、分け前を示すでしょう。問題は、多くの人が自分は絵が描けないと思っていることです。絵を見られて、カッコ悪いとか、子どもじみていると思われないようにと思っているのです。実際には、相当ひどい絵であっても、真剣に描けば、ものごとをわかりやすくしてくれます。棒線で描いたシンプルな人であっても、抽象的に言葉で表現されたものより、多くの意味を伝えます。

スケッチや絵はさまざまな場面で活躍します。最もわかりやすいところでは、ビジネスモデルを説明するときに絵を使うというもので、これについてはこの章の最後でその方法を説明します。もうひとつは、典型的な顧客とその顧客を取り巻く環境をスケッチするときです。文章で記述したときに比べ、より活発な議論のきっかけとなります。ほかにも、顧客セグメントのニーズや課題を捉えるときに、ビジュアライゼーション技術が活躍します。

このように絵は、新しいビジネスモデルアイデアを生み出す建設的な議論のきっかけになります。それでは、ビジュアルシンキングによって4つのプロセスが改善される様子を見ていきましょう。

本質の理解

ビジュアル文法
ビジネスモデルキャンバスは、文法を伴ったビジュアル言語として機能する概念図です。どの情報がどこに挿入されるべきなのかを示してくれます。ビジネスモデルを描くために必要な情報を、ビジュアルと言葉によって指示してくれるのです。

全体像を把握する
キャンバスの要素をスケッチすることで、ビジネスモデルの全体像をすぐに作成できます。このスケッチは、見る人がアイデアを理解でき、しかし瑣末な部分は省かれた、適切な量の情報を提供してくれます。プロセスや構造、システムを伴った企業の現実を、ビジネスモデルキャンバスによってビジュアル的にシンプルにできます。ジェットエンジンを売却するのではなく時間単位でリースするロールスロイスなどのビジネスモデルでは、要素を別々に記述するよりも、全体像を示すほうが説得力は増します。

関係を描く
ビジネスモデルの理解には、構成要素を知ることだけでなく、要素間の相互関係をつかむことが必要です。これは言葉で説明するよりも、ビジュアル表現がかんたんです。複数の要素と関係性が関係している場合には、なおさらです。たとえば、低価格航空会社のビジネスモデルを記述するとき、絵を使うことで、同じような飛行機を購入する理由が、メンテナンスと訓練のコストを低く抑えることにあることを、効果的に表現することができます。

対話の促進

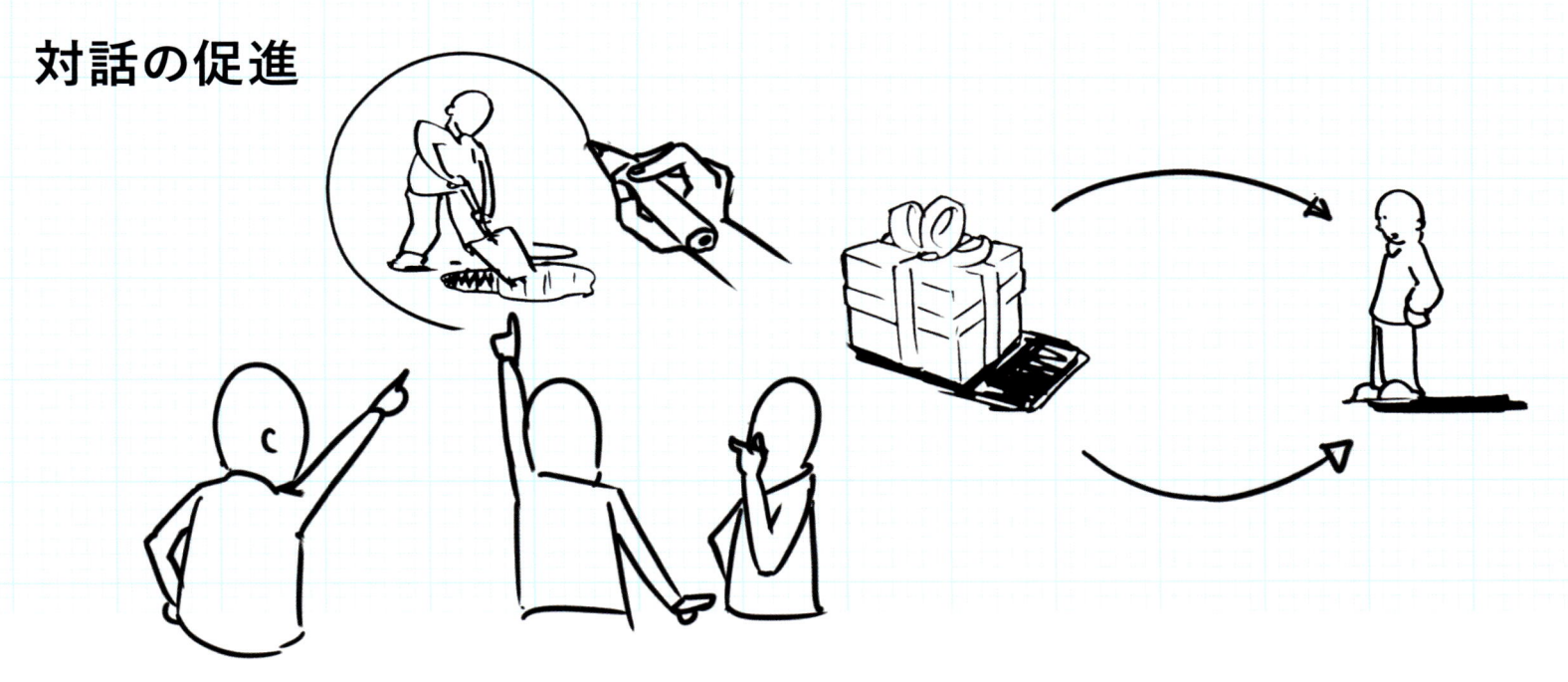

基準点を共有する
頭の中には誰しも、暗黙の前提を持っています。その暗黙の前提を、絵によって目に見える情報にすることは、対話を促す優れた方法です。ビジネスモデルを可視化し、参加者がいつでも立ち戻ることのできる基準点を提供してくれます。短期記憶では、限られたアイデアしか記憶できない中、ビジュアルで描かれたビジネスモデルは、有益な議論に欠かせません。たとえ、数個の構築ブロックと相互関係で構成された非常にシンプルなビジネスモデルであっても、です。

言語を共有する
ビジネスモデルキャンバスは、共有されたビジュアル言語です。基準点を提供するだけでなく、人々がお互いを理解するための語彙や文法を提供します。一度キャンバスに慣れ親しんでしまえば、ビジネスモデルの要素をどのように統合するか、集中した議論を可能にしてくれる強力なツールになります。お互いの仕事内容をあまり知らないメンバーによるワーキンググループやタスクフォースで、さまざまな部門に報告しなければならないような組織においては、特に価値があります。ビジネスモデルのビジュアル言語を共有しておくことで、アイデアを交換したり、チームの結束を高めることができるのです。

アイデアの探求

アイデアの引き金

ビジネスモデルキャンバスは、芸術家のキャンバスと似ています。芸術家が絵を描き始めるとき、はっきりしたイメージではなく曖昧なアイデアしか頭にないことがあります。そんなとき、キャンバスの隅から順番に描いていくのではなく、思いついたとこから始め、そこから有機的に絵を構築していきます。パブロ・ピカソは次のように言います。「あるアイデアから始めても、結局違う何かになる。」ピカソは、アイデアを出発点にすぎないと考えていました。描いていく過程で、新しい何かへと発展することを知っていたのです。

ビジネスモデルを作ることも同様です。キャンバスに置かれたアイデアは、新しいアイデアの引き金です。キャンバスは、アイデアを生むような対話を促進するツールです。個人にとってはアイデアを描き出していくための、そしてグループにとってはアイデアを一緒に構築するためのツールです。

試してみる

ビジュアルのビジネスモデルを使うことで、いろいろと試してみることができます。壁に貼られた、ポスト・イットで作られたビジネスモデルを使えば、ある要素を取り除いたり、新しいものを加えるときに何が起こるのかという議論ができます。例えば、もし最も利益の少ない顧客セグメントを取り除いたときに何が起こるだろうか。そんなことはできるのだろうか。利益の出ていないセグメントが、実は利益を生み出している顧客を惹きつけるのに必要かもしれない。利益の出ていない顧客を取り除くことで、リソースとコストを削減でき、その結果、利益の出ている顧客へのサービスを向上させられるかもしれない。ビジュアルによるモデルを使うことで、ある要素に手を加えたときのシステム的なインパクトを考えやすくなるのです。

コミュニケーションの向上

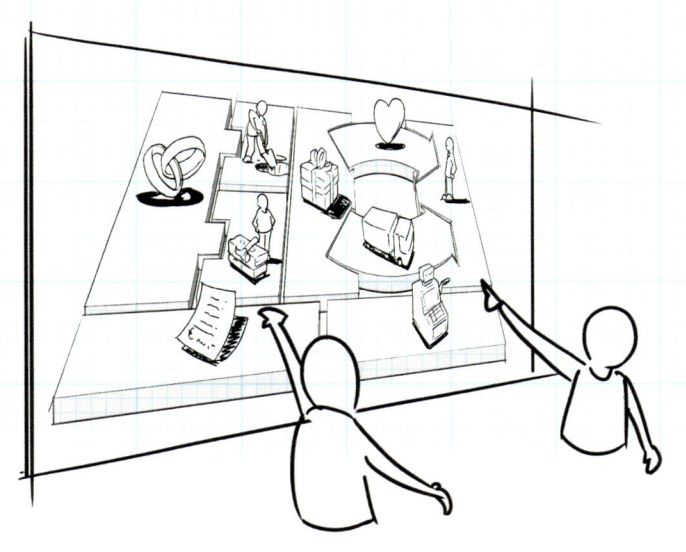

組織全体での理解を醸成する
ビジネスモデルや重要な要素を伝える段階において、絵は千の言葉に匹敵するほどの力を持ちます。組織の誰もがビジネスモデルを理解しなければならないのは、誰もがビジネスモデルの改善に貢献できるからです。少なくとも、従業員はビジネスモデルの共通理解をしておく必要があります。そうすれば、同じ戦略によって進むことができます。ビジュアルによる表現は、そのような共通理解を作るのに最適な方法です。

内部的な売り込み
組織においては、サポートや資金を得るために、さまざまなレベルでアイデアやプランを「売り込む」ことが必要になります。プレゼンテーションを補強する強力なビジュアルストーリーによって、理解を得て、アイデアを後押ししてもらうチャンスが増えるでしょう。イメージによって、何を示しているのかすぐにわかるので、単に言葉でストーリーを語ることよりも、ずっと強く伝わります。組織の現状や、何をする必要があるのか、どのように実現可能か、将来はどんなものなのか、ということも、イメージであればすぐに伝わるのです。

外部への売り込み
従業員が、内部的にアイデアを「売り込む」必要があるように、企業は新しいビジネスモデルに基づくプランを、投資家や潜在的な協業企業などの外部の人々に売り込まなければなりません。強いビジュアルは、成功のチャンスを大いに増やしてくれるでしょう。

異なるタイプのビジュアライゼーション

Skypeの主要なリソースと活動は、ソフトウェア会社と似ています。なぜなら、インターネットを使った通話を行うためのソフトウェアに基づいて、サービスが提供されているからです。4億人以上のユーザーを抱えているにもかかわらず、インフラコストは非常に安くなっています。実際、通信ネットワークをまったく所有していませんし、管理もしていません。

初日から、Skypeはグローバルな電話会社となりました。なぜならインターネットを通じてサービスを提供するため、伝統的な通信ネットワークの制約を受けなかったからです。Skypeのビジネスは、高い拡張性を持っています。

ビジネスモデルのビジュアルプレゼンテーションには、目的によって異なるレベルの情報が必要になります。右に示したSkypeのビジネスモデルのスケッチによって、Skypeと伝統的な電話会社のビジネスモデルの主な違いが理解できます。同じようなサービスを提供してはいますが、両者のビジネスモデルブロックの違いを指摘することが目的となっています。

若いオランダの企業Sellabandを描いた右側のページのスケッチは、異なる目的のもと描かれており、より詳しい情報が描かれています。独立系のミュージシャンにクラウドファンドを提供するプラットフォームという、音楽産業の新しいビジネスモデルの全体像を描くことが目的となっているのです。Sellabandでは、その革新的なビジネスモデルを投資家、パートナー、従業員に説明するために、この絵を使っています。イメージと言葉を組み合わせると、言葉だけで表現するよりもずっと効果的であることを、示してくれています。

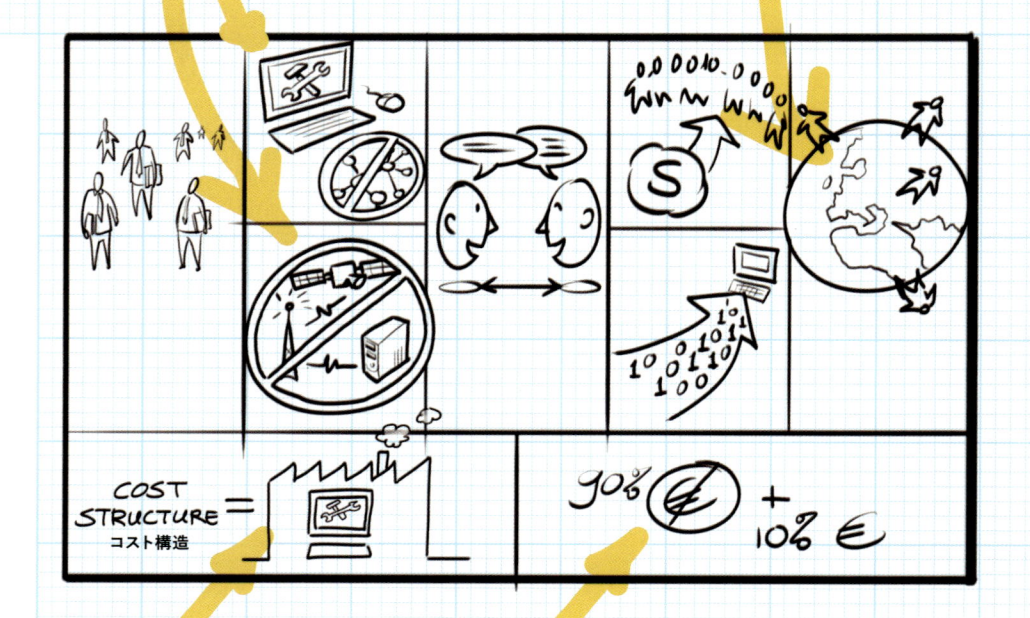

電話サービスを提供しているにもかかわらず、Skypeのビジネスモデルの特徴は、通信ネットワーク運営会社というよりもソフトウェア会社のエコノミクスを持っています。

Skypeユーザーの90%は、お金を払ったことがありません。推定で10%のユーザーだけが、支払いをする顧客です。伝統的な電話会社と異なり、Skypeのチャネルと関係性は、高度に自動化されています。ほとんど人の介入が不要で、相対的に費用が抑えられています。

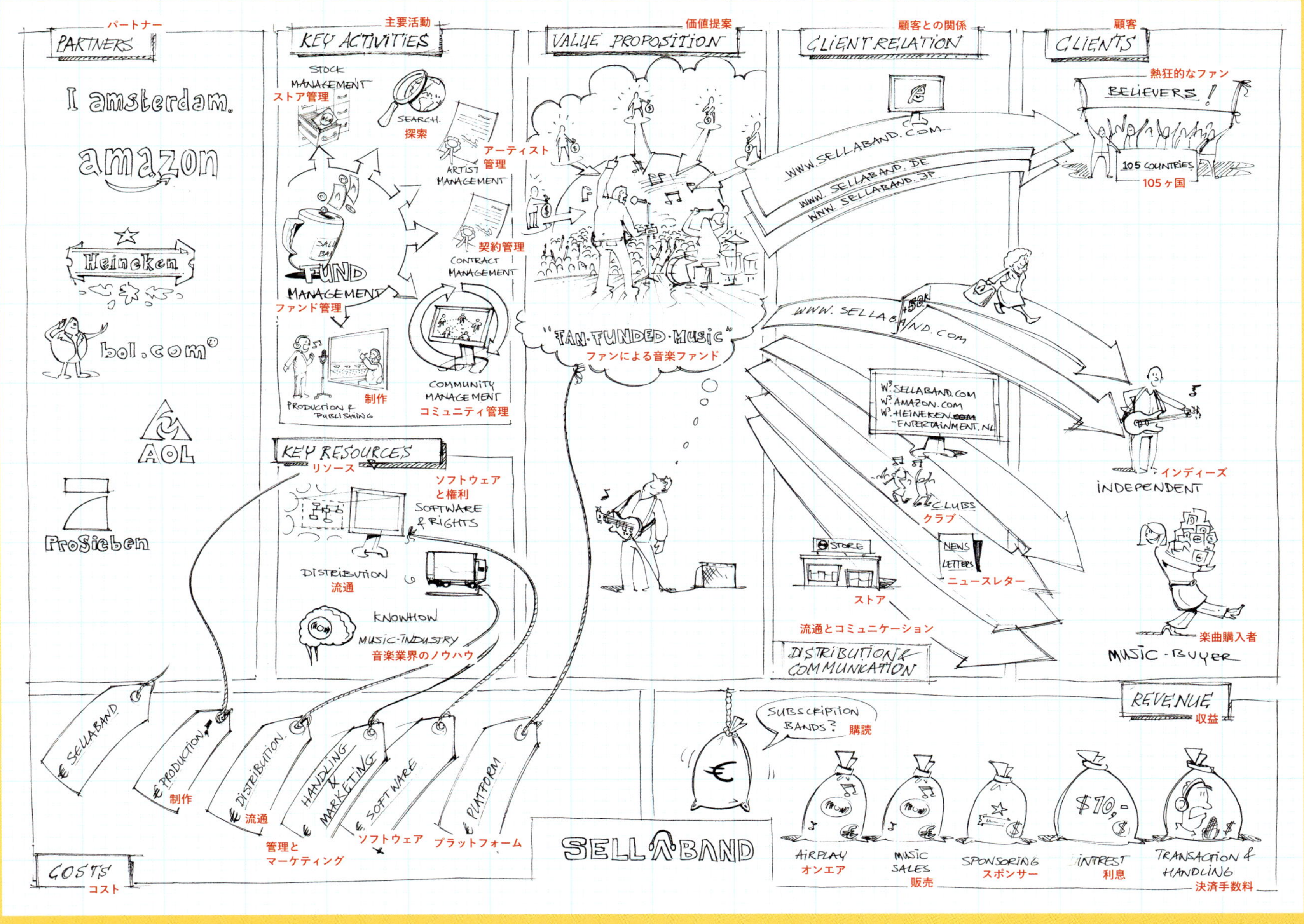

パートナー
PARTNERS
I amsterdam.
amazon
Heineken
bol.com
AOL
ProSieben
主要活動
KEY ACTIVITIES
STOCK MANAGEMENT
ストア管理
SEARCH
探索
アーティスト管理
ARTIST MANAGEMENT
契約管理
CONTRACT MANAGEMENT
FUND MANAGEMENT
ファンド管理
PRODUCTION & PUBLISHING
制作
COMMUNITY MANAGEMENT
コミュニティ管理
KEY RESOURCES
リソース
ソフトウェアと権利
SOFTWARE & RIGHTS
DISTRIBUTION
流通
KNOWHOW
MUSIC-INDUSTRY
音楽業界のノウハウ
価値提案
VALUE PROPOSITION
"FAN·FUNDED·MUSIC"
ファンによる音楽ファンド
顧客との関係
CLIENT RELATION
WWW.SELLABAND.COM
WWW.SELLABAND.DE
WWW.SELLABAND.JP
WWW.SELLABAND.COM
W3.SELLABAND.COM
W3.AMAZON.COM
W3.HEINEKEN-ENTERTAINMENT.NL
CLUBS
クラブ
STORE
ストア
NEWS LETTERS
ニュースレター
流通とコミュニケーション
DISTRIBUTION & COMMUNICATION
顧客
CLIENTS
熱狂的なファン
BELIEVERS!
105 COUNTRIES
105ヶ国
インディーズ
INDEPENDENT
楽曲購入者
MUSIC-BUYER
SELLABAND
PRODUCTION
制作
DISTRIBUTION
流通
HANDLING & MARKETING
管理とマーケティング
SOFTWARE
ソフトウェア
PLATFORM
プラットフォーム
COSTS
コスト
SELLABAND
SUBSCRIPTION BANDS?
購読
REVENUE
収益
$10,-
AIRPLAY
オンエア
MUSIC SALES
販売
SPONSORING
スポンサー
INTREST
利息
TRANSACTION & HANDLING
決済手数料

ビジュアルストーリーを語る

ビジネスモデルを説明する強力な方法は、一度にひとつのストーリーだけ紹介することです。ビジネスモデルキャンバスの中にあるすべての内容をプレゼンすると、観客はうんざりします。少しずつモデルを紹介していくほうがよいでしょう。これは、ひとつずつ描いていったり、PowerPointを使うことでもできます。ポスト・イットにビジネスモデルの要素をあらかじめ書き込んでおき、ビジネスモデルの説明に従ってひとつひとつ貼り出していく方法も、興味を惹きつけるでしょう。ビジネスモデルが組み立てられていく様子を見せることができ、ビジュアルも生きてきます。

ビジュアルでのストーリーテリング

1

ビジネスモデルをマッピング

- ビジネスモデルを説明する
シンプルな文章をマッピングする
ところから始めます。
- 要素をポスト・イットに書き出します。
- マッピングは個人でも
グループでもできます。

2

要素を絵にします

- ひとつずつ、内容を絵にしたものに
差し替えていきます。
- イメージはシンプルに。
細かいところは省略します。
- きれいに描く必要はありません。
情報が伝わりさせすればよいのです。

3

ストーリーを決めます

- ストーリーを語るときに、
どのポスト・イットから
貼り出すかを決めます。
- 異なる道筋を試してみましょう。
顧客セグメントから始めたり、
価値提案から始めることも
できるでしょう。
- ストーリーを効果的に
見せられるのであれば、
基本的にどこからでも始められます。

4

ストーリーを語ります

- ポスト・イットに描かれた絵に
ついてのビジネスモデルの
ストーリーを語ります。

注意：状況や個人的な好みで、
PowerPointやKeynoteを使いたいと
思うかもしれません。しかし、
プレゼンアプリを使うと、
ポスト・イットを使ったときのような
驚きは生まれにくいです。

160

テクニック_No.4
プロトタイピング

2000年夏

ウェザーヘッド
ビジネススクールの
教授である
リチャード・ボーランドJr.は、
ゲーリー・アソシエイツ事務所
のマット・ファンアウトが
新しい校舎のプランを
平気な顔で破り捨てるのを、
驚きの表情で
見つめていました。

ミーティングスペースやオフィス機器に必要な空間を残しながら、有名建築家フランク・ゲーリーが設計したフロアプランから約5,500平方フィートを取り除くために、ボーランドとファンアウトは丸2日間、格闘していました。

長時間にわたるプランニングセッションが終わったとき、ボーランドは安堵のため息をつきました。「ようやく終わった」と彼は思ったのです。しかしその瞬間、ファンアウトは椅子から立ち上がったかと思うと、二人のハードワークの痕跡を残すことなく、その文書をゴミ箱に破り捨ててしまいました。彼は軽く肩をすくめ、柔らかな語り口で、ショックを受けているボーランド教授に答えました。「できるということはわかりました。しかし今は、それをどんなふうにやりたいかを考える必要があるんです。」

ゲーリーのグループとのウェザーヘッド校の新校舎に関する作業の中で経験した、執拗な探求のアプローチの極端な例として、ボーランドこの事件を説明します。設計段階でゲーリーと彼のチームは、単に新たな方向性を探るためだけに、さまざまな素材とサイズのモデルを数百も作りました。このプロトタイピングの目的は、アイデアの単なるテストや証明という以上のものがありました。すなわち、本当に良いものが生まれるまで、別の可能性を探求するためなのです。彼は、ゲーリーグループで実践したようなプロトタイプは、最初の理解では欠けていたものを、参加者が気づくのに役立つ、探求プロセスの中心となるものだと指摘しました。プロトタイプによりまったく新しい可能性へと導かれ、その中から正しいものを見つけることができるのです。ボーランド教授にとって、ゲーリー・アソシエイツ事務所との経験は、大きな変化をもたらすものでした。彼も今では、プロトタイピングなどのデザイン技術は、ビジネス上の問題のあらゆる領域で優れた解決策を見つけ出すのに役立つ方法だと理解しています。そして、フレッド・コロピー教授と他の同僚とともに、デザイン思考、スキルおよび経験を統合するデザインマネジメントのコンセプトについて、ウェザーヘッドのMBAカリキュラムへの導入を進めています。ここで学生は、代替案をスケッチし、問題の状況を追跡調査し、伝統による制約を超え、アイデアのプロトタイプを作るために、デザインツールを使用しています。

プロトタイピングの価値

プロトタイピングは、革新的な新しいビジネスモデルを開発するための強力なツールです。ビジュアルシンキングと同様、抽象的な概念を具体化することができ、新しいアイデアの探索を容易にします。プロトタイピングはデザインとエンジニアリングの分野からきており、プロダクトデザイン、建築、インタラクションデザインに広く利用されています。そのため、組織行動や戦略といったより抽象的な性質のビジネスマネジメントにおいては、あまり一般的ではありません。プロトタイピングは、長い間、プロダクトデザインなどにおいて、ビジネスとデザインの両方が関連する場面で役割を果たしてきた一方で、近年ではプロセス設計、サービスの設計、さらには組織や戦略設計などの分野で活発に利用されています。ここでは、ビジネスモデルの設計においてプロトタイピングを活用する方法をご紹介します。

同じ用語を使用していても、プロダクトデザイナー、建築家、エンジニアは、プロトタイプを構成するものについて、異なる理解のしかたをしています。議論、探求、コンセプトの証明といった目的に応じて、潜在的な将来のビジネスモデルを表現するものとして、プロトタイプを見ています。ビジネスモデルのプロトタイプは、簡単なスケッチだけでなく、ビジネスモデルキャンバスで描かれるコンセプトや、新事業の財務の仕組みをシミュレートするスプレッドシートの形式などをとることがあります。

ここで重要なのは、ビジネスモデルのプロトタイプが必ずしも、実際のビジネスモデルの姿ではないことを理解することです。プロトタイプはむしろ、私たちのビジネスモデルが取ることができる別の方向を探るのに役立つ思考ツールなのです。別の顧客セグメントを加えたらどうなるだろうか。コストのかかるリソースを取り除いた結果はどうなるだろうか。何かを無料で提供し、より革新的なもので収入源を置き換えたらどうなるだろうか。ビジネスモデルのプロトタイプを作成、操作することで、単なる思考や議論ではできないような、構造、関係、ロジックの問題に、集中して取り組むことができます。さまざまな可能性の長所と短所を理解し、調査をさらに進めるために、異なるクオリティのプロトタイプを何個も構築する必要があります。プロトタイプとの相互作用によって、議論する以上のアイデアを、より簡単に生み出すことができます。ビジネスモデルのプロトタイプ制作は、ときにはうんざりするほど考えさせられ、思考を深めるのに役立ちます。このときプロトタイプは、実装されるビジネスモデルを単に表現したものというよりも、まだ想像もつかない方向を指す道標というべきものなるでしょう。「探求」とは、最善の解決策を見つけるための、しつこいくらいの探索を意味すべきなのです。こうした深い探求の後、すなわちビジネスモデルデザインが成熟をみたあとに、改善、実行すべきプロトタイプを効率的に選ぶことができるのです。

ビジネスマンは、ビジネスモデル探求のこのプロセスに対して2つの反応を示します。ひとつは、「いいアイデアだけど、ほかのオプションを検討するような時間がないんだよ」という反応です。また、新しいビジネスモデルを思いつくのには、市場調査を使えばいいじゃないか、という人もいるでしょう。どちらの反応も、危険な先入観に基づいています。

最初の反応は、「いつも通り」もしくは少しずつ改善をしていけば、十分、今日の競争環境で生き残っていくことができるということを仮定しています。こうした方向性では、ビジネスがどんどん平凡になっていくでしょう。革新的なビジネスモデルアイデアを開発し、プロトタイプを作る時間すら取れないような会社は、よりダイナミックな競合他社や、どこからともなく現れる反抗的な挑戦者によって、脇に追いやられたり、取って代わられてしまうでしょう。

第2の反応は、新しい戦略的オプションを設計する際に、データこそが最も重要なものであるということを前提としています。しかし、そうではありません。競合他社を凌駕するか、まったく新しい市場を開拓する可能性のある、強力な新しいビジネスモデルのプロトタイプを作る、長いプロセスにおいて、市場調査はインプットしておくべき情報のひとつにすぎません。

あなたは次のどちらの方向に進みたいですか。強力な新しいビジネスモデルのプロトタイプを作る時間を取ったことによって、ゲームの頂点にい続けるか。もしくは、既存のモデルを維持するのに忙しくて、脇に追いやられてしまうのか。新しい、ゲームのルールを変えてしまうようなビジネスモデルは、深く絶え間ない探求から出てくると確信しています。

デザイン精神

"もし、アイデアをあまりに早くから固定してしまうと、
そのアイデアに恋に落ちてしまうことになります。
あまりに早く洗練させてしまうと、それにこだわってしまい、
より良いものを探求し続けることが難しくなります。
洗練されていない初期のモデルこそ、熟慮が必要です。"

ゲーリーのパートナー
ジム・グリンフ

ビジネス側の人間として、プロトタイプを見たとき、私たちはつい、その物理的形態や表現そのものに気を取られてしまいます。最終的に意図しているものをモデル化したもの、もしくはエッセンスをカプセルのように凝縮したものと捉えてしまうのです。それに対し私たちは、まだ洗練される必要があるものとしてプロトタイプを認識しています。デザインの領域では、プロトタイプは実装前に可視化したり、テストしたりといった役割を担っています。しかし、彼らはまた、別の非常に重要な役割、すなわち、探求のツールという役割を果たしています。この意味で、プロトタイプとは、新しい可能性を探求するための考える補助をしてくれるものです。私たちが何ができるかということについて、理解を深めるのに役立つのです。

こうしたデザインに対するスタンスは、ビジネスモデルイノベーションに適用することができます。ビジネスモデルのプロトタイプを作ることによって、アイデアのある側面、たとえば斬新な収益の流れなど、を調べることができます。プロトタイプを構築、議論しながら、参加者はその要素について学びます。前述したように、ビジネスモデルのプロトタイプは、規模や洗練レベルによってさまざまです。特定のモデルに決定してビジネスケースを展開する前に、ビジネスモデルについて他の多様な可能性を考えてみることが重要です。ボーランド教授が発見したように、この探求の精神はデザインの根幹であり、「デザイン精神」と呼ばれています。デザイン精神の特徴は、洗練させるアイデアを選ぶ前に、ラフなアイデアを検討し、短時間のうちに破棄し、さまざまな可能性を試してみる時間を持つことにあります。つまり、デザインの方向性が固まるまでの不確実性を許容するのです。こうしたことは、ビジネスマンにとって自然にできることはありませんが、新たなビジネスモデルを作り出すための必要条件です。どのオプションを選ぶのかという意思決定から、選択可能なオプションの作成まで、方向性をさまざまに変更していくことを、デザイン精神は要求します。

異なるスケールのプロトタイプ

建築やプロダクトデザインでは、物理的な成果物について話しているという前提があるので、異なる大きさでのプロトタイピングが何を意味するかを理解するのは簡単です。建築家のフランク・ゲーリーやプロダクトデザイナーのフィリップ・スタルクは、スケッチやラフモデルから、すべての機能を備えた精巧な試作品に至るまで、無数のプロトタイプを作ります。ビジネスモデルのプロトタイピングにおいても、やや概念的な方法になりますが、さまざまなサイズのバリエーションがあります。ナプキンに書かれたアイデアのラフスケッチから、フィールドテストも可能な詳細なビジネスモデルキャンバスまで、さまざまなプロトタイプがあります。単なるビジネスのアイデアをスケッチしたものと、どう違うのか不思議に思うかもしれません。なぜ「プロトタイピング」と呼ぶ必要があるのでしょうか。

ここには2つの答えがあります。ひとつは、マインドセットの違いです。2つ目は、ビジネスモデルのキャンバスが、思考を促進する構造を提供しているという点です。

ビジネスモデルのプロトタイピングとは、デザイン精神と呼ぶマインドセットに関連します。戦略オプションとなるようなプロトタイプを、ラフなものから詳細なものまで数多くスケッチすることにより、より良い新しいビジネスモデルを発見する取り組みです。単に、実行したいアイデアを説明するだけのものではありません。それぞれのプロトタイプの要素を追加したり削除したりすることで、新しいアイデア、バカバカしいアイデア、そして不可能なアイデアさえも模索していくことなのです。そうすれば、異なるレベルのさまざまプロトタイプを実験できるでしょう。

ナプキンのスケッチ
ラフなアイデアを概説、紹介する
シンプルなビジネスモデルキャンバスを描き、主要な要素だけを使ってアイデアを記述します。
- アイデアの概略を述べます
- 価値提案を記入します
- 主な収益の流れを記入します

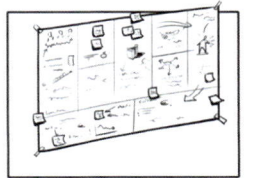

詳細なキャンバス
アイデアが機能するために何をすべきか調べる
ビジネスモデルが機能するために必要なすべての要素を調べるため、より詳しいキャンバスを作成します。
- 完全なキャンバスへと発展させます
- ビジネスのロジックで考えます
- 市場の潜在的な可能性を想定します
- ブロック同士の関係性を理解します
- 基本的な事実の確認をします

ビジネスケース
アイデアの実行可能性を実験する
詳細なキャンバスをスプレッドシートにして、ビジネスモデルの潜在的な収益性を予測します
- 完全なキャンバスを作成します
- 主要なデータを記入します
- コストと収益を計算します
- 潜在的な利益の可能性を予測します
- 異なる仮定に基づいてファイナンスのシナリオをシミュレーションします

フィールドテスト
顧客が受け入れるか、実現可能かを調べます。
ビジネスモデルを決定し、いくつかの視点からフィールドテストを行います
- 新しいモデルについて、証明されたビジネスケースを用意します
- フィールドテストには見込み客、実際の顧客を含めます
- 価値提案、チャネル、価格のメカニズム、市場でのその他の要素をテストします

出版における8つのビジネスモデルプロトタイプ

ここに、本をする出版方法について、8つの異なるビジネスモデルのプロトタイプがあります。それぞれ、独特の要素を強調して示しています。

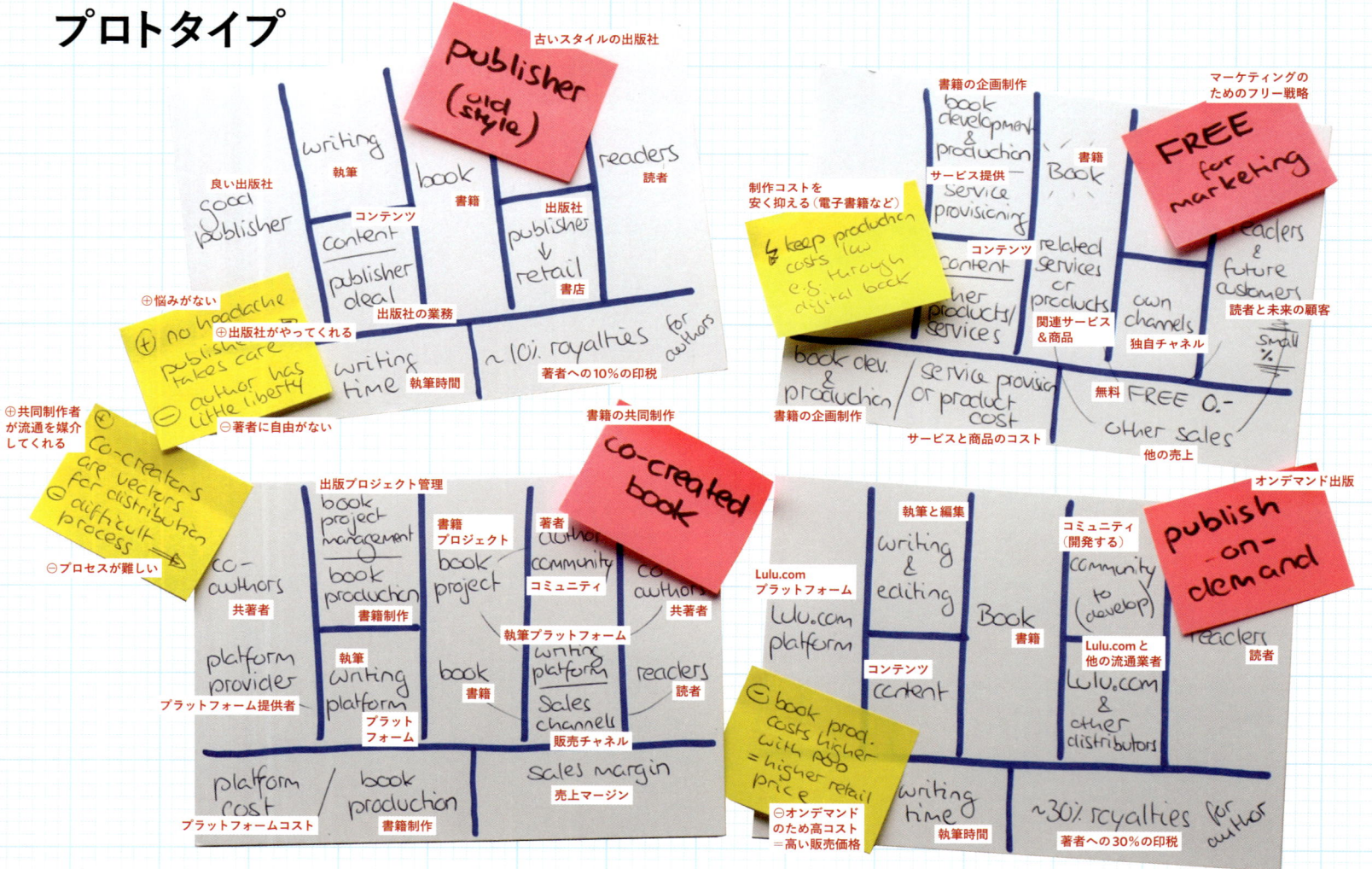

プロトタイプでは、実際のビジネスモデルの要素すべてを記述することはありません。かわりに、そのモデルの特定の側面を照らし出し、新しい探求の方向性を示すことにフォーカスします。

design
デザイン

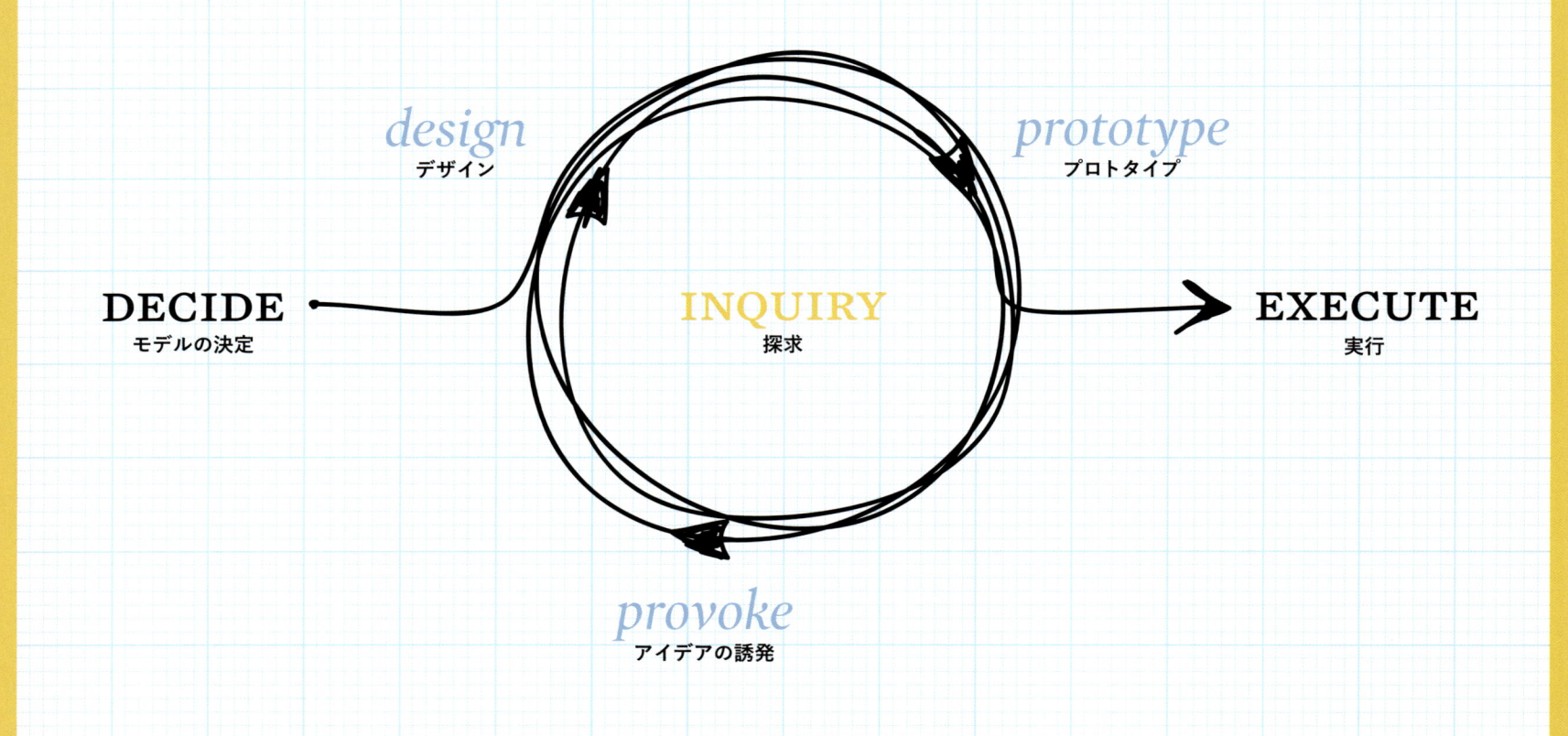

prototype
プロトタイプ

DECIDE
モデルの決定

INQUIRY
探求

EXECUTE
実行

provoke
アイデアの誘発

求む、新しいコンサルティングビジネスモデル

ジョン・サザーランドは助けを求めていました。彼は、企業戦略や組織の課題を扱う中規模のグローバルコンサルティング会社の創設者兼CEOです。事業について、将来の姿を描き直さなければならないと感じており、新鮮な、外部からの視点を探していました。

ジョンは20年以上かけて彼の会社をつくりあげ、今や世界中で210名を抱える企業へと成長しました。彼のコンサルタント業は、経営幹部が、効果的な戦略を策定し、戦略的マネジメントを向上させ、組織再編を支援することにフォーカスしています。直接競合する企業としては、マッキンゼー、ベイン、ローランド・ベルガーなどがあります。この彼が直面している問題のひとつは、一流の競争相手よりも規模は小さいものの、ニッチ領域にフォーカスした戦略コンサルタントよりははるかに大きいということです。これについては合理的にうまくやっているので、今のところ頭を悩ます問題ではありません。本当の悩みは、市場における戦略コンサルティングの評判が落ちており、現在普及しているプロジェクトベースでの時間単位の課金モデルが古くなっているという顧客の認識が高まっていることです。彼自身の会社の評判は良いままなのですが、クライアントの数社からは、コンサルタントは過剰請求をしている、成果物が少ない、プロジェクトへのコミットメントがほとんどないと思っていると耳にしました。

この産業は最も優秀な人材を採用していると信じているので、そのようなコメントはジョンへの警告だと捉えました。彼はいろいろと考えた結果、時代遅れのビジネスモデルが原因ではないかと結論づけ、自分の会社のアプローチを変えていきたいと思っています。ジョンは、時間単位でのプロジェクト請求を過去のものにすることを目指していますが、どうすればよいかまだはっきりしていません。

革新的なコンサルティングビジネスモデルについての新鮮な視点を提供して、ジョンを助けてあげましょう。

ジョン 55歳
210名の従業員を抱える戦略コンサルティング会社
創設者兼CEO

1 大きな問題を概説します

- 典型的な戦略コンサルティングの顧客について考えてみます
- 顧客セグメントと産業を選びます
- 戦略コンサルティング会社に関する最も大きな5つの問題を記述します。共感マップも利用しましょう（P131参照）

2 可能性を生み出します

- あなたが選んだ5つの問題について詳しく見てみましょう
- ビジネスモデルについて多くのアイデアを出してみましょう
- 5つのアイデアを選びます（現実的なものでなくても構いません）。アイデア創造のプロセスを参考にしましょう（P134参照）

3 ビジネスモデルのプロトタイプをつくりましょう

- 5つのアイデアのうち、3つの最も多様なアイデアを選びましょう
- ビジネスモデルキャンバスの要素をスケッチして、3つのコンセプトを発展させましょう
- それぞれのプロトタイプの良い点と悪い点について注釈をつけましょう

テクニック_No.5
ストーリーテリング

2007年春

アナブ・ジャインが
その日に撮影した
最新のビデオ映像を
観るころには、
深夜12時を
とっくにすぎていました。

アナブ・ジャインは、受賞歴をもつオフィス家具アクセサリーメーカーColebrook Bosson Sundersのための短編映画のシリーズに取り組んでいます。アナブは、ストーリーテラー、デザイナーであり、彼女が取り組んでいるフィルムは、仕事と職場の未来がどのようになっていくかをColebrook Bosson Sundersが理解するためのプロジェクトの一部です。この未来を具体的に示すため、彼女は3人の主人公を作り出し、彼らを当時未来の2012年に配置しました。新技術の研究や将来の人口と環境リスクの影響に基づいて、彼らに新しい仕事を設定しました。こうした近未来を、この映画は見せてくれるのです。アナブの役割は、2012年について記述するのではなく、ストーリーテラーとしてこの未来の環境へと訪問し、3人の主人公にインタビューすることにあります。彼らはそれぞれ、自分の仕事と使っている道具について説明します。フィルムは非常にリアルで、視聴者は内容を信じ、今とは異なる環境に興味をそそられることになります。これこそ、アナブ・ジャインを雇ったマイクロソフトやノキアといったような企業が求めているもの、すなわち、潜在的な未来を浮かび上がらせる物語なのです。

ストーリーテリングの価値

親は子どもたちに、さまざまな物語を読み聞かせます。中には自分が子どものころに聞かされた物語もあるでしょう。同僚とは会社のうわさ話を共有しますし、友人とは個人的な生活の物語をお互いに伝えます。にもかかわらず、ビジネスマンは、物語を使わないで役割を果たすようになっています。これは不幸なことです。ビジネス上の問題を紹介、議論するために物語が使われるのを聞いたのは、最近ではいつのことでしょうか。ストーリーテリングは、ビジネスの世界で過小評価され、利用されていない技法です。ここでは、新しいビジネスモデルをより具体的にする強力なツールとして、物語を使うことを検討してみましょう。

その性格上、革新的なビジネスモデルは理解が困難です。これまでとは違う方法でものごとを組み合わせ、現状を打破しようとするからです。この新たな可能性に対して、聞く人の心を開かせなければなりません。なじみのないモデルには抵抗を示すのが普通の反応なのです。そのため、抵抗を乗り越えるような方法で、新しいビジネスモデルを説明することが重要です。ビジネスモデルキャンバスが新しいモデルのスケッチと分析に役立つように、ストーリーテリングは、それが何であるのかを効果的に伝えるのに役立ちます。優れた物語は聞く人を巻き込むので、ビジネスモデルとその基礎となるロジックについて徹底的な議論の準備をするのに、理想的なツールと言えます。ストーリーテリングによって、見慣れないものへの不信感を一時、留保させることで、ビジネスモデルキャンバスの説得力を活かしていくのです。

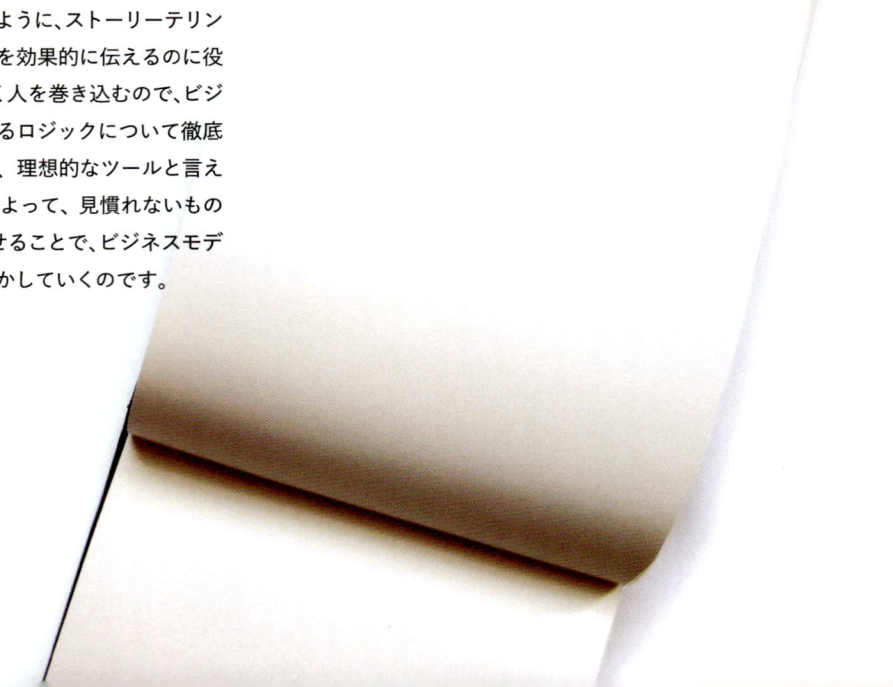

なぜストーリーテリングなのか

新しいものを紹介する

新しいビジネスモデルのアイデアは、組織内のどこからでも生まれます。よいアイデアもあれば、平凡なものもあり、またあるものはまったく役に立たないものもあります。たとえ、卓越したビジネスモデルのアイデアであっても、マネジメント層のチェックを通過し、組織戦略に組み込まれる道を見つけ出す厳しい時間を経験することがあります。そのため、ビジネスモデルのアイデアをマネジメント層へ効果的にプレゼンすることは極めて重要です。物語の助けを借りるのは、まさにここです。マネジメントは、最終的には数字と事実に興味がありますが、優れた物語があれば注目を集めることが可能です。優れた物語によって、細部にとらわれる前に、アイデア全体について説得力のある説明ができます。

投資家にプレゼンする

投資家や株主になりうる人たちへあなたのアイデアやビジネスモデルの売り込むことは、起業家にとって大きなチャンスです（そして、「次のGoogleになる」と言った瞬間に、投資家は話を聞くのをやめてしまうということも、すでに知っていますよね）。投資家や株主が知りたいのは、次のことがらです。どのように顧客への価値を生み出すのだろうか。どのようにお金を儲けるのだろうか。これは、まさに物語の出番です。物語を語ることは、ビジネスプラン全体の説明に入る前に、ベンチャーやビジネスモデルを紹介する理想的な方法なのです。

従業員を巻き込む

組織が、既存のビジネスモデルから新しいモデルへ移行するには、従ってくれるよう協力者を説得する必要があります。新しいモデルとその意味をしっかりと理解させる必要があります。ひとことで言えば、組織は従業員による強力な参加が必要なのです。ここで、伝統的なテキストベースのPowerPointプレゼンテーションを使うと、たいてい失敗してしまうでしょう。魅力的な物語ベースのプレゼンテーションを通じて、新たなビジネスモデルを導入することで、聞き手と気持ちを通じさせる可能性がずっと高まるはずです。人々の関心と好奇心をつかむことで、なじみのないものに関する深いプレゼンテーションと議論のための道を開くことになります。

新しいものを具体的に見せる

新しく、まだ実績のないビジネスモデルを説明することは、言葉だけで絵を説明するのに似ています。しかし、そのモデルがどのように価値を生み出すのかという物語を伝えることは、キャンバスに明るい色を塗るようなものです。ものごとを、具体的に見せてくれるのです。

わかりやすさ

あなたのビジネスモデルがどのように顧客の問題を解決するかを説明する物語を伝えることは、聞き手にアイデアを伝えるわかりやすい方法です。物語によって、モデルを引き続き詳細に説明する「許可」も得られるでしょう。

人々を巻き込む

人はロジックよりも物語に感動します。ロジックを説得力のある物語へ落としこむことによって、聞き手をよく知らないものに慣れさせてください。

ビジネスモデルを具体的に表現するには？

物語を伝える目的は、新しいビジネスモデルを、
人を引き込み、手に触れられるような方法で伝えることです。
ストーリーはシンプルにし、主人公はひとりだけにしてください。
観客によって、異なる視点を持った異なる主人公を使ってもいいでしょう。
ここには、2つの出発点があります。

COMPANY perspective
企業視点

従業員という観察者

従業員の視点から語られる物語の形式で、ビジネスモデルを説明します。ここでは、新しいモデルが必要なのかを示す主人公として、従業員を使うようにしてください。新しいビジネスモデルが顧客の問題を解決するのを、その従業員が何度も目にすることになるからです。また、新しいモデルは古いモデルに比べて資源、活動、またはパートナーシップをより活用できるということを示すことにもなります（例：コスト削減、生産性の向上、新たな収益源など）。そのような物語において主人公となった従業員は、ビジネスモデルについて内部的な仕組みを具体化させ、新しいモデルへの移行の理由を示してくれるはずです。

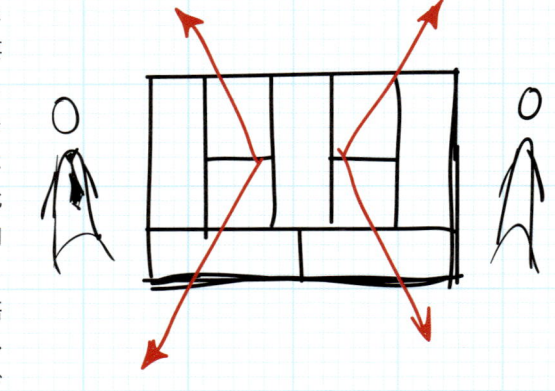

CUSTOMER perspective
顧客視点

顧客の仕事

顧客視点は、物語の強力な出発点になります。顧客を主人公にし、顧客の視点から物語を語らせます。そこで顧客が直面する問題と、解決のためにやらなければならないことを示します。そして、企業がどのように顧客のための価値を作り出すのかを説明します。物語によって、顧客が何を受け取り、それが生活にどのように密着しており、そして顧客が喜んでお金を払うかどうかを説明できるでしょう。いくつかのドラマを物語に盛り込み、企業が顧客の生活を快適にする様子を記述しましょう。理想的には、企業がこうした顧客のための業務をどのように処理したのか、リソースや活動内容と一緒に織り込んでいくといいでしょう。顧客視点で語る物語の最も難しい点は、本物のような顧客設定を維持することであり、愛想が良かったり、ひいきしたりするような都合のいい顧客にしないということです。

未来を可視化する

物語は、現実と虚構の境界をあいまいにする素晴らしい技術です。
すなわち物語は、将来のさまざまな可能性に触れられる強力なツールなのです。
これにより、現状に挑戦したり、新しいビジネスモデルの採用を正当化することができます。

現在のビジネスモデル

将来はどんなビジネスモデル？

計画された未来のビジネスモデル

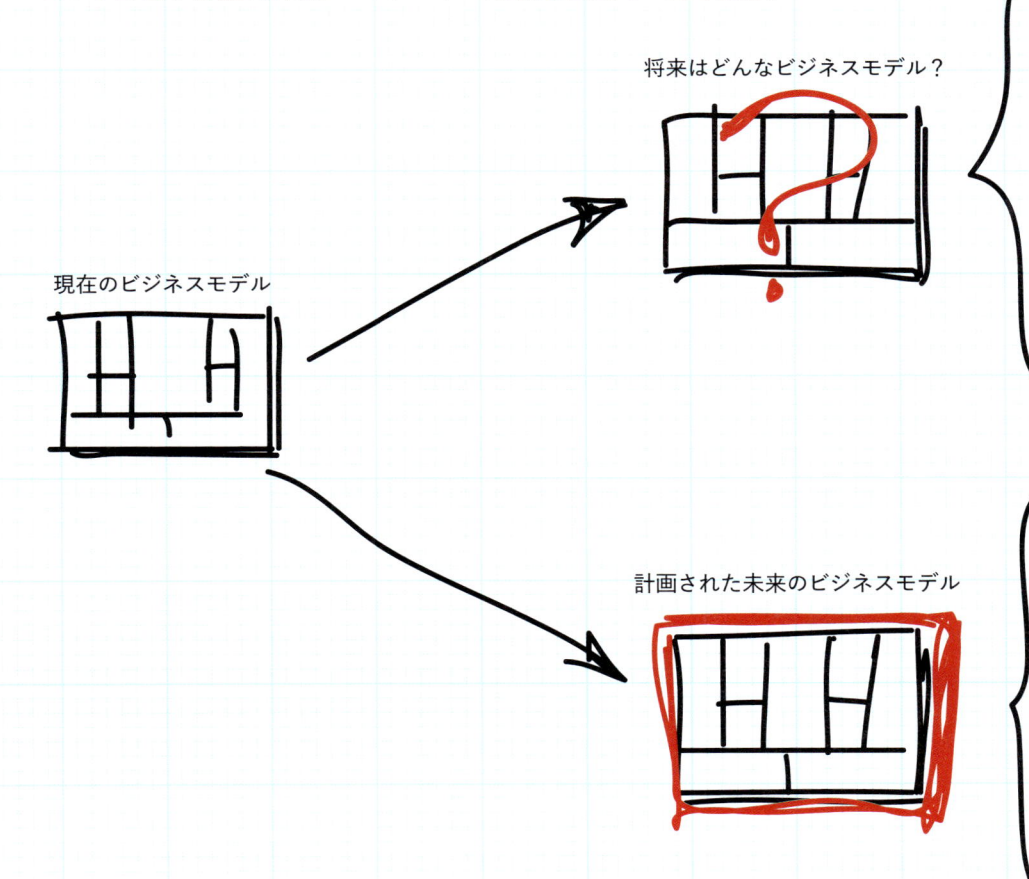

アイデアを刺激する

ときに物語の目的が、組織の現状への挑戦となることもあります。そのような物語は、現在のビジネスモデルがうまく行かなかったり、時代遅れとなるような将来の競争環境を、生き生きと描写する必要があります。このような物語を伝えることにより、現実と虚構の境目をあいまいにさせ、聞き手を未来へと連れ出すような効果があります。これにより、不信感を一時的に払拭し、切迫感をひしひしと感じさせ、新しいビジネスモデルを作り出す必要性について、聴衆の目を開かせることになります。そのような物語は、組織視点、顧客視点のいずれからでも伝えることができます。

変化を正当化する

組織はときに、競争環境がどのように進化するのかについて、強力なアイデアを得ることがあります。この文脈においては、新しい競争環境において組織が打ち勝っていくために、新たなビジネスモデルが理想的な方法であるということを示すことが、物語の目的となります。物語は、不信感を一時的に払拭し、現在のビジネスモデルが将来においても効果を発揮するよう、どのように進化しなければならないかを、人々に想像させる働きがあります。物語の主人公は、顧客、従業員、またはトップマネジメントになることもあります。

物語を発展させる

物語を伝える目的は、人を引き込み、手に触れられるような方法で新しいビジネスモデルを伝えることです。ストーリーはシンプルにし、主人公はひとりだけにしてください。観客によっては、異なる視点を持った別の主人公を使ってもいいでしょう。ここには、2つの出発点があります。

企業視点

アジット 32歳、Amazon.com 上級ITマネージャ

アジットは過去9年間、ITマネージャーとして Amazon.com に勤務しています。彼は同僚とともに、e コマースビジネスを提供、維持するための世界トップクラスの IT インフラストラクチャのため、長年にわたって数えきれないほどの徹夜もしてきました。

アジットは、彼の仕事に誇りを持っています。その仕事の卓越性(1,6)とともに、Amazon.com の強力な IT インフラ構造とソフトウェアの開発力(2,3)は、書籍から家具まで何でもオンライン(7)で販売することに成功した主要な要因でした。Amazon.com(8)は2008年には、5億以上のページビューをオンラインで買い物する人(9)へと提供し、そして特にその電子商取引を処理するための技術やコンテンツ(5)に10億ドル以上を費やしました。

そして今、アジットはさらなる興奮を味わっています。なぜなら、Amazon.com は、これまで伝統的な小売業サービスを超えたところへ行こうとしているからです。すなわち、最も重要な電子商取引のインフラプロバイダーへの道です。

Amazon Simple Storage System（Amazon S3）と呼ばれるサービス(11)で、同社は現在、独自の IT インフラストラクチャを使用し、他の企業に低価格でオンラインストレージを提供しています。これにより、オンラインビデオホスティングサービスは、独自のサーバーを購入、維持するのではなく、Amazon のインフラ上に顧客のもつすべてのビデオを保存できるようになりました。同様に、Amazon Elastic Computing Cloud（Amazon EC2）(11)では、外部の顧客に Amazon.com のもつ計算能力を提供しています。

部外者からすれば、そのようなサービスは、Amazon.com の中心事業である小売オペレーションの邪魔に見えることは、アジットも知っていました。しかし内部からみれば、この多様化は理にかなっていました。

4年前、Amazon.com のウェブサイトを運営する IT インフラおよびアプリケーションプログラミングのグループを管理するネットワークエンジニアリンググループの調整に、彼のチームが多くの時間を費やしたことをアジットは覚えています。そこで彼らは、あとで簡単にサイトを構築できるように、この2つの層の間にアプリケーションプログラミングインターフェイス（API）(12)を構築することを決めました。またアジットは、これが内部だけでなく外部の顧客に対しても有用であることに気づいたことを、今でも正確に覚えています。そこで、ジェフ・ベゾスのリーダーシップの下、Amazon.com は同社に大きな収益源を生み出す可能性のある新しいビジネスの立ち上げを決めました。Amazon.com は、Amazon Web Services というサービスを、無料で外部パートナーへと提供する API を用意したのです(14)。このインフラはもともと、Amazon.com 自身のために設計、実装、管理しなければならないものだったので、第三者にそれを提供することは大きな手間ではありませんでした。

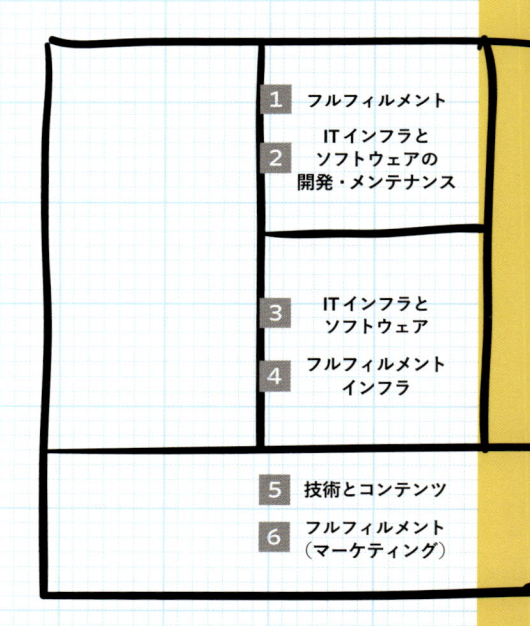

1 フルフィルメント
2 IT インフラとソフトウェアの開発・メンテナンス
3 IT インフラとソフトウェア
4 フルフィルメントインフラ
5 技術とコンテンツ
6 フルフィルメント（マーケティング）

E-commerce

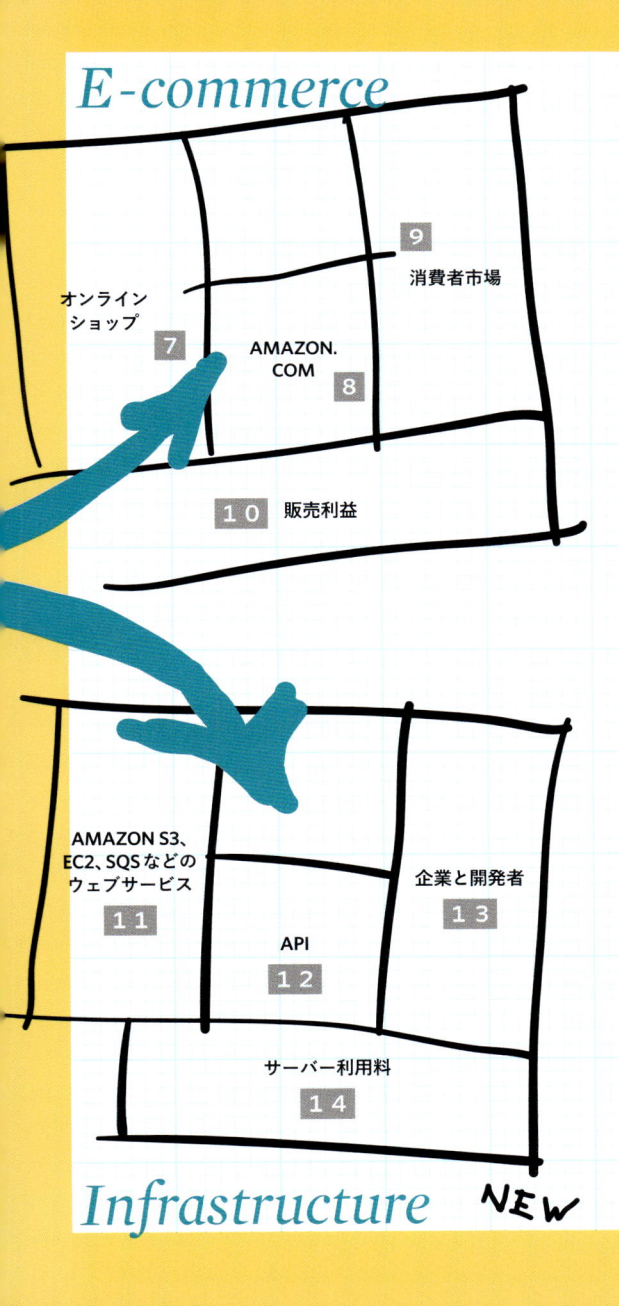

顧客視点
ランディ 41歳、ウェブ起業家

ランディは、情熱的なウェブ起業家です。18年間、ソフトウェア産業で働いた後、今は2つめのスタートアップ企業を経営し、企業向けソフトウェアをウェブ経由で提供しています。大きなソフトウェア会社で10年のキャリアを積み、そして8年をスタートアップで過ごしています。そのキャリアを通じて、常に格闘している問題が、インフラへの適切な投資です。サービスを動かすためのサーバー運営は、彼にとって特別なことではないのですが、巨額のコストがかかるため対処しづらいのです。低予算でのマネジメントが重要なスタートアップの運営において、サーバー会社に何百万ドルも投資することなどできません。

しかし、企業向けの市場においては、堅牢なITインフラを設置しなければなりません。そのため、Amazon.comにいる友人が、Amazon.comが立ち上げようとしている新しいITインフラサービスについて教えてもらったとき、興味を覚えました。それこそ、ランディが社内で行う最も重要な仕事に対する答えだったのです。すなわち、すぐに規模を拡大でき、実際に使用した分だけ支払えばよい世界規模のITインフラのうえに、彼のサービスを運営するということです。これはまさにAmazonのウェブサービス（11）が約束したことでした。Amazon Simple Storage System（Amazon S3）によって、ランディはアプリケーションプログラミングインターフェース（API）を通じてAmazonのインフラに接続し、サービスに関するすべてのデータとアプリケーションをAmazon.comのサーバー上に保管することができました。同じことがAmazonのElastic Computing Cloud（AmazonEC2）にも言えました。ランディは、多くの企業向けアプリケーションサービスを高速処理するためのインフラを構築、維持する必要もなくなったのです。彼はただAmazonに接続し、時間単位の料金を支払うことで、計算処理能力を利用できることになったのです（14）。

彼はすぐに、なぜIBMやアクセンチュアではなく巨大なインターネットショップからこうした価値が生まれたのかを理解しました。Amazon.comは、自社の小売ビジネス（7）のために、毎日世界規模でITインフラ（2,3,5）を提供、維持しています。これはまさに、Amazon.comの中核能力なのです。同じようなインフラサービスを他の企業に提供するステップを踏むことに、それほどの無理は生じません。そしてAmazon.comは、利益率（11）の低い小売業にいたため、コスト効率も非常に良かった（5）のです。新しいウェブサービスが低価格で提供できたことは、ここから説明できます。

Infrastructure NEW

テクニック

人を引き込む物語を伝えるには、さまざまなやり方があります。
それぞれのテクニックには、メリット、デメリットがあり、
ある状況や聴衆によって得手不得手があります。
聴衆が誰で、どんな文脈でプレゼンをするのかを理解した上で、
適切なテクニックを選びましょう。

	トークと画像	ビデオクリップ	ロールプレイ	テキストと画像	マンガ
説明	画像を用いて、主人公とその周りで起こる物語を伝えます	現実と虚構の境界線をあいまいにするため、ビデオを使って、主人公とその周りで起こる物語を伝えます	シナリオを現実的で具体的にするため、人々に物語の主人公の役割を演じさせます	テキストと画像を使って、主人公とその周りで起こる物語を伝えます	主人公の物語を具体的に伝えるため、一連のマンガを使います
状況	グループもしくはカンファレンスでのプレゼン	多くの観衆への放送番組や、重要なファイナンスに関連する事項について判断するための社内用プレゼン	作ったばかりのビジネスモデルアイデアを、参加者がお互いにプレゼンするようなワークショップ	多くの観衆へのレポートや放送番組など	多くの観衆へのレポートや放送番組など
時間とコスト	低い	平均よりやや高め	低い	低い	低いか、平均程度

SuperToast社のビジネスモデル

ビジネスモデルのストーリーテリングのスキルの練習は、シンプルでやや馬鹿げたようなエクササイズから始めるといいでしょう。SuperToast社のビジネスモデルの概要は、下のキャンバスに示したとおりです。顧客でも価値提案でもリソースでもどこでも、好きなところから始めてください。あなた独自の物語を作り出すのです。唯一の条件は、ビジネスモデルを説明するのに9つの画像を使うということです。異なる構築ブロックから始めて、物語を何度か話してみてください。出発点を変えることで、物語は微妙に異なるものになり、モデルの異なる側面が強調されることになります。

これはまた、ビジネスモデルキャンバスを初心者の人に対して、物語によるシンプルで引き込みながら伝える、素晴らしいアプローチでもあります。

XPLANATIONS™ by XPLANE™
©XPLANE 2008

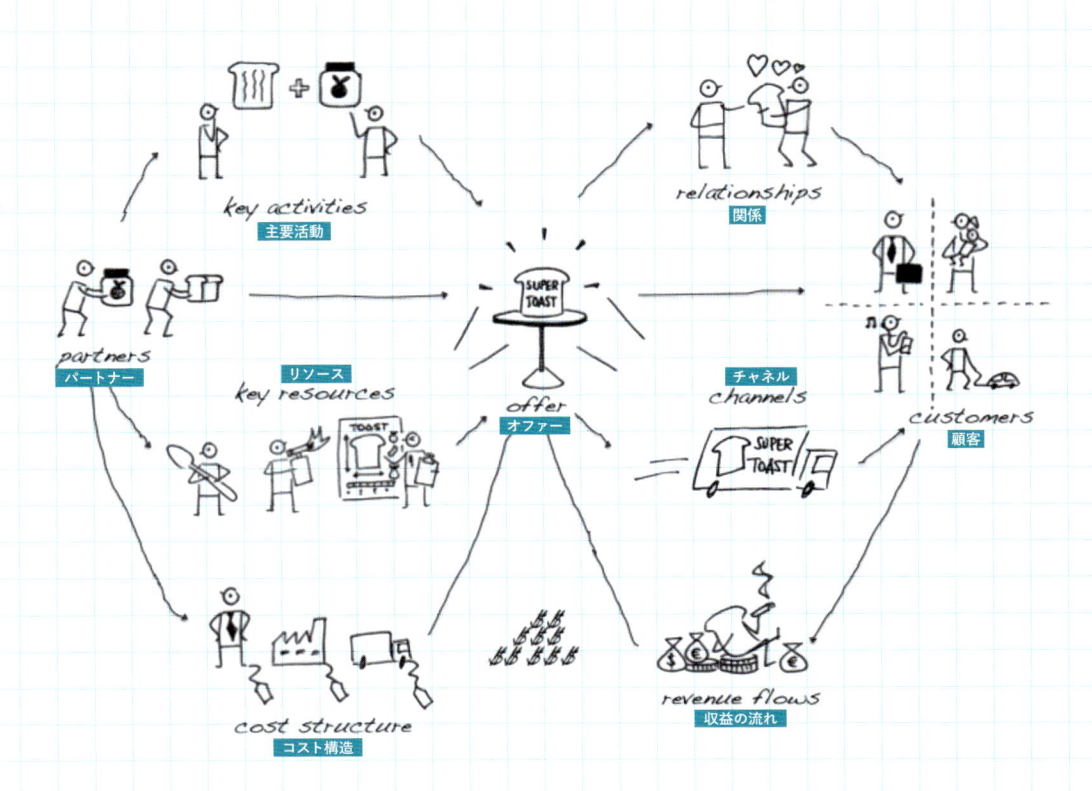

テクニック_No.6
シナリオ

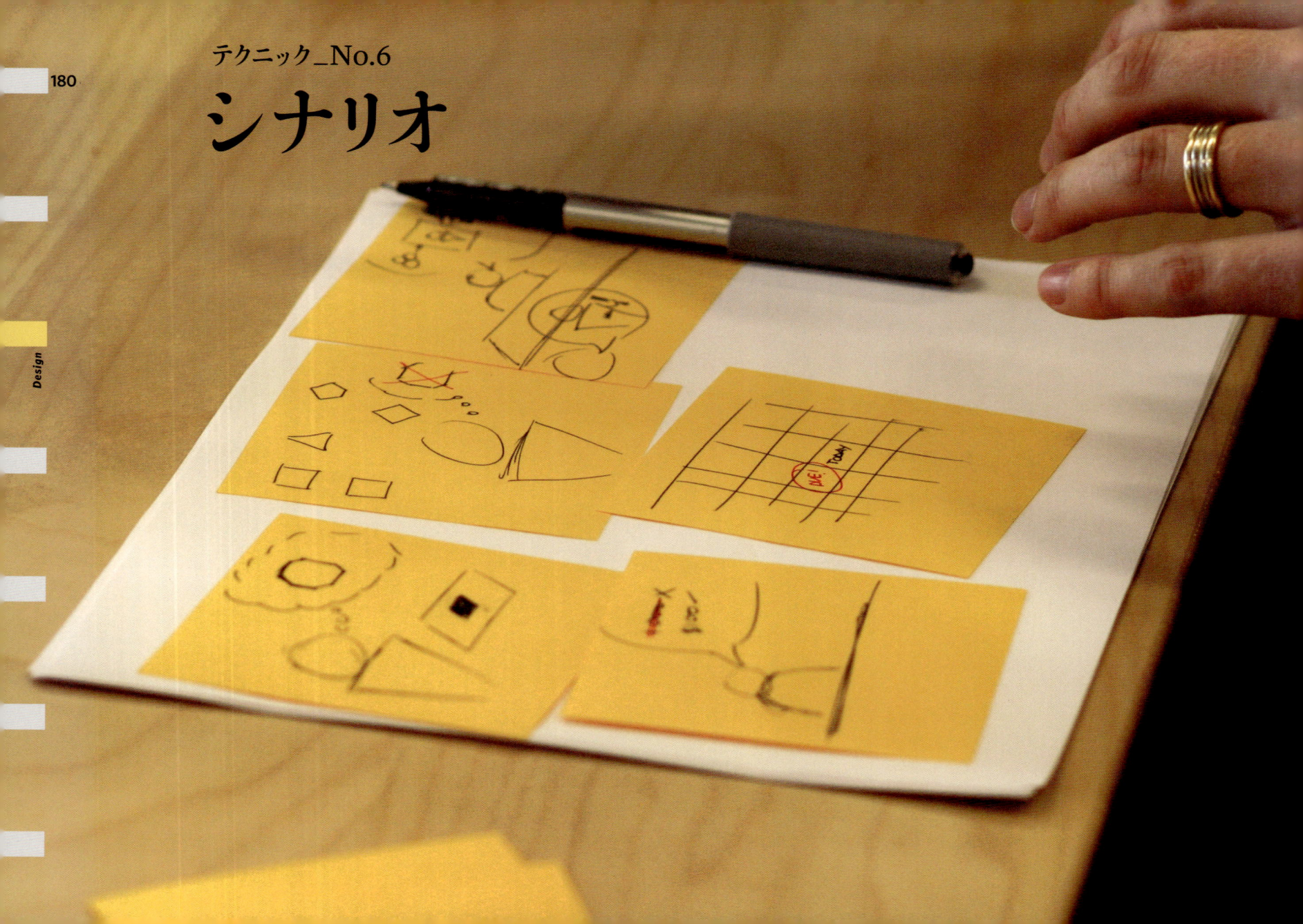

2000年2月

ジェフリー・ハングと
ムリエル・ウォルボーゲルは、
マサチューセッツ州
ボストンに建設される
新しいスイス領事館の
施設であるスイスハウスの
スケールモデルを考えながら、
もの想いにふけっていました。

　ハングとウォルボーゲルは、ビザ発行の場所というより、人と知識が交流するハブとなるような建物の建築デザインを考えていました。2人は、スイスハウスの利用方法についてのシナリオを研究し、この前例のない政府施設の目的を具体的にするために、物理的なモデルと脚本のような文章を作成しました。

　シナリオのひとつは、ちょうどスイスからボストンに引っ越してきたばかりの脳外科医ニコラスについてのものでした。彼は、志を同じくする科学者やスイス系米国人コミュニティのメンバーと会うために、スイスハウスに行きました。2つ目のシナリオはスミス教授の物語です。MITメディアラボでの研究について、ボストンのスイス人コミュニティと、高速インターネット接続を使ってスイスの2つの大学にいる研究者へプレゼンを行いました。

　これらのシナリオはシンプルですが、新しいタイプの領事館が果たす役割について、徹底的に研究した成果でした。この物語は、スイス政府の目的を明らかにするとともに、施設のデザインを導く思考ツールとしても使われました。最終的に、その新しい施設は目的が達せられるよう機能がうまく調整されたものになりました。

　今日、構想からほぼ10年がたちますが、ボストンの科学技術のコミュニティにおいて、スイスハウスは国際的な強いつながりを構築する施設として、素晴らしい名声を獲得しています。スイスネックスの名前のもと、そのスイスハウスはバンガロー、サンフランシスコ、上海、シンガポールにある姉妹施設に刺激を与えています。

シナリオに導かれたビジネスモデルデザイン

シナリオは、新しいビジネスモデルデザインを導いたり、既存のモデルを刷新したりするのに有効なツールです。ビジュアルシンキング（P146）やプロトタイピング（P160）、ストーリーテリング（P170）と同様、シナリオは抽象的なものを具体的に表現してくれます。このため、シナリオの第一の機能は、デザインをある文脈に特化させ、そのディテールを描くことで、ビジネスモデル開発プロセスへ情報提供することにあります。

ここでは、2種類のシナリオを議論します。ひとつめは、異なる顧客設定によるシナリオです。製品やサービスをどのように使い、利用する顧客や、顧客の関心、欲求、目的は何かを考えます。このようなシナリオは、顧客視点（P126）に基づいて作られますが、顧客についての知識を、厳密ではっきりとしたイメージへと具体化することによって、さらに先へ通し進めたものになります。顧客シナリオによってある特定の状況を描くことで、顧客視点を具体的なものにするのです。

2つめのタイプのシナリオは、未来の競争環境を説明するものです。この目的は、未来を予測することではなく、未来の可能性について詳細にイメージすることです。これは、未来の環境に対して適切なビジネスモデルを考えるのに役立ちます。これについては、「未来のシナリオ（P186）」のトピックで詳細に議論します。シナリオプランニングの技術をビジネスモデルイノベーションに活用することで、ある条件のもと、モデルがどのように進化すべきなのかじっくり考えさせられるでしょう。これにより、モデルに関する理解と、潜在的に必要となる調整についての理解がはっきりしてきます。そして最も重要なことは、シナリオが、未来への準備に役立つということです。

MAKE TANGIBLE
具体化

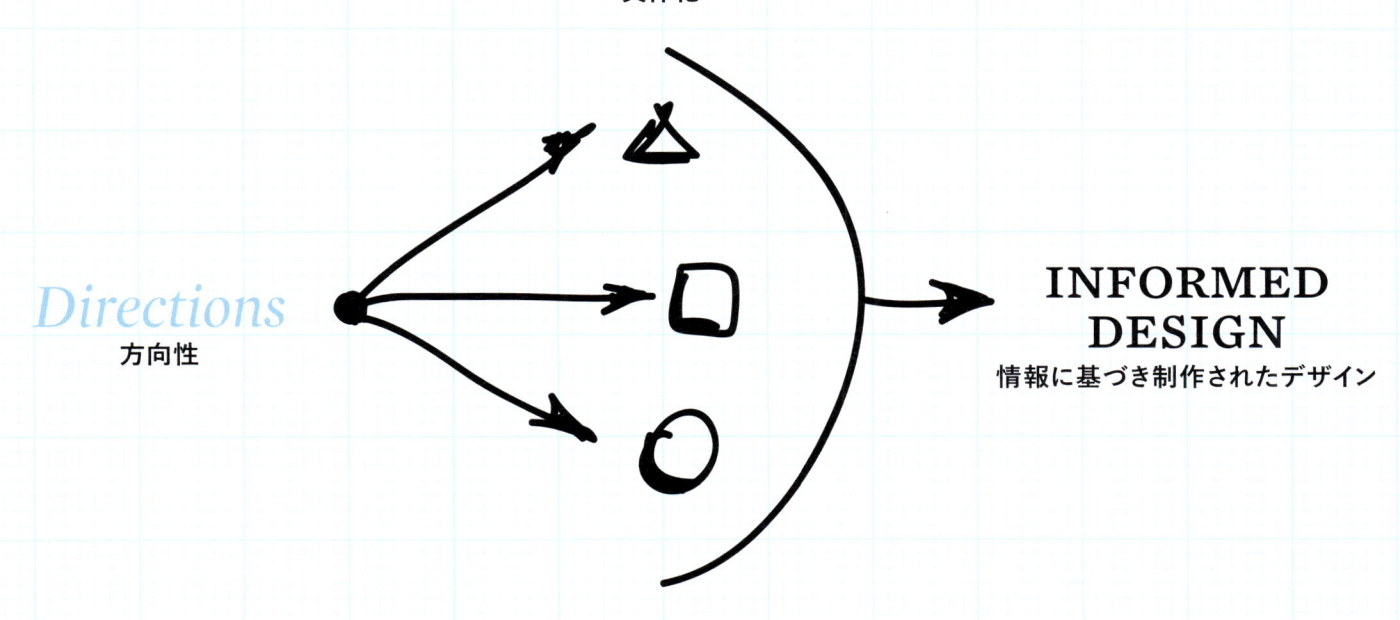

Directions
方向性

INFORMED DESIGN
情報に基づき制作されたデザイン

アイデアの探索

顧客のシナリオは、ビジネスモデルデザインのよきガイドになります。どのチャネルが適切なのか、どんな関係を築くのがよいのか、どんな問題解決に対して顧客はお金を払ってくれるのか、といった論点を見つけるのに役立つのです。一度、異なる顧客セグメントに対するシナリオを作っておけば、ビジネスモデルが彼ら全員に有効か、もしくはそれぞれのセグメントに対して調整が必要なのか、自問自答できるようになります。
ここに、全地球測位システム（GPS）を使った位置情報サービスについて書かれた3つのシナリオがあります。シナリオはビジネスモデルデザインに関する情報を提供していますが、価値提案、流通チャネル、顧客との関係、収益の流れにまつわる疑問が残るようにしています。このシナリオは、革新的な新しいビジネスモデルについて取り組む、携帯電話会社の視点から書かれています。

宅配サービス

トムはいつも、スモールビジネスを経営することを夢見ていました。それが難しいことは知っていましたが、好きなことで生活するのは、たとえ労働時間が増え、収入が減ったとしても価値のあることだと考えていました。

　トムは辞書のような知識をもつ熱狂的な映画ファンで、彼の宅配DVDサービスの顧客が評価しているのもその点でした。映画の宅配を注文する前に、俳優や製作技術など、映画に関するさまざまな情報を尋ねることができました。

　オンラインの厳しい競争の中で、これは簡単なビジネスではありません。しかしトムは、携帯電話会社から購入したGPSベースの配達プランナーによって、生産性と顧客サービスを劇的に向上させることができました。少ない費用で、顧客関係管理プログラムの入った携帯電話を手に入れたのです。このソフトウェアによって、渋滞を避けながら配達するルートを計画でき、時間を節約できました。需要がピークとなる週末には、二人の助手の携帯電話とも連携しました。トムは、彼の小さなビジネスによって裕福にはなれないことをわかっていましたが、こうした状況を手放してまで会社勤めをしようとは思いませんでした。

旅行者

デイルとローズは、長い週末を使ってパリへと旅行するところです。25年前の新婚旅行以来のヨーロッパだったので、ワクワクしていました。夫婦は、毎日の仕事からの小さな逃避行を準備、出発前の2週間を家族で過ごしたあと、3人の子どもたちをポートランドの両親に預けました。細かい旅行プランを考える余裕はなく、「即興」でいこうと考えていました。そのため、機内誌で読んだ、携帯電話によるGPSベースの新しい旅行サービスに興味を覚えたのです。デイルとローズはともにテクノロジー好きで、シャルル・ド・ゴール空港に到着して、さっそく勧められていたハンドセットをレンタルしました。昔ながらのツアーガイドに相談しなくとも、小さな端末からのカスタマイズされたツアー提案に基づいて、楽しそうにパリを回っています。特に評価しているのは内蔵の音声ガイドで、特定の場所に到着すると、さまざまな物語や情報を教えてくれました。帰りのフライトでは、デイルとローズは退職後、パリに移住することまで考えていました。笑いながら、小さな端末がフランスの文化への順応に十分役立つかどうかということまで、考えていました。

ワイン生産者

アレキサンダーは、父親からワイン果樹園を相続しました。その父親もまた、スイスからカリフォルニアにワインをつくるために移住してきた祖父からこの果樹園を相続しています。この家族の歴史を引き継ぐのは大変ですが、家族の長いワイン製造の伝統に小さなイノベーションを加えていくことは、アレキサンダーにとって楽しいことでした。

　最近の発見は、携帯電話で利用できるシンプルな農地マネジメントアプリケーションです。ワイン生産者用というわけではなかったのですが、特定のニーズに合わせて簡単にカスタマイズすることができました。そのアプリはタスクリストが統合されており、いつ、どこで土とぶどうの質をチェックすればよいかを教えてくれる、GPSベースのやることリストを手に入れることになったのです。今では、マネージャー全員とそのアプリを共有することも考えています。やはり、マネジメントチームの誰もが、土と葡萄の品質データベースを更新できなければ、このツールの意味がないからです。

宅配サービス
- 付加価値に対して、宅配サービス業者は月額料金を払ってくれるだろうか。
- このような顧客セグメントに最も簡単にリーチできるチャネルはどれだろうか。
- どのようなデバイスやソフトウェアと統合する必要があるだろうか。

旅行者
- サービスは専用端末にすべきだろうか。それとも顧客の端末へアプリをダウンロードするかたちにするべきだろうか。
- 飛行機は、サービス・端末を流通させるチャネルパートナーになりうるか。
- どのようなコンテンツパートナーがサービスに興味を持つだろうか。
- 価値提案に対し、顧客はお金を払ってくれるだろうか。

ワイン生産者
- 付加価値に対して、農場所有者は月額料金を払ってくれるだろうか。
- このような顧客セグメントに最も簡単にリーチできるチャネルはどれだろうか。
- どのようなデバイスやソフトウェアと統合する必要があるだろうか。

ビジネスモデルに関する質問

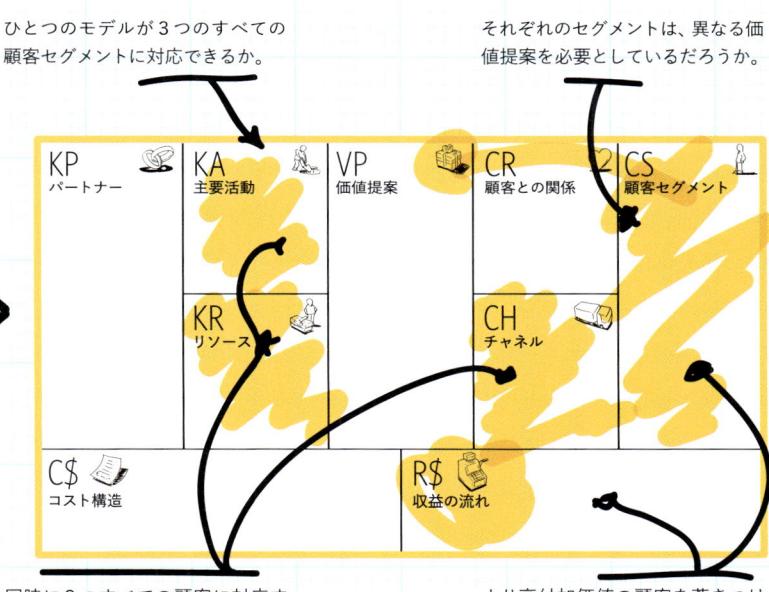

ひとつのモデルが3つのすべての顧客セグメントに対応できるか。

それぞれのセグメントは、異なる価値提案を必要としているだろうか。

KP パートナー	KA 主要活動	VP 価値提案	CR 顧客との関係	CS 顧客セグメント
	KR リソース		CH チャネル	
C$ コスト構造			R$ 収益の流れ	

同時に3つすべての顧客に対応するために、リソース、行動、チャネルのシナジーをつくることができるだろうか。

より高付加価値の顧客を惹きつけるため、いくつかの顧客セグメントに対し、低コストで提供できないだろうか。

未来のシナリオ

シナリオは、将来のビジネスモデルをじっくり考えるのに役立つ思考ツールです。シナリオによって、適切なビジネスモデルの開発に必要な、具体的な将来のコンテキストが与えられ、創造性に弾みをつけられます。これは通常、自由なブレインストーミングよりも簡単で生産的です。しかし、いくつかのシナリオを展開することが求められ、シナリオの深さと現実性によっては、その作成に費用がかかります。

さて、革新的な新しいビジネスモデルを考案するプレッシャーに晒されている産業と言えば、製薬業界です。これには多くの理由があります。大手企業による研究の生産性は近年低下しており、従来のようにビジネスのコアとなるようなヒット商品を開発、マーケティングするための、多くの課題に直面しています。また同時に、稼ぎ頭である薬の多くは、その特許の有効期限が切れようとしています。すなわち、これらの薬からの収益はジェネリック医薬品メーカーに奪われる可能性が高いことを意味しています。製品開発パイプラインの空洞化と収入の蒸発は、製薬会社の頭痛の種となっています。

この変化の激しい状況では、将来の一連のシナリオの開発とビジネスモデルのブレインストーミングを組み合わせることが非常に有効です。シナリオは、既成概念の枠を超えた思考を引き出すのに役立ちます。実際に、どのように実施するのか見ていきましょう。

まず最初に、製薬業界の未来を描く一連のシナリオを考案する必要があります。これは、適切なツールと方法論をもったシナリオプランニングの専門家に委ねるのがいいでしょう。説明のために、今後10年間製薬業界の変化に影響を与える2つの基準に基づいて、4つのシナリオを開発しました。業界について深い研究すれば、さらにいくつかの要素や異なるシナリオが考えられるはずです。

まず、2つの要素として、（1）オーダーメイド医療と、（2）予防に向けた治療へのシフトを選びました。前者は、薬理ゲノミクスの進歩、すなわち人のDNA構造に基づいて、疾患の根本的な原因を特定する科学技術に基づいています。将来、人の遺伝的構造に基づいてカスタマイズされた薬を使用し、治療は完全にパーソナライズされていくでしょう。後者については、薬理ゲノム学や診断が進歩し、また入院治療よりも予防のほうが安価であることから、治療からの予防へのシフトが進んでいるというものです。これらの2つの要素がそれぞれ、実現するかしないかによって、次のページに示す図のように4つのシナリオが考えられます。これらは以下の通りです。

これまで通り：個人的な医学は、技術的には実現可能であるにもかかわらず、（プライバシー上の理由などで）実現に失敗し、治療が主要な収益源として残ります。
個人薬：パーソナライズされた医療が実現する一方、治療は主要な収益源として残ります。
健康的な患者：予防医学へのシフトが起こりますが、パーソナライズされた医療は、技術的には実現可能であるにもかかわらず、一時的な流行で終わってしまいます。
製薬の再発明：パーソナライズされた医療と予防医学は、製薬業界の新しい成長分野となります。

未来の製薬ビジネスモデル

C. 健康的な患者
- 効果的な予防医学は顧客とどのような関係を必要とするだろうか。
- 予防医学のビジネスモデルを展開するための主要パートナーは誰だろうか。
- 予防医学へのシフトは、医者と営業の関係について何を示唆しているだろうか。

D. 製薬の再発明
- この新しい世界において価値提案はどのようなものになるのだろうか。
- 新しいビジネスモデルにおいて、顧客セグメントはどのような役割を果たすのだろうか。
- 生物情報学や遺伝子配列解明技術といった適切な活動の開発を、社内でやるべきだろうか、パートナーを通じて行うべきだろうか。

A. これまで通り
- 2つの要素が変わらないとしたら、ビジネスモデルは将来、どのようになっているだろうか。

B. 個人薬
- 患者とどのような関係を構築しなければならないだろうか。
- 個人医療に最も適切な流通チャネルは何だろうか。
- 生物情報学や遺伝子配列解明技術といったリソース、活動について、どれを我々が開発しなければならないだろうか。

予防医学が主要な収入源となる

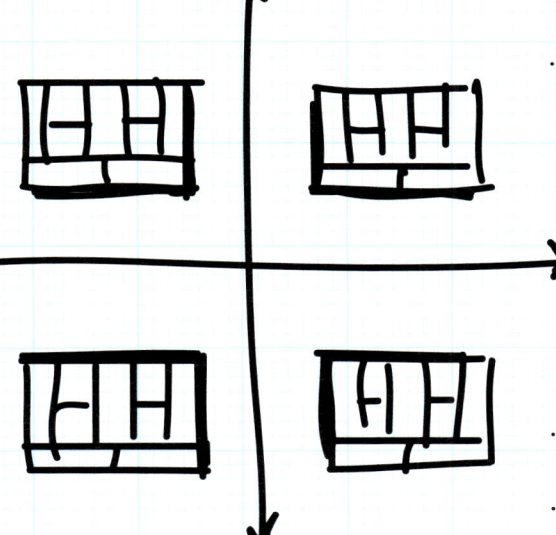

パーソナライズされた医療は一時的なブームで終わる ← → パーソナライズされた医療は市場の中心的サービスとなる

治療が主要な収入源であり続ける

シナリオD
製薬の再発明

製薬業界の風景は完全に変わってしまいました。薬理ゲノミクスの研究は、予想通りの成果を実現し、現在は産業の中核を担っています。個々の遺伝子プロファイルに合わせてパーソナライズされた薬は、業界の収益の大部分を占めています。これにより予防の重要性が増しており、一部は治療に代わろうとしています。これは、診断ツールの改善や、疾病と個人の遺伝子プロファイルの関連が解明されたおかげです。

パーソナライズされた薬の台頭と予防の重要性の高まりという2つの傾向は、伝統的な医薬品製造のビジネスモデルを完全に変えてしまいました。製薬会社のリソースと主要な活動に、劇的な影響があったのです。医薬品メーカーによる顧客へのアプローチ方法も変わり、収益を上げる方法も大きく変化しました。

新しい医薬品の世界が訪れ、既存の企業は重い負担を強いられています。すぐに適応できない企業も多く、姿を消したり、素早く対応した企業に買収されました。同時に、革新的なビジネスモデルを持った新興企業が大きな市場シェアを獲得しました。そのいくつかは、自身を買収した大企業へと統合されていきました。

パーソナライズされた薬と予防医療が産業の中心となったとき、どんな新しいリソースや活動が、競合優位性を提供するだろうか。

新しい時代において、どんな価値提案の要素があるだろうか。

パーソナライズされた薬が産業の中心となったとき、顧客とその関係は、どのような働きをするだろうか。

KP パートナー	KA 主要活動	VP 価値提案	CR 顧客関係	CS 顧客セグメント
	KR リソース		CH チャネル	
C$ コスト構造			R$ 収益の流れ	

製薬会社の新しいビジネスモデルの効果を最大化するためのパートナーは誰だろうか。

新しい時代において、製薬会社のビジネスモデルのコスト構造は、どのように変化するだろうか。

パーソナライズされた薬と予防にフォーカスされた時、収益はどのように生み出されるだろうか。

未来のシナリオと新しいビジネスモデル

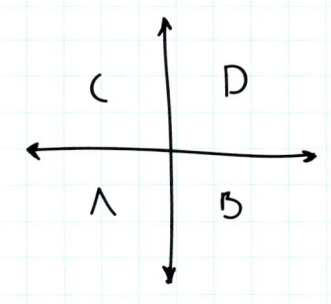

1
2つ以上の基準に基づき、一連の未来のシナリオを作成します

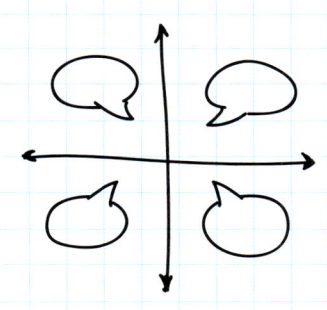

2
主要な要素を説明する、物語を伴ったそれぞれのシナリオを記述します

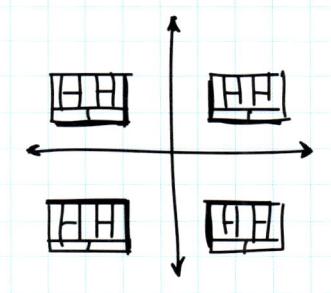

3 ワークショップ
それぞれのシナリオに対し、ひとつ以上の適切なビジネスモデルを開発します

ビジネスモデルのイノベーションへの取り組みにシナリオを組み合わせる目的は、組織が将来にむけた準備の支援にあります。厳然たる事実（ただし仮定された）に裏打ちされた具体的な「未来」に向け、参加者は自分自身を投影させられるので、難しい議題について有意義な議論を生み出します。参加者がビジネスモデルを記述するとき、そのシナリオの文脈における選択肢に対して、明確なケースを作ることができなければなりません。

シナリオは、ビジネスモデルのワークショップが始まる前に作っておくべきでしょう。その「脚本」をどのくらい洗練させるかは、予算に応じて異なってきます。一度、シナリオを開発すれば、他の目的にも使用可能な場合があるということも覚えておきましょう。単純なシナリオであっても、将来への創造力とプロジェクト参加者の活性化に役立ちます。

理想的には、よいワークショップを行うには、2つ以上の基準に基づいて、2～4つのシナリオを開発する必要があります。各シナリオには、タイトルと主な要素をまとめた短い物語が必要です。

ワークショップは、参加者にシナリオを検討してもらうところから開始し、その後、それぞれに適したビジネスモデルを開発します。もし、あらゆる未来の可能性について、グループの理解を高めることが目的であれば、全員がひとつのグループとなり、シナリオごとに異なるビジネスモデルを開発するといいでしょう。もし、未来に向けた多様なビジネスモデルをつくることが目的であれば、参加者を異なるグループへと分け、さまざまなシナリオに対して個別のソリューションを、同時並行で取り組んでいくという判断をしてもよいかもしれません。

デザインとビジネスに関する参考書籍

デザイン精神

Managing as Designing
by Richard Boland Jr. and Fred Collopy（Stanford Business Books, 2004）

ハイ・コンセプト「新しいこと」を考え出す人の時代
ダニエル・ピンク著、大前研一訳（三笠書房, 2006）

イノベーションの達人！──発想する会社をつくる10の人材
トム・ケリー、ジョナサン・リットマン著、鈴木主税訳（早川書房, 2006）

顧客インサイト

Sketching User Experiences: Getting the Design Right and the Right Design
by Bill Buxton（Morgan Kaufmann, 2007）

Designing for the Digital Age: How to Create Human-Centered Products and Services
by Kim Goodwin（Wiley, 2009）

アイデア創造

発想する会社！──世界最高のデザイン・ファームIDEOに学ぶイノベーションの技法
トム・ケリー、ジョナサン・リットマン著、鈴木主税、秀岡尚子訳（早川書房, 2002）

IdeaSpotting: How to Find Your Next Great Idea
by Sam Harrison（How Books, 2006）

ビジュアルシンキング

「描いて売り込め！超ビジュアルシンキング」
ダン・ローム著、小川敏子訳（講談社, 2009）

ブレイン・ルール：脳の力を100%活用する
ジョン・メディナ著、小野木明恵訳（日本放送出版協会, 2009）

プロトタイプ

Serious Play: How the World's Best Companies Simulate to Innovate
by Michael Schrage（Harvard Business School Press, 1999）

Designing Interactions
by Bill Moggridge（The MIT Press, 2007）（ch.10）

ストーリーテリング

The Leader's Guide to Storytelling: Mastering the Art and Discipline of Business Narrative
by Stephen Denning（Jossey-Bass, 2005）

アイデアのちから
チップ・ハース、ダン・ハース著、飯岡美紀訳（日経BP社, 2008）

シナリオ作成

シナリオ・プランニングの技法
ピーター・シュワルツ著、垰本一雄、池田啓宏訳（東洋経済新報社, 2000）

Using Trends and Scenarios as Tools for Strategy Development
by Ulf Pillkahn（Wiley, 2008）

Design

Design

Do you have the guts to start from scratch?

WHAT STANDS IN YOUR WAY?

あなたの進む道に立ちはだかる障害物は何ですか

NPOとの仕事において、ビジネスモデルイノベーションへの最大の障害は、
1. 既存のビジネスモデルが理解できないこと、
2. ビジネスモデルイノベーションについての言語を持っていないこと、
3. 新しいビジネスモデルのデザインを想像することについて、非生産的な制約があること、です。

ジェフ・デ・カグナ／米国

その中小企業の経営者は、瀬戸際になるまでビジネスモデルを変えようとしませんでした。ビジネスモデルイノベーションへの最大の障害は、問題がはっきりと見え、修正が必要となるまで、あらゆる変化に抵抗する人々です（木材製造業の場合ですが、他のケースでもそうでしょう）。

ダニオ・チック／スロベニア

誰もがイノベーションが大好きです。それが彼らに影響しなければ。

ビジネスモデルイノベーションへの最大の障害は、技術ではありません。それは我々人であり、組織です。この2つは実験や変化に対して頑固なまでに抵抗します。

ソール・カプラン／米国

中小企業の経営者と従業員が、ビジネスモデルイノベーションについて議論するための共通のフレームワークと言語を持っていないことに気づきました。論理的なバックグラウンドも持たない彼らも、ビジネスを知っているという点で、このプロセスには欠かせません。

ミッシェル・N・ウィルケン／デンマーク

成功の測定基準：

これがあれば、長期的な見通しと行動への熱意を管理できます。正しい基準をもてば、破壊的イノベーションをもたらす俊敏性が得られますが、誤っていた場合、変化する環境からチャンスをつかめず、目先の変化を繰り返して、長期ビジョンを見失ってしまいます。

ニッキー・スミス／英国

リスクを取ることへの恐れ。ビジネスモデルイノベーションの決定に踏み出す、CEOのような勇気が必要です。2005年に、オランダの電気通信会社KPNは、IPに積極的に移行するため、伝統的な事業から人員などのリソースを充てることを決めました。KPNは、現在、国際電話会社の業界で優れた業績を残しています。

キース・グレネヴェルド／オランダ

大規模アーカイブに関わった経験では、最大のハードルはアーカイブでさえビジネスモデルを持っていることを理解することでした。小さなプロジェクトを行い、これが現状のモデルにも影響を与えることを示して、この問題を克服しました。

ハリー・バーワエン／オランダ

全員を巻き込み、

変化の速度を維持する。私たちの破壊的な会議のコンセプトであるSeats2meet.comについて、すべての関係者にこの新しいビジネスモデルを伝えるため、4ヶ月という期間、ほぼ毎日、スタッフを訓練しました。

ロナルド・ヴァン・デンホフ／オランダ

1. 提供したリソースが、自分たちの目標と衝突する分野に使われると知って、プロジェクトを攻撃する組織の抵抗勢力。
2. 大胆なアイデアに関連するリスクや不確実性に対処できないプロジェクトマネジメントのプロセス。そのため、リーダーはアイデアを拒絶したり、批判したりして、いつもの快適な場所に戻ってしまうのです。

ジョン・サザーランド／カナダ

最大の障害は、モデルにはあらゆる細部が含まれてなければならないという信念です。経験上、多くのことを求めるクライアントも、ビジネスへの洞察を得ることができれば、このシンプルさに納得してくれます。

デビッド・エドワーズ／カナダ

1. 知らない。ビジネスモデル？ビジネスモデルイノベーションって何？
2. できない。どうやってビジネスモデルを革新すればいいの？
3. したくない。なぜビジネスモデルを変えなくちゃならないの？緊急なの？
4. 上記の組み合わせ。

レイ・ライ／マレーシア

私の経験では、最大の障害は思考プロセスを、伝統的な直線的なやり方から、全体的でシステム的なものに変えることに失敗すること。

全体的で非直線的な方法で互いに影響しあう部分が集まった、ひとつのシステムとしてのモデルを描き出す力を伸ばすための努力が、起業家には必要です。

ジェニー・ホロヴィッツ・ガッソル／スペイン

インターネットマーケターとして15年間、新しいビジネスモデルが生まれ、死んでいくのを見てきました。

勝者になるためのキーは、主要なステークホルダーが完全にモデルを理解し、発展させていくことです。

ステファニー・ダイアモンド／米国

経営陣のメンタルモデル。

率直さに欠け、現状からの逸脱を恐れる気持ちが、集団の中に芽生えます。経営者は功績を称える言葉に酔いしれ、追求する言葉には耳を傾けません。ここには、未知の危険が潜んでいます。

チーニュ・スリニヴァサン／オーストリア

インターネット起業家、投資家としての私の経験では、最大の障害はビジョンの欠如と、管理の失敗です。よいビジョンと管理がなければ、生まれつつある産業のパラダイムを見逃し、ビジネスモデルを改革する機会も逸してしまうでしょう。

ニコラス・デ・サンティス／イギリス

巨大な多国籍企業では、部署を超えた理解とシナジーを生み出すことが重要です。ビジネスモデルイノベーションには、人々が組織で経験するような制約が含まれていません。成功させるためには、あらゆる規律を相互につなぎ合わせることが重要です。

バス・ヴァン・オースタハウト／オランダ

淀んだ空気。

現在のビジネスモデルに帰属する人々の恐れ、疑念、そして強欲。

フロンティアサービスデザイン／米国

組織の起業家風土の欠如。

イノベーションは賢くリスクを取ること。創造的なインサイトの余地がなければ、また人々が既存モデルの境界の外から考え行動できなければ、イノベーションを試すことさえできません。必ず失敗するからです。

ラルフ・デ・グラーフ／オランダ

組織のレベルで言えば、成功した大企業での最大の障害は、既存のモデルを危うくしかねないことを行うリスクへの嫌悪です。個人のレベルでの障害は、**彼らの成功がまさに、現在のビジネスモデルの製品によるものであることでしょう。**

ジェフリー・マーフィー／米国

「壊れていないのなら、修理するな」

思考。既存企業は、顧客が他のものを欲しがっているのが明らかになるまで、現在のビジネスのやり方にこだわります。

オラ・ダグバーグ／スウェーデン

リーダーシップの強さは、障害となりえます。取締役会の目的は、リスクマネジメントとデュー・デリジェンスにあると理解されています。そこではイノベーションがリスクとして評価されてしまいます。挑戦する文化を持たない組織内であればなおさら、イノベーションを形骸化させるのは簡単です。イノベーションが未来戦略への原動力になる代わりに、批判によって切り刻まれ、命を奪われてしまいます。

アン・マクロッサン／イギリス

企業が革新的なビジネスモデルをデザインしても、多くの場合、モデルとその目的と一致させる適切な報酬体系を構築できずにいます。

アンドリュー・ジェンキンス／カナダ

現在の成功は、

彼らのビジネスモデルをどのように革新できるかを自分自身に問うことをやめさせてしまいます。組織構造は、これから生まれる新たなビジネスモデルのためには設計されていません。

ハワード・ブラウン／米国

現状のビジネスモデルの継続的な効率改善に成功している企業は、

「これが我々のビジネスのやり方」

といって視野が狭くなり、ビジネスモデルを革新する機会を見落とすことになります。

ウォーター・ヴァン・デル・バーグ／オランダ

Stra

Strategy

戦略

tegy

Strategy

"ただひとつのビジネスモデルがあるわけではない。
多くの機会と多くの選択肢があり、我々はそのすべてを見つけなければならない。"

オライリー社CEO
ティム・オライリー

先の章では、ビジネスモデルを記述、議論、設計する言語やビジネスモデルパターン、新しいビジネスモデルの発明を促進する技術をお伝えしました。この章では、ビジネスモデルキャンバスのレンズを通してみた戦略の再解釈を行います。ビジネスモデルに対して建設的な質問を投げかけ、ビジネスモデルが機能する環境なのか、戦略的に調査します。

以下のページでは、4つの戦略領域を探っていきます。ビジネスモデル環境、ビジネスモデルの評価、ブルーオーシャン戦略におけるビジネスモデル、そして複数のビジネスモデルをひとつの企業の中で運営する方法です。

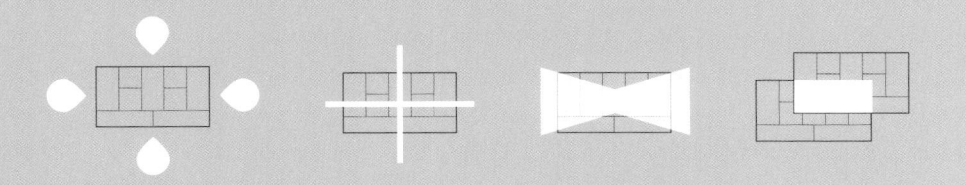

戦略

200　ビジネスモデル環境

212　ビジネスモデル評価

226　ブルーオーシャン戦略におけるビジネスモデル

232　複数のビジネスモデル運営

ビジネスモデル環境
文脈、デザイン要因、制約

ビジネスモデルは、特定の環境の中で実行されます。そのため、組織を取り巻く環境について理解を深めることは、競争力のあるビジネスモデルを着想するのに役立ちます。

継続的な環境調査は、以前より重要になっています。なぜなら、経済環境が複雑になり（たとえばネットワークでつながるビジネスモデル）、不確実性が高まり（たとえば技術イノベーション）、激しい市場の変化があるからです（たとえば経済不安、破壊的な新しい価値提案）。こうした環境変化を理解することは、変化し続ける外部の力に対して、モデルを効果的に適応させるのに役立ちます。

このためには、外部環境を一種の「デザイン空間」と捉えるといいでしょう。こうすれば、ビジネスモデルを文脈にあわせて調整しようと考えるようになり、多くのデザイン要因（たとえば新しい顧客ニーズや新しい技術など）やデザイン上の制約（たとえば、定期的なトレンド、独占的に支配している競合など）を考慮することができるようになります。こうした環境は、創造性を制限することはなく、またビジネスモデルを事前に定義してしまうこともありません。デザインの選択に影響を与え、よく情報を得た上での判断ができるようになるのです。そして革新的なビジネスモデルを通じて、あなたは環境を変化させ、産業の新しいスタンダードを作り出すことになるでしょう。

ビジネスモデルの「デザイン空間」を認識するために、環境の主要な4つのエリアについて、簡単にマッピングすることをお勧めします。これには、（1）市場における圧力、（2）産業における圧力、（3）重要なトレンド、（4）マクロ経済の圧力があります。ここで扱うシンプルなマッピングよりも深い展望分析を行いたい場合には、4つのエリアそれぞれについて、より多くの文献と専門の分析ツールによって、実証していけばよいでしょう。

以下のページでは、ビジネスモデルに影響を与える外部の圧力について、この四つのエリアを使って分類していきます。外部の圧力を説明にするのに、先の章でも触れた製薬業界を使ってみましょう。製薬分野は、どのような変化が起こるのかはっきりしないものの、継続的な変革が進んでいました。現状、産業のヒット薬モデルを模倣していたバイオ企業は、はたして新しい破壊的なビジネスモデルを思いつくでしょうか。技術が変革を導けるでしょうか。顧客と市場の需要は、変化をもたらすでしょうか。

企業の未来のためには、ビジネスモデル環境をマッピングし、どんなトレンドがあるのかを考えるべきです。環境について理解することで、ビジネスモデルが進化しうる方向性を正しく評価することができるからです。未来のビジネスモデル環境のシナリオ（P186参照）を作るのもいいでしょう。ビジネスモデルイノベーションの取り組みに弾みをつけ、未来へ準備するのに価値のあるツールです。

―― 未来予測 ――

重要なトレンド
- 規制のトレンド
- 社会的、文化的なトレンド
- 技術のトレンド
- 社会経済のトレンド

産業における圧力（競争分析）
- サプライヤーと他のバリューチェーンの企業
- ステークホルダー
- 競合（既存企業）
- 新規参入
- 代替品・サービス

市場における圧力（市場分析）
- 市場セグメント
- 需要と供給
- 市場の論点
- スイッチングコスト
- 収益の魅力

マクロ経済の圧力
- グローバル市場の状況
- 資本市場
- 原料やほかのリソース
- 経済インフラ

中央：
- KP パートナー
- KA 主要活動
- VP 価値提案
- CR 顧客関係
- CS 顧客セグメント
- KR リソース
- CH チャネル
- C$ コスト構造
- R$ 収益の流れ

―― マクロ経済学 ――

Strategy

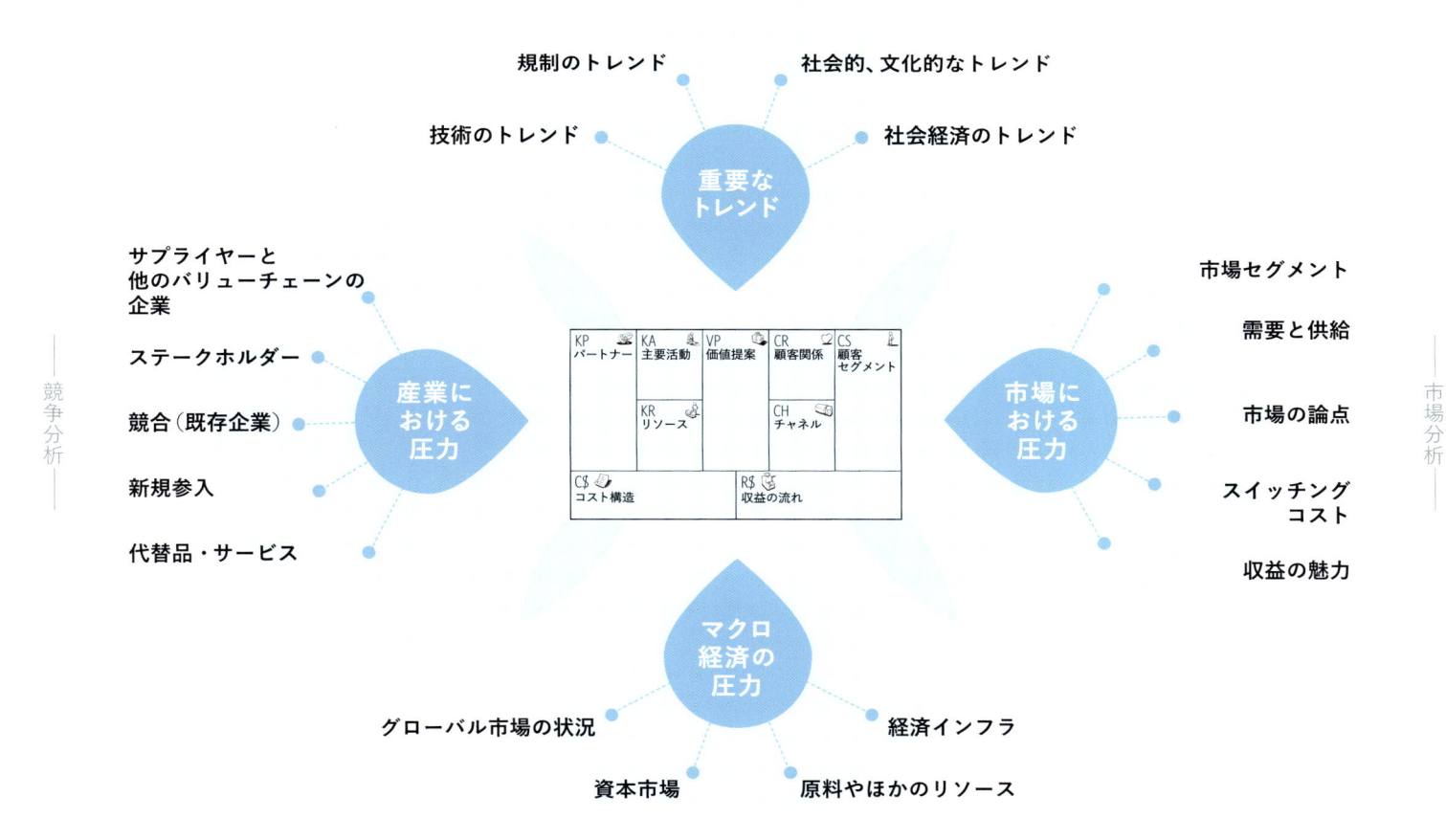

市場における圧力
―― 市場分析 ――

主要な質問

市場の論点
顧客や提案の視点から、市場を動かし、変革している重要な論点を特定する

- 顧客の環境に影響を与える重要な論点は何だろうか。
- どんな変化が水面下で起こっているだろうか。
- 市場はどこへ向かっているだろうか。

市場セグメント
主要な市場セグメントを特定し、その魅力を記述し、新しいセグメントを探す

- 最も重要な顧客セグメントは何だろうか。
- 最も大きな成長可能性はどこにあるだろうか。
- どのセグメントが減少しているだろうか。
- どの周辺セグメントが注目するに値するだろうか。

需要と供給
市場の需要を把握し、どれくらい供給されているか分析する

- 顧客は何を必要としているだろうか。
- どこに最も大きな満たされない顧客ニーズがあるだろうか。
- 顧客は本当は何をしたいと思っているだろうか。
- どの供給が増え、どの供給が減っているだろうか。

スイッチングコスト
顧客が競合他社に乗り換えるのに関連する要素を記述する

- 顧客をその企業のオファーに縛っているものは何だろうか。
- 顧客が競合から離れることができないでいるスイッチングコストは何だろうか。
- 顧客にとって、同じようなオファーを見つけ、購入するのは簡単だろうか。
- ブランドはどれくらい重要だろうか。

収益の魅力
収益の魅力と価格決定力に関連する要素を特定する

- 顧客は、本当は何にお金を払ってくれるだろうか。
- 最も大きな利益を実現できるのはどこだろうか。
- 顧客は簡単に安い商品やサービスを見つけ、購入できるだろうか。

製薬業界の展望

・跳ね上がる健康管理コスト
・治療から予防へのシフトの重要性
・治療、診断法、端末、サポートサービスがひとつに集約される
・新興市場が重要になってきている

・医者とヘルスケア企業
・政府／監視機関
・流通業者
・患者
・新興市場の高い将来性
・アメリカは重要なグローバル市場であり続ける

・ニッチな治療への分散したニーズを伴う強い需要
・急上昇する健康管理費用に対する管理の需要
・新興市場、発展途上国での巨大な、満たされない健康管理の需要
・消費者が医療について詳しく知らされるようになった

・特許で守られた薬の独占
・ジェネリック版に置き換え可能な特許の切れた薬に対する低いスイッチングコスト
・増え続けるオンラインで入手できる質の高い情報
・政府との取引、大規模なヘルスケア企業がスイッチングコストを増加させている

・特許で守られた薬の高い利益率
・ジェネリック薬品の低い利益率
・ヘルスケア企業、政府が、価格に対する影響力を増している
・特許は、価格への影響力がほとんどないままになっている

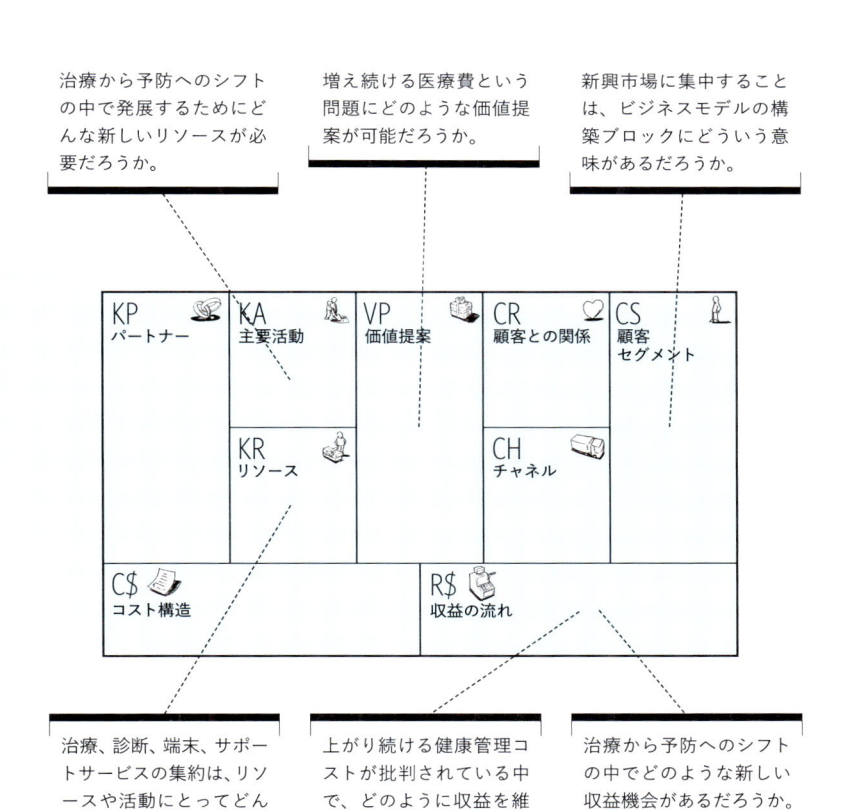

治療から予防へのシフトの中で発展するためにどんな新しいリソースが必要だろうか。

増え続ける医療費という問題にどのような価値提案が可能だろうか。

新興市場に集中することは、ビジネスモデルの構築ブロックにどういう意味があるだろうか。

KP パートナー	KA 主要活動	VP 価値提案	CR 顧客との関係	CS 顧客セグメント
	KR リソース		CH チャネル	
C$ コスト構造			R$ 収益の流れ		

治療、診断、端末、サポートサービスの集約は、リソースや活動にとってどんな意味があるだろうか。

上がり続ける健康管理コストが批判されている中で、どのように収益を維持できるだろうか。

治療から予防へのシフトの中でどのような新しい収益機会があるだろうか。

産業における圧力
─競争分析─

主要な質問

競合（既存企業）
既存の競合を把握し、
相対的な強みを明らかにする

競合は誰だろうか。特定の産業において誰が支配をしているだろうか。
競合に比べ有利な点、不利な点は何だろうか。
主要な提案を記述しなさい。どの顧客セグメントに注力しているか。
コスト構造はどうなっているか。どのくらいの影響力を
顧客セグメント、収益の流れ、利益率に対して持っているか。

新規参入
新規参入するプレイヤーを把握し、
違うビジネスモデルで競争しようと
しているのかを見極める

市場に誰が新規参入しているか。どのような違いがあるか。
競合に比べ有利な点、不利な点は何だろうか。
新規参入には、どんな障害を乗り越えなければならないか。
彼らの価値提案は何か。どの顧客セグメントに注力しているか。
コスト構造はどうなっているか。どの程度まであなたの顧客セグメント、
収益の流れ、利益率に対して影響力をもつのか。

代替品・代替サービス
他の市場や産業も含め、
代替品となりうるものを書き出す

どの製品やサービスを我々のものに置き換えるのか。
変更にはどのくらいのコストがかかるのか。
顧客にとって、変更はどれくらい簡単に行えるのだろうか。
どんなビジネスモデル上の慣習から代替品が生まれるのだろうか。
（例：高速鉄道と航空、携帯電話とカメラ、スカイプと長距離電話会社）

サプライヤーおよび他のバリューチェーンの企業
バリューチェーンの既存プレイヤーを
書き出し、新しいプレイヤーの見当をつける

産業のバリューチェーンにおける主要なプレイヤーは誰か。
どの程度まであなたのビジネスモデルは他のプレイヤーに
依存しているか。周囲のプレイヤーが現れつつあるか。
最も利益を上げているのは誰か。

ステークホルダー
どのプレイヤーがあなたの組織や
ビジネスモデルに影響するのか特定する

どのステークホルダーがあなたのビジネスモデルに影響力を
持っているか。どのくらいの影響を持っているか。
従業員、政府、それともロビイストだろうか。

製薬業界の展望

- いくつかの大企業、中規模の企業が製薬業界で競合している
- 多くの企業が、製品パイプラインの空洞化と
  研究開発の低い生産性と格闘している
- M&Aを通じた合併のトレンドが起こっている
- 主要企業は、バイオ企業、専門製薬開発会社を、
  製品パイプラインを満たすために買収している
- いくつかの企業が、オープンイノベーションプロセスを構築し始めている

- 製薬業界は過去10年間、混乱はほとんどなかった
- 主な新規参入は、ジェネリック薬品の会社で、
  特にインドからの参入であった

- ある程度、予防が治療に置き換えられる
- 低コストのジェネリック薬品により、特許切れの薬が置き換えられる

- 受託研究者の利用増
- 重要な新製品開発者としてのバイオ企業、専門製薬開発会社
- 医者と健康管理会社
- 保険会社
- バイオインフォマティクス企業の重要性の高まり
- 研究所

- 短期的な、四半期単位のファイナンス上の成果に
  集中するよう製薬会社に強いる株主の圧力
- 政府・監視機関は、ヘルスケアサービスにおいて
  重要な役割を果たすため、製薬会社の活動に強い利害関係がある
- ロビイスト、社会的な企業グループや基金は、
  発展途上国への低価格の治療といった課題を追求している
- 製薬産業の才能ある科学者

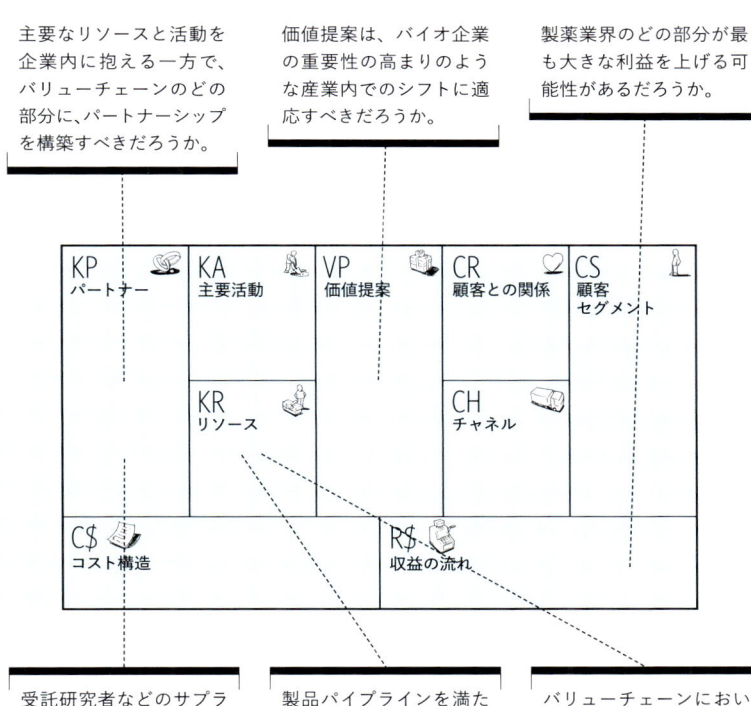

主要なリソースと活動を企業内に抱える一方で、バリューチェーンのどの部分に、パートナーシップを構築すべきだろうか。

価値提案は、バイオ企業の重要性の高まりのような産業内でのシフトに適応すべきだろうか。

製薬業界のどの部分が最も大きな利益を上げる可能性があるだろうか。

KP パートナー	KA 主要活動	VP 価値提案	CR 顧客との関係	CS 顧客セグメント
	KR リソース		CH チャネル	
C$ コスト構造			R$ 収益の流れ	

受託研究者などのサプライヤーが競合他社に行くことはありうるだろうか。

製品パイプラインを満たすため、小さな企業を買収する必要はあるだろうか。

バリューチェーンにおいて、バイオインフォマティクスのように、社内に構築しなければならない新しい活動に必要となるリソースは何だろうか。

重要なトレンド

―― 未来予測 ――

技術のトレンド
ビジネスモデルの脅威となる、もしくは進化、改善させるような技術トレンドを特定する

主要な質問
市場の内外で起こっている主な技術トレンドは何だろうか。
どの技術が重要な機会、破壊的な脅威となるだろうか。
周辺にいる顧客は、起こりつつある技術のどれを選ぶだろうか。

規制のトレンド
あなたのビジネスモデルに影響する規制のトレンドを記述する

どの規制のトレンドが市場に影響するだろうか。
どのルールが、あなたのビジネスモデルに影響するだろうか。
どの規制や税金が顧客の需要に影響するだろうか。

社会的、文化的なトレンド
あなたのビジネスモデルに影響する主要な社会的なトレンドを特定する

重要な社会的トレンドを記述しなさい。
文化的社会的な価値のどのシフトが、
あなたのビジネスモデルに影響するだろうか。
どのトレンドが購買者の振る舞いに影響するだろうか。

社会経済のトレンド
あなたのビジネスモデルに関連のある主要な社会経済のトレンドを概説する

重要な人口動態なトレンドは何だろうか。
年収と富の配分はどのように特徴付けられるだろうか。
可処分所得はどのくらいだろうか。
消費パターン（例えば、自宅購入、ヘルスケア、娯楽など）を記述しなさい。
人口のどのくらいの割合が都市部に住み、
また反対に田舎に住んでいるだろうか。

製薬業界の展望

- 薬理ゲノム学の出現、遺伝子配列解明技術のコスト低下、およびパーソナライズされた医療の今にも起こる勃興
- 診断における大きな進歩
- 注射、薬の流通のためのユビキタスコンピューティングとナノテクノロジーの使用

- 製薬業界における異質なグローバル規制の展望
- 多くの国々が、製薬会社による消費者へ直接のマーケティング活動を禁止する
- 失敗した臨床試験に関するデータを公開するよう、規制当局からかかる圧力

- 大手製薬会社の一般的に好ましくないイメージ
- 消費者の間で高まっている地球温暖化、持続可能性の問題意識、エコ商品の購入を好む
- 顧客は、発展途上国における製薬会社の活動（例：HIV/エイズ治療薬）についてよく知る

- 多くの成熟市場における高齢化社会
- 成熟市場での、質は高いものの高価な医療インフラ
- 新興市場で成長している中産階級
- 途上国における大規模の、満たされていない医療ニーズ

パーソナライズされた医療や診断が広く利用されるとき、どのようなリソースや活動が有利となるだろうか。

進化した製薬業界において、どの技術が価値提案の競争優位性を高められるだろうか。

顧客は製薬業界の新しい技術発展にどのようにリーチするだろうか。

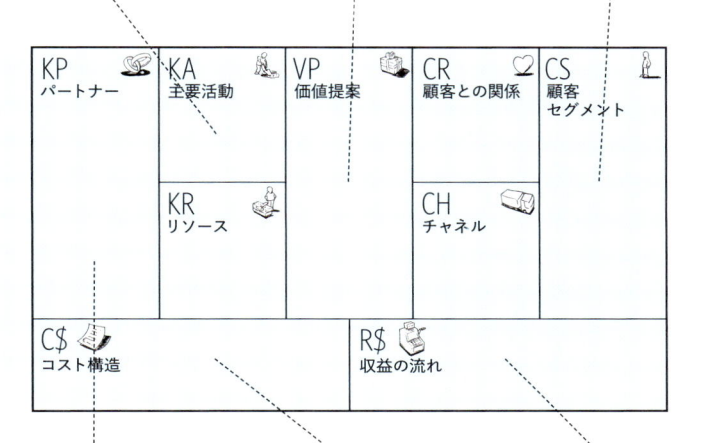

KP パートナー	KA 主要活動	VP 価値提案	CR 顧客との関係	CS 顧客セグメント
	KR リソース		CH チャネル	
C$ コスト構造			R$ 収益の流れ	

薬理ゲノム学が、業界でなくてはならないものになったとき、どのパートナーが不可欠となるだろうか。

薬理ゲノム学やユビキタスコンピューティング、ナノテクノロジーなどの技術がどのようにコスト構造に影響を与えるだろうか。

薬理ゲノム学やユビキタスコンピューティング、ナノテクノロジーにおける進歩は、新しい収益機会をもたらすだろうか。

マクロ経済の圧力

―― マクロ経済学 ――

主要な質問

グローバル市場の状況
現在の状況をマクロ経済学の視点から概説する

経済は、上昇、下降いずれのフェーズだろうか。
一般的な市場心理を説明しなさい。GDPの成長率とはどのくらいか。
失業率はどのくらいか。

資本市場
現在の資本市場の状況を、資本の必要性に関連させて記述する

資本市場はどんな状態だろうか。
その市場で資金を得ることは簡単だろうか。
シードキャピタル、ベンチャーキャピタル、公的資金、
市場の資金、貸付はすぐに利用可能だろうか。
その資金調達方法は高価だろうか。

原料やほかのリソース
ビジネスモデルに必要な原料の現在価格と価格トレンドに注目する

あなたのビジネスに必要な原料や他のリソース
（例えば、原油価格や人件費）について、現在の市場状況を説明しなさい。
あなたのビジネスモデルの実行（例えば優れた人材を惹きつける）に
必要なリソースは、簡単に得られるだろうか。どれくらい高価だろうか。
価格はどう変化するだろうか。

経済インフラ
ビジネスを行う市場での経済インフラについて記述する

市場における公共インフラはどのくらい整備されているだろうか。
輸送、貿易、教育の質およびサプライヤーと
顧客へのアクセスは、どのように特徴付けられるだろうか。
個人および法人への税はどれくらい高いだろうか。
企業向けの公共サービスはどれくらい充実しているだろうか。
生活の質はどれくらいよいと評価できるだろうか。

製薬業界の展望

- 世界同時不況
- ヨーロッパ、日本、および米国におけるマイナスのGDP成長率
- 中国とインドでの成長率の鈍化
- 回復のタイミングの不確実性

- 余裕のない資本市場
- 金融危機に起因する信用枠の制限
- ほとんど利用できないベンチャーキャピタル
- 極めて限られたリスクキャピタルの利用可能性

- 優れた人材獲得の熾烈な「戦い」
- 従業員は、よいイメージをもつ製薬会社に入社しようとする
- 原料価格は最近の安値から上昇する
- 景気回復によって高まる天然資源の需要
- 原油価格は変動し続ける

- 会社が事業を行っている地域に固有のもの

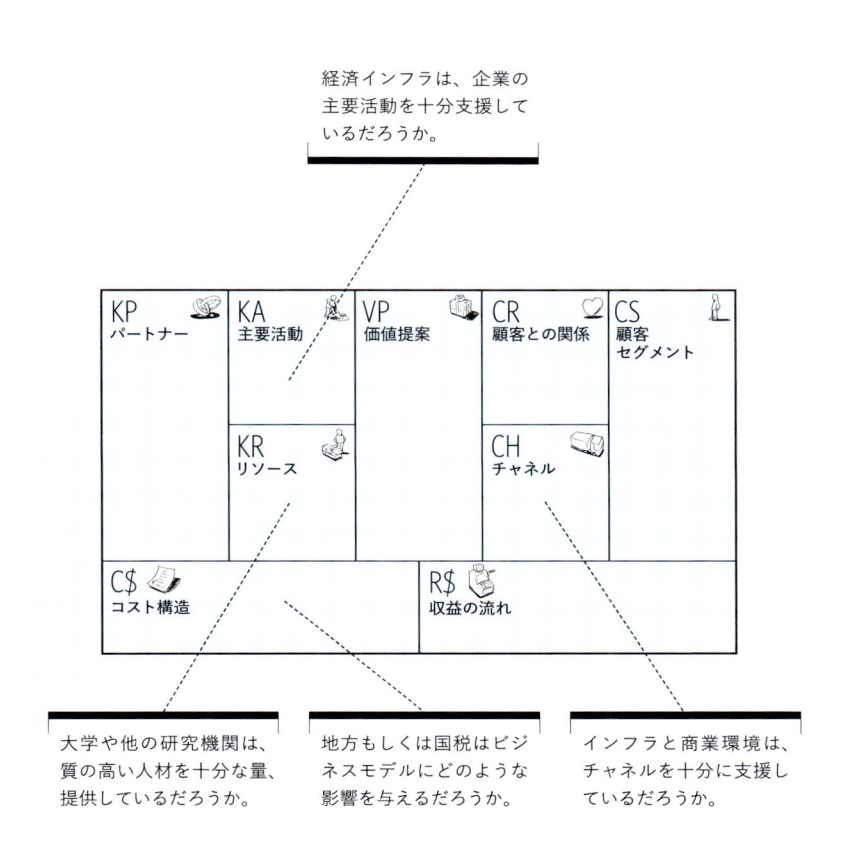

経済インフラは、企業の主要活動を十分支援しているだろうか。

KP パートナー	KA 主要活動	VP 価値提案	CR 顧客との関係	CS 顧客セグメント
	KR リソース		CH チャネル	
C$ コスト構造			R$ 収益の流れ	

大学や他の研究機関は、質の高い人材を十分な量、提供しているだろうか。

地方もしくは国税はビジネスモデルにどのような影響を与えるだろうか。

インフラと商業環境は、チャネルを十分に支援しているだろうか。

変化する環境の中で、ビジネスモデルはどのように進化すべきでしょうか？

今日の環境において妥当な、競争力のあるビジネスモデルが、明日には古くなり、時代遅れになってしまうかもしれません。私たちは、ビジネスモデル環境と進化の方向をより深く理解する必要があるでしょう。もちろん、進化するビジネス環境にある複雑さ、不確実性、および混乱の可能性のため、将来について確実なことは言えません。しかし、明日のビジネスモデルを設計するためのガイドラインとして機能するような将来についての仮説を、数多く開発しておくことはできます。市場における圧力、産業における圧力、重要なトレンド、マクロ経済の圧力についての仮定は、将来の潜在的なビジネスモデルの選択肢またはプロトタイプ（P160参照）を開発するための「デザイン空間」を与えてくれます。予測におけるビジネスモデルのシナリオの役割は、（P186参照）、もう明らかでしょう。未来の絵を描くことは、可能性のあるビジネスモデルを作りだすのを、ずっと容易にしてくれるのです。独自の基準（許容できるリスクのレベル、成長の可能性など）に基づいて、ひとつの選択肢を選択することができるでしょう。

211

選択肢

時間

産業における圧力

トレンド

マクロ経済の圧力

市場における圧力

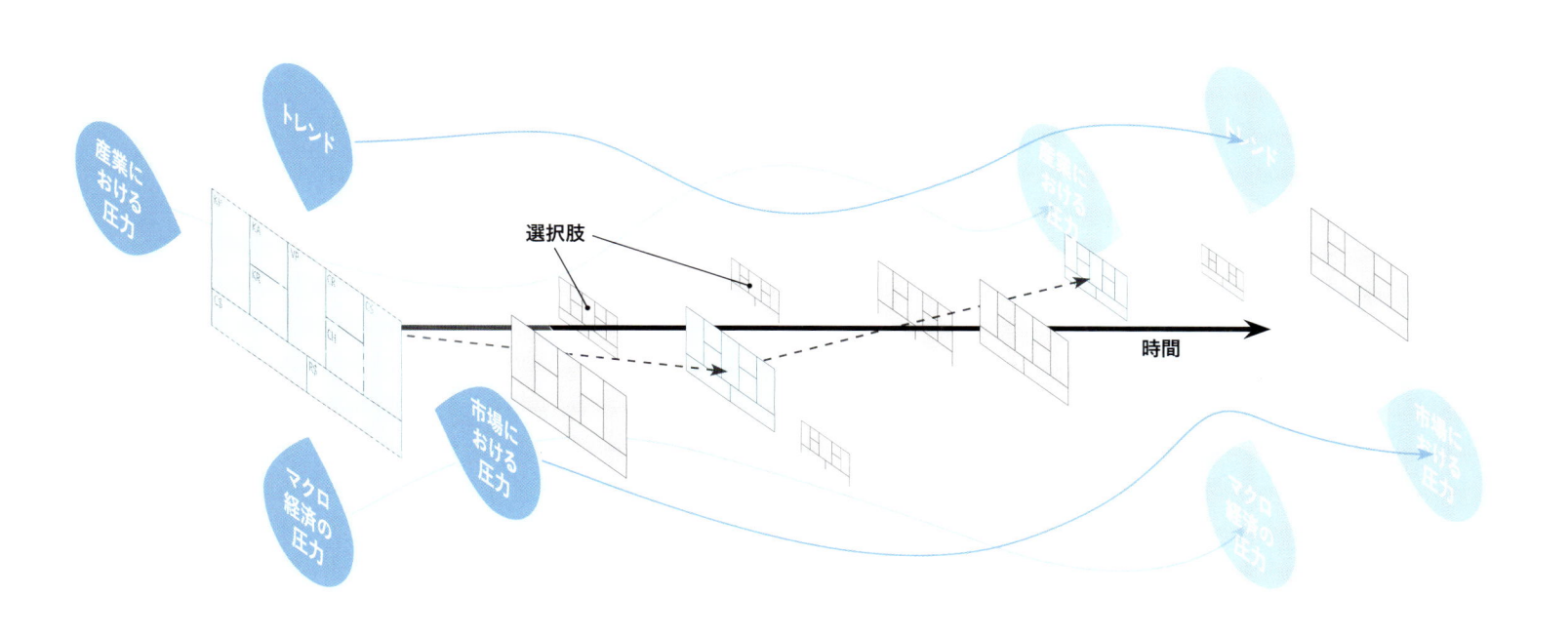

———現在の環境———

———予測された未来———

Strategy

ビジネスモデル評価

まるで健康診断のように、定期的にビジネスモデルを評価することは、市場でのポジションを確認し、適応するための大切なマネジメント活動です。この検査をもとにビジネスモデルを改善したり、ビジネスモデルのイノベーションを引き起こしたりするきっかけにもなるでしょう。自動車産業、新聞、音楽業界が示す通り、定期健診を実施していないと、ビジネスモデル上の問題の早期発見ができず、企業の命運が尽きてしまうことさえあります。

ビジネスモデル環境について説明した前の章では（P200参照）、外部からの圧力の影響を評価しました。この章では、既存のビジネスモデルの視点から、外部の圧力について分析します。

以下のページで、2つのタイプのアセスメントについて説明します。最初に、2005年ごろのオンライン小売業モデルのAmazon.comについて、全体のアセスメントを行い、戦略的にどのように企業が組み立てられているかを見ていきます。第2に、あなたのビジネスモデルの強み、弱み、機会、脅威（SWOT）を評価し、各構築ブロックを評価するためのチェックリストを提供します。大局的な視点からのビジネスモデルの評価と、構築ブロックの視点での評価は、お互いに補完的であることに注意してください。ひとつのブロックの弱さが、他のブロック、またはモデル全体に対して影響を与えることがあるのです。そのため、ビジネスモデル評価では、個々の要素と全体の整合性を交互に見ていくことになります。

外部要因

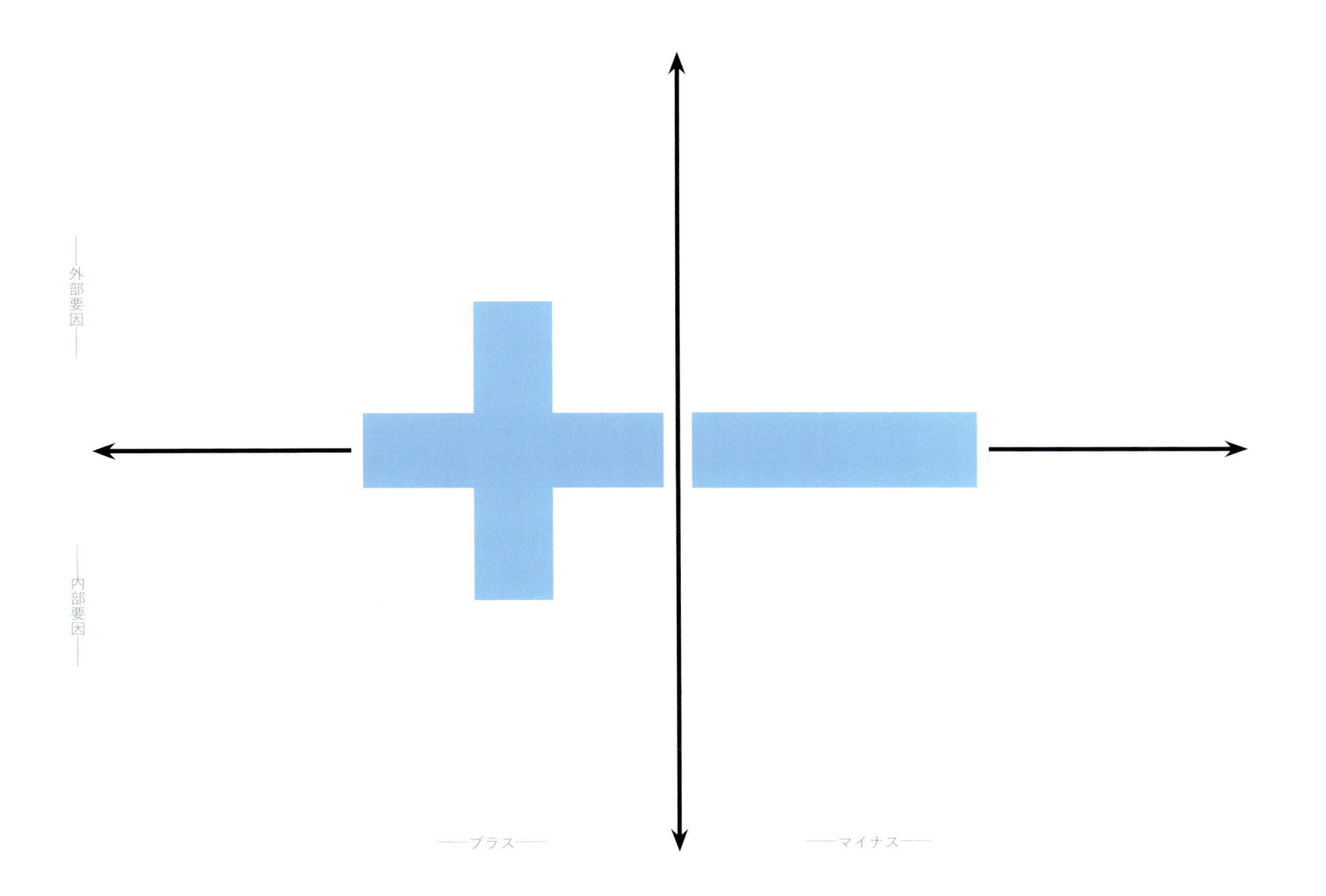

内部要因

プラス　　マイナス

Strategy

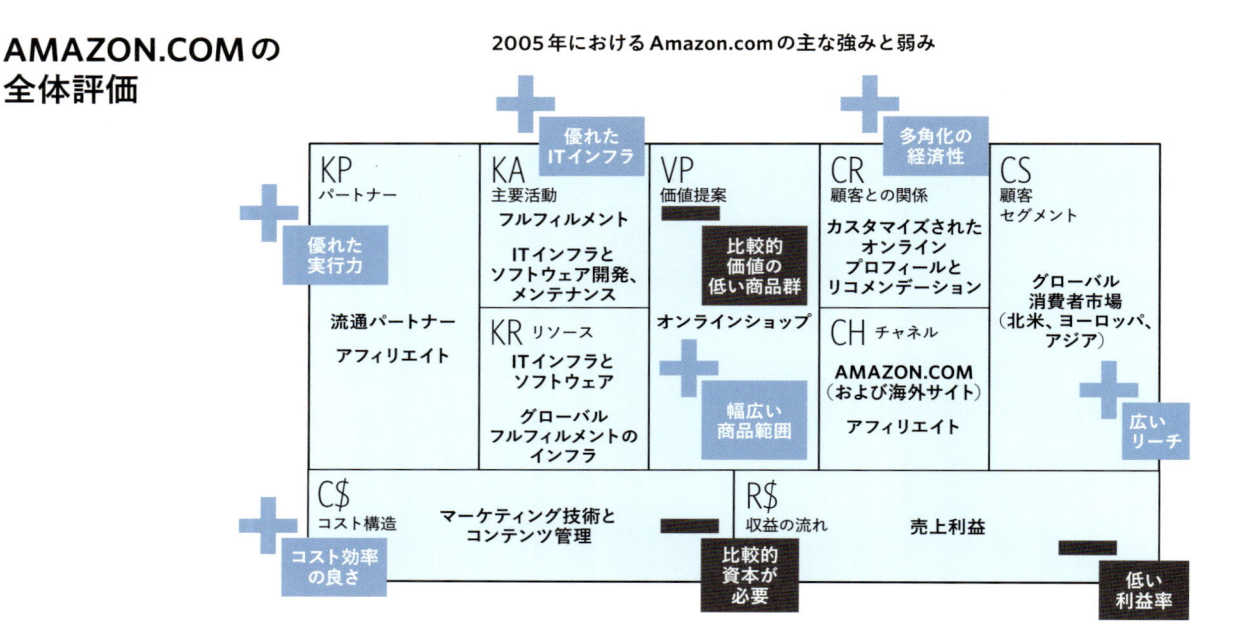

AMAZON.COM の全体評価

2005年におけるAmazon.comの主な強みと弱み

KP パートナー	**KA** 主要活動	**VP** 価値提案	**CR** 顧客との関係	**CS** 顧客セグメント	
流通パートナー アフィリエイト	フルフィルメント ITインフラと ソフトウェア開発、 メンテナンス	比較的価値の低い商品群 オンラインショップ 幅広い商品範囲	カスタマイズされた オンライン プロフィールと リコメンデーション	グローバル 消費者市場 （北米、ヨーロッパ、 アジア）	
	KR リソース ITインフラと ソフトウェア グローバル フルフィルメントの インフラ		**CH** チャネル AMAZON.COM （および海外サイト） アフィリエイト		

強み（＋）：優れた実行力、優れたITインフラ、多角化の経済性、広いリーチ、コスト効率の良さ
弱み（－）：比較的資本が必要、低い利益率

C$ コスト構造：マーケティング技術とコンテンツ管理
R$ 収益の流れ：売上利益

Amazon.comは、強みと弱みの分析に基づいてビジネスモデルのイノベーションを実現する素晴らしい実例を提供してくれます。Amazon.comが一連の新サービスをAmazon Web Services（P176参照）の名前で立ち上げたのは、なぜ理にかなっているのかということをすでに説明しました。ここでは、Amazon.comが前年に持っていた強み、弱みに基づき、新しいサービスがどのように立ち上げられたのか調べていきましょう。

2005年ごろのAmazon.comのビジネスモデルの強みと弱みを見ると、強さとともに危険な弱点が明らかになります。Amazon.comの強さは、顧客リーチと幅広い商品ラインナップです。このとき、同社の主なコストは、優れたフルフィルメント（7億4,500万ドル、営業費用の46.3％）と技術とコンテンツ（4.51億ドル、営業費用の28.1％）にありました。一方、Amazon.comのビジネスモデルの弱みは低い営業利益率で、これは書籍、音楽CD、DVDなどの利益率の低い商品を販売していたことによる結果でした。2005年には85億ドルの売上に対し、利益率はたった4.2％でした。そのころGoogleは、61億ドルの売上に対して23.9％、eBayは46億ドルの売上に対して23.7％の利益率を達成していました。

将来を見据え、創業者のジェフ・ベゾスと経営陣は、ビジネスモデル構築のために2つのアプローチを取りました。まず、これまで継続的に注力してきた顧客満足と効率的なフルフィルメントを通じて、オンライン小売事業を拡大する目指すアプローチです。第2に、新しい領域で成長するための取り組みを開始しました。この新たな取り組みに必要な要件は、はっきりしていました。マネジメントがしなければならなかったのは、(1)十分なサービスを受けていない市場をターゲットとする、(2)大きな成長の可能性があり、規模を追求できる、(3)その市場での強力な差別化のために、既存のAmazon.comの能力を活用できる、ということでした。

2006年にAmazon.comが探求した機会

新しいオファーに関する活動とリソースに対するシナジー

十分なサービスを受けていない2つのまったく異なる顧客セグメント

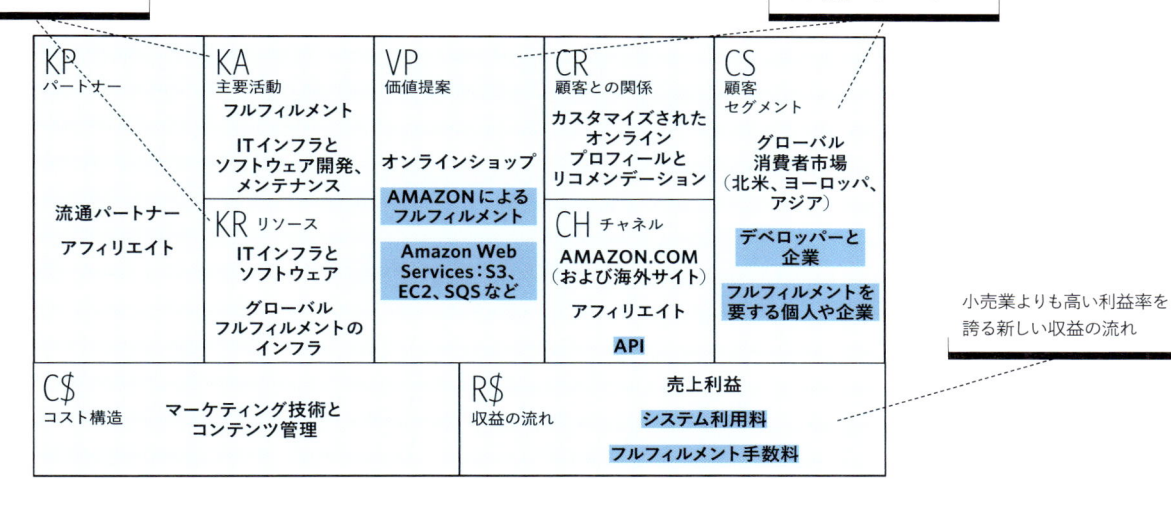

KP パートナー	KA 主要活動	VP 価値提案	CR 顧客との関係	CS 顧客セグメント
流通パートナー アフィリエイト	フルフィルメント ITインフラとソフトウェア開発、メンテナンス	オンラインショップ **AMAZONによるフルフィルメント** **Amazon Web Services：S3、EC2、SQSなど**	カスタマイズされたオンラインプロフィールとリコメンデーション CH チャネル AMAZON.COM（および海外サイト）アフィリエイト **API**	グローバル消費者市場（北米、ヨーロッパ、アジア） **デベロッパーと企業** **フルフィルメントを要する個人や企業**
KR リソース	ITインフラとソフトウェア グローバルフルフィルメントのインフラ			
C$ コスト構造	マーケティング技術とコンテンツ管理		R$ 収益の流れ	売上利益 **システム利用料** **フルフィルメント手数料**

小売業よりも高い利益率を誇る新しい収益の流れ

2006年、Amazon.comは、こうした要件を満たし、かつ既存のビジネスモデルを拡張する2つの新しい取り組みに力を注ぎました。ひとつが、フルフィルメント by Amazonと呼ばれる出品・出店サービスであり、2つ目は新しい一連のAmazon Web Servicesでした。いずれの取り組みも同社の強みである受注処理とWebに関するIT専門知識に基づき構築されており、また両方ともサービスの行き届いていない市場へと提供されました。さらに、いずれの取り組みも、同社のオンライン小売業よりも高い利益率を約束するものでした。

フルフィルメント by Amazonは、個人や企業が手数料を支払うことで、Amazon.comのもつフルフィルメントのインフラを、自分のビジネスへと使用することができます。Amazon.comは売り手に代わって、在庫を倉庫に保管し、注文を受けたら取り出して包装し、送付をします。売り手は、Amazon.com経由はもちろん、自分のチャネルや、2つを組み合わせて商品を販売することもできます。

Amazon Web Servicesは、ソフトウェア開発者や高性能サーバの能力を必要とする人たちを対象に、オンデマンドのストレージおよびコンピューティング能力を提供しています。Amazon Simple Storage System（Amazon S3）は、開発者がデータストレージの必要性に応じて、Amazon.comの大規模なデータセンターインフラを使用できるサービスです。また、Amazon Elastic Compute Cloud（EC2）は、開発者が独自のアプリケーションを実行するサーバを「レンタル」することができます。深い専門知識とこれまでにない規模のオンラインショッピングサイト運営を経験しているおかげで、他社に真似できないような低価格でありながら、オンライン小売業に比べ、高い営業利益を実現しています。

投資家や投資アナリストは、最初、これらの新しい長期的な成長戦略に懐疑的でしたが、ついには、Amazon.comはこうした懐疑論を覆しました。とはいえ、この長期戦略からの本当のリターンがわかったのは、新しいビジネスモデルへのさらなる投資を経た、数年後のことでした。

詳細なSWOT分析
それぞれの構築ブロックへの評価

ビジネスモデル全体の整合性を評価することは非常に重要ですが、一方で、その要素を詳細に見ていくことでも、イノベーションにつながる興味深い道筋を発見できます。これを行うための効果的な方法は、ビジネスモデルのキャンバスと、古典的な分析手法である強み、弱み、機会、脅威（SWOT）分析を組み合わせることです。ビジネスモデルキャンバスは構造化された議論を可能にしてくれる一方、SWOT分析はビジネスモデルの要素を評価するための4つの視点を提供します。

SWOT分析は、多くのビジネスマンに親しまれています。組織の強みと弱みを分析し、潜在的な機会と脅威を特定するために使用されます。シンプルさが魅力のツールですが、あまりにオープンなツールであるため、分析しようとしている組織のどの側面についての議論なのかがはっきりせず、議論があいまいになりがちです。役立つ成果が上げられないので、マネージャーの間で、SWOT疲れのようなものもあるかもしれません。しかしビジネスモデルキャンバスと組み合わせることによって、組織のビジネスモデルと構築ブロックに焦点を当てたSWOT分析が可能になります。

SWOT分析では、4つの簡単な質問をします。最初の2つは、組織の強みと弱みです。これは、組織についての内部的な評価です。次の2つは、その組織に訪れている機会と直面している潜在的な脅威です。これは、環境内での組織のポジションについての評価です。これらの4つの質問のうち、2つはプラスの分野（強みと機会）、もう2つはマイナスの分野を指摘します。ビジネスモデル全体と9つの構築ブロックそれぞれについて、この4つの質問をするとよいでしょう。さらなる議論や意思決定、最終的にはビジネスモデルに関するイノベーションの基礎を提供してくれるでしょう。

以下のページでは、ビジネスモデルのそれぞれのブロックについて、長所と短所を評価するのに役立つ一連の質問を紹介します。それぞれ、独自の評価をおこなうきっかけとなるでしょう。この演習の結果は、組織内のビジネスモデルの変化とイノベーションの基盤となるはずです。

あなたのビジネスモデルは？

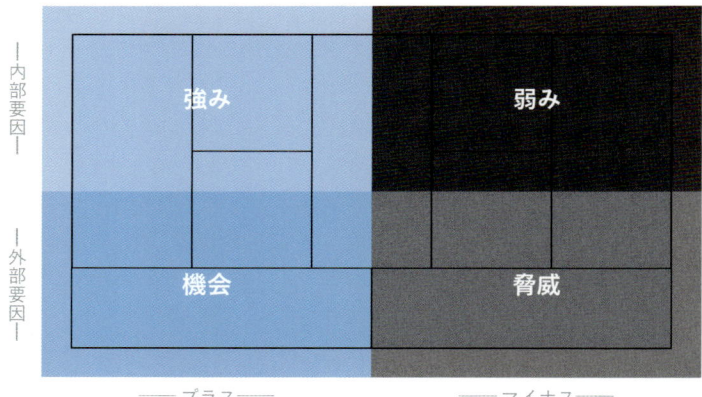

	プラス	マイナス
内部要因	強み	弱み
外部要因	機会	脅威

価値提案の評価

	ビジネスモデルへの重要性 1–10		+	−		評価の確実性 1–10
		価値提案は顧客のニーズに合致している	⑤④③②①	①②③④⑤	価値提案は顧客のニーズに合っていない	
		価値提案には強いネットワーク効果がある	⑤④③②①	①②③④⑤	価値提案にはネットワーク効果がない	
		製品とサービスの間で強いシナジーがある	⑤④③②①	①②③④⑤	製品とサービスの間にシナジーはない	
		顧客は非常に満足している	⑤④③②①	①②③④⑤	顧客はよく不満を漏らす	

コスト、収益の評価

	ビジネスモデルへの重要性 1–10		+	−		評価の確実性 1–10
		高い利益率を誇っている	⑤④③②①	①②③④⑤	利益率が低い	
		収益は予測可能である	⑤④③②①	①②③④⑤	収益は予測できない	
		頻繁なリピート購入がなされる	⑤④③②①	①②③④⑤	リピート購入がほとんどない	
		収益の流れは多角化している	⑤④③②①	①②③④⑤	ひとつの収益の流れに依存している	
		持続可能な収益である	⑤④③②①	①②③④⑤	収益の持続可能性に疑問がある	
		費用を支払う前に収益を受け取る	⑤④③②①	①②③④⑤	収益を得る前に多額の費用を支払う	
		顧客が喜んでお金を支払うことに対して請求する	⑤④③②①	①②③④⑤	お金を支払ってくれることに請求できていない	
		価格メカニズムが支払ってくれる総額を捉えている	⑤④③②①	①②③④⑤	テーブルの上にまだお金が残っている	
		コストは予測可能である	⑤④③②①	①②③④⑤	コストは予測できない	
		コスト構造はビジネスモデルに合致している	⑤④③②①	①②③④⑤	コスト構造とビジネスモデルが合っていない	
		運営は効率的である	⑤④③②①	①②③④⑤	運営は非効率的である	
		規模の経済の恩恵を受けている	⑤④③②①	①②③④⑤	規模の経済の恩恵はない	

Strategy

インフラの評価

		ビジネスモデルへの重要性 1–10		+	−		評価の確実性 1–10
			同等のリソースを競合他社が調達するのは困難	⑤④③②①	①②③④⑤	同等のリソース調達が容易である	
			リソースのニーズは予測可能である	⑤④③②①	①②③④⑤	リソースのニーズは予測できない	
			適量のリソースを適切なタイミングで使える	⑤④③②①	①②③④⑤	適量のリソースを適切なタイミングで使えない	
			主要活動を効率的に実行する	⑤④③②①	①②③④⑤	主要活動の実行が非効率的	
			主要活動は真似しづらい	⑤④③②①	①②③④⑤	主要活動は簡単に真似できる	
			活動の質は高い	⑤④③②①	①②③④⑤	活動の質が低い	
			内製とアウトソースのバランスが理想的	⑤④③②①	①②③④⑤	自社で行う活動が多すぎる、もしくは少なすぎる	
			必要なときにはパートナーとの協業に注力する	⑤④③②①	①②③④⑤	パートナーとの十分な協業ができない	
			パートナーとの関係は良好	⑤④③②①	①②③④⑤	パートナーとの間でトラブルがある	

顧客インターフェイスの評価

		+	−		
ビジネスモデルへの重要性 1−10	解約率は低い	⑤④③②①	①②③④⑤	解約率が高い	評価の確実性 1−10
	顧客はうまくセグメントに分けられている	⑤④③②①	①②③④⑤	顧客はセグメント化されていない	
	継続的に新規顧客を獲得している	⑤④③②①	①②③④⑤	新規顧客の獲得に失敗している	
	チャネルは効率的である	⑤④③②①	①②③④⑤	チャネルは効率的ではない	
	チャネルは効果的である	⑤④③②①	①②③④⑤	チャネルは効果的ではない	
	チャネルは、顧客全体に強くリーチできている	⑤④③②①	①②③④⑤	チャネルの見込み客へのリーチが弱い	
	チャネルはしっかり統合されている	⑤④③②①	①②③④⑤	チャネルは統合されていない	
	チャネルに規模の経済が働いている	⑤④③②①	①②③④⑤	チャネルに規模の経済が働いていない	
	チャネルは顧客セグメントに合っている	⑤④③②①	①②③④⑤	チャネルは顧客セグメントに合っていない	
	顧客との深い関係が築かれている	⑤④③②①	①②③④⑤	顧客との関係が弱い	
	関係の質は顧客セグメントと合っている	⑤④③②①	①②③④⑤	関係の質が顧客セグメントに合っていない	
	高いスイッチングコストで顧客をつなぎとめている	⑤④③②①	①②③④⑤	スイッチングコストが低い	
	強いブランド力がある	⑤④③②①	①②③④⑤	ブランド力が弱い	

Strategy

脅威の評価

これまで、特定の環境内におけるビジネスモデルの位置付けを説明し、競争、法的環境、技術革新などの外部の圧力がどのような影響を与えるか、紹介してきました（P200参照）。ここでは、ビジネスモデルの各構築ブロックについて特定の脅威を見ていき、その脅威に対処する方法を考えるのに役立つ質問を紹介します。

価値提案に関する脅威

代替製品やサービスが入手可能だろうか	① ② ③ ④ ⑤
競合はよりよい価格や価値を提供するだろうか	① ② ③ ④ ⑤

コスト、収益に関する脅威

競合や技術によって利益が脅かされるだろうか	① ② ③ ④ ⑤
少数の収益の流れだけに依存していないだろうか	① ② ③ ④ ⑤
将来、失われるかもしれない収益の流れはどれだろうか	① ② ③ ④ ⑤
どのコストが予測不可能になるだろうか	① ② ③ ④ ⑤
収益が増えるよりも早く、どのコスト負担が増えていくだろうか	① ② ③ ④ ⑤

インフラに関する脅威

	あるリソースの供給が途切れることがあるだろうか	① ② ③ ④ ⑤
	何らかの理由でリソースの質が低下しないだろうか	① ② ③ ④ ⑤
	主要活動が中断しないだろうか	① ② ③ ④ ⑤
	何らかの理由で主要活動の質が低下しないだろうか	① ② ③ ④ ⑤
	パートナーを失う危険性はないだろうか	① ② ③ ④ ⑤
	パートナーが競合他社と協業することはないだろうか	① ② ③ ④ ⑤
	特定のパートナーに依存しすぎていないだろうか	① ② ③ ④ ⑤

顧客インターフェイスに関する脅威

	市場はすぐに飽和してしまわないだろうか	① ② ③ ④ ⑤
	競合他社が市場シェアを脅かさないだろうか	① ② ③ ④ ⑤
	顧客はどのくらい離れていってしまうだろうか	① ② ③ ④ ⑤
	どのくらいすぐに競争が激しくなるだろうか	① ② ③ ④ ⑤
	競合他社はチャネルを脅かすだろうか	① ② ③ ④ ⑤
	チャネルが顧客にとって不適切なものになってしまう危険はないだろうか	① ② ③ ④ ⑤
	顧客との関係が悪化する危険はないだろうか	① ② ③ ④ ⑤

機会に関する評価

脅威と同様に、ビジネスモデルの構築ブロック内に潜んでいる機会について、評価することができます。ここでは、ビジネスモデルの各構築ブロックから出てくる機会を考えるのに役立つ質問を紹介します。

価値提案に関する機会

質問	評価
製品をサービスへと転換することで利益を繰り返し生み出せるだろうか	① ② ③ ④ ⑤
製品やサービスをさらに統合できるだろうか	① ② ③ ④ ⑤
顧客のどの追加ニーズを満たせるだろうか	① ② ③ ④ ⑤
価値提案を補完したり拡張することは可能だろうか	① ② ③ ④ ⑤
顧客に代わってほかの仕事を行えないだろうか	① ② ③ ④ ⑤

コスト、収益に関する機会

質問	評価
一度きりの取引の収益を、繰り返しの収益に置き換えられないだろうか	① ② ③ ④ ⑤
他のどんな要素に、顧客はお金を払ってくれるだろうか	① ② ③ ④ ⑤
社内もしくはパートナーとの組み合わせ販売の機会はないだろうか	① ② ③ ④ ⑤
他の収益の流れを加えたり、作ることはできないだろうか	① ② ③ ④ ⑤
価格を上げることはできないだろうか	① ② ③ ④ ⑤
どこでコストを下げることができるだろうか	① ② ③ ④ ⑤

インフラに関する機会

項目	評価
同じ結果をより少ないリソースで実現できないだろうか	① ② ③ ④ ⑤
よりよいリソースをパートナーから調達できないだろうか	① ② ③ ④ ⑤
活用されていないリソースは何だろうか	① ② ③ ④ ⑤
利用していない知的財産の中で他社には価値のあるものがないだろうか	① ② ③ ④ ⑤
主要活動のいくつかを標準化できないだろうか	① ② ③ ④ ⑤
全般的にどうすれば効率化できるだろうか	① ② ③ ④ ⑤
ITによって効率化できないだろうか	① ② ③ ④ ⑤
アウトソースする機会はないだろうか	① ② ③ ④ ⑤
コアビジネスに集中するために、パートナーと深く協業できないだろうか	① ② ③ ④ ⑤
パートナーとの組み合わせ販売の機会はないだろうか	① ② ③ ④ ⑤
パートナーのチャネルによってより広く顧客にリーチできないだろうか	① ② ③ ④ ⑤
パートナーによって価値提案を補完できないだろうか	① ② ③ ④ ⑤

顧客インターフェイスに関する機会

項目	評価
成長市場からどのような恩恵を得られるだろうか	① ② ③ ④ ⑤
新しい顧客セグメントに対応できるだろうか	① ② ③ ④ ⑤
優れたセグメンテーションを通じて、どのように顧客サービスを向上できるだろうか	① ② ③ ④ ⑤
どのようにチャネルの効率、効果を向上できるだろうか	① ② ③ ④ ⑤
チャネルをよりよく統合できるだろうか	① ② ③ ④ ⑤
新しい補完的なパートナーチャネルを見つけられるだろうか	① ② ③ ④ ⑤
顧客に直接提供することで利益率を高められるだろうか	① ② ③ ④ ⑤
顧客のフォローアップを向上させる余地はあるだろうか	① ② ③ ④ ⑤
顧客との関係をどのように強くできるだろうか	① ② ③ ④ ⑤
パーソナライズ化を向上できないだろうか	① ② ③ ④ ⑤
スイッチングコストを高めることはできないだろうか	① ② ③ ④ ⑤
収益にならない顧客を特定し、「解雇」できるだろうか。もしできないのなら、なぜか	① ② ③ ④ ⑤
いくつかの関係を自動化する必要があるだろうか	① ② ③ ④ ⑤

SWOT分析の結果から、新しいビジネスモデルを設計する

この構造化されたSWOT分析から、2つの結果が得られます。あなたが今いる場所（強みと弱み）のスナップショットを提供し、将来の方向性（機会と脅威）を示唆してくれるということです。これは、企業が発展するための新たなビジネスモデルの選択肢を設計するのに役立つ貴重な情報です。SWOT分析はこのように、ビジネスモデルのプロトタイプ（P160参照）と、運が良ければ、最終的に実装する新しいビジネスモデルが設計できる、非常に重要なプロセスなのです。

225

未来のビジネスモデル

現在のビジネスモデル

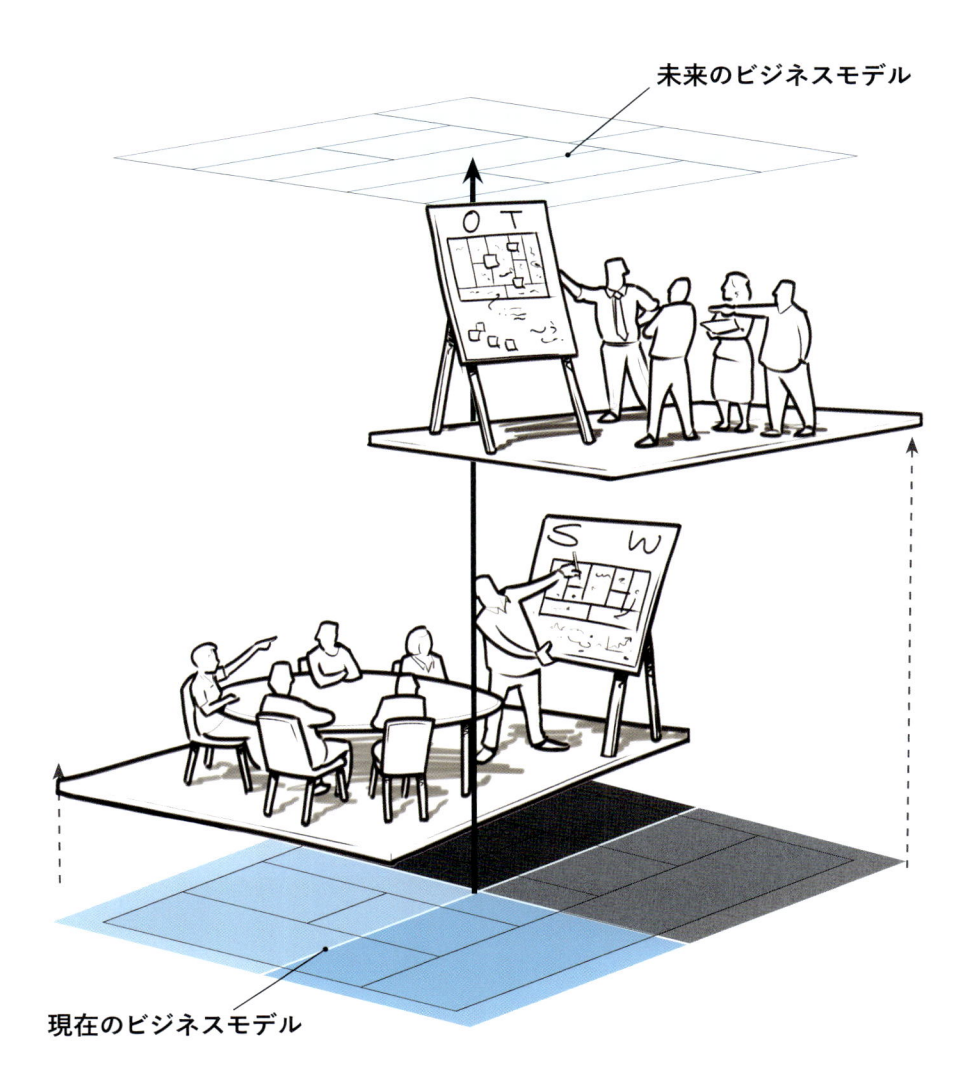

——SWOT分析のプロセス——

Strategy

ブルーオーシャン戦略における
ビジネスモデル

ここでは、キムとモボルニュによって提唱され、同名の書籍がミリオンセラーとなったブルーオーシャン戦略のコンセプトと、我々のビジネスモデルツールを統合してみましょう。ビジネスモデルキャンバスは、この分析ツールへもちゃんと拡張可能です。一緒になることで、既存のビジネスモデルへ疑問を投げかけることも、競争力のある新しいビジネスモデルをつくることもできる、強力なフレームワークができあがります。

ブルーオーシャン戦略は、提供している価値やビジネスモデルに疑問を投げかけ、新しい顧客セグメントを見つける強力なメソッドです。ビジネスモデルキャンバスは、ビジネスモデルの一部を変えることで他の要素にどのようなインパクトが生まれるかを理解しやすくする、ビジュアル化された全体像を提供して、ブルーオーシャン戦略を補強します。

ひとことで言えば、ブルーオーシャン戦略とは、確立されたモデルにひねりを加えることで、既存の産業で競争しないような根本的な差別化により、完全に新しい産業を作るためのものです。既存の評価軸で競合を出し抜くのではなく、バリューイノベーションと呼ぶ方法を使って、競争のない新しい市場空間を作り出すのです。これはすなわち、新しいベネフィットとサービスによって顧客への価値を高め、同時に価値のない機能やサービスを省くことによってコストを下げることを意味します。注目すべき点は、差別化とコストダウンはトレードオフであるという伝統的な見方を否定している点です。

バリューイノベーションを達成するために、キムとモボルニュは、4つのアクションフレームワークによる分析ツールを提案します。ここでなされる4つの重要な質問は、業界の戦略的なロジックと確立されたビジネスモデルに挑戦するものです。

1. 業界では当たり前とされるどの要素を取り除くべきか。
2. どの要素を、業界標準以下へと減らすべきか。
3. どの要素を、業界標準よりも増やすべきか。
4. 業界でこれまで提供されていないどの要素を付け加えるべきか。

バリューイノベーションに加えて、キムとモボルニュはブルーオーシャンを作り出し、手つかずの市場を開拓するために、まだ顧客となっていないグループについて探求することを提案します。

このバリューイノベーションというコンセプトと4つのアクションフレームワークに、ビジネスモデルキャンバスを組み合わせることによって、強力な新しいツールを作り出すことができます。ビジネスモデルキャンバスでは、右側が価値創造を表し、左側はコストを表します。これは、価値を増やしコストを減らすというバリューイノベーションのロジックとよく適合するのです。

227

−コスト　　　＋価値

――― バリューイノベーション ―――

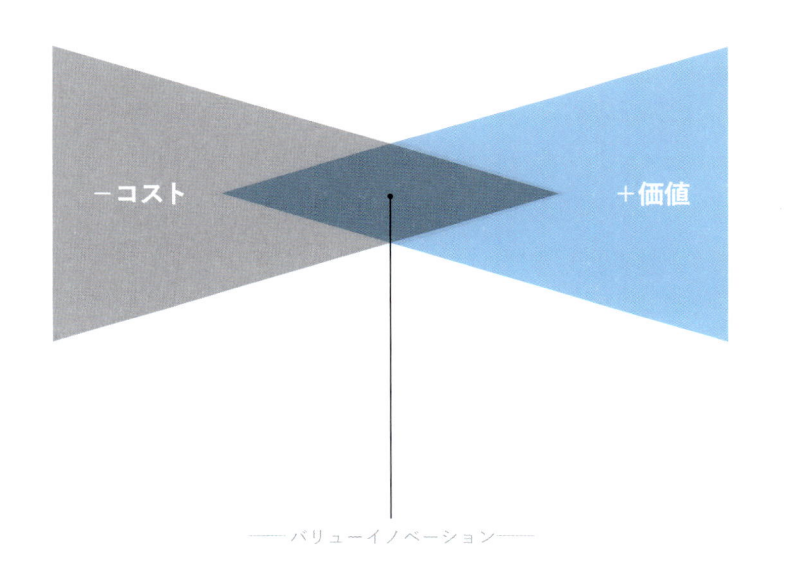

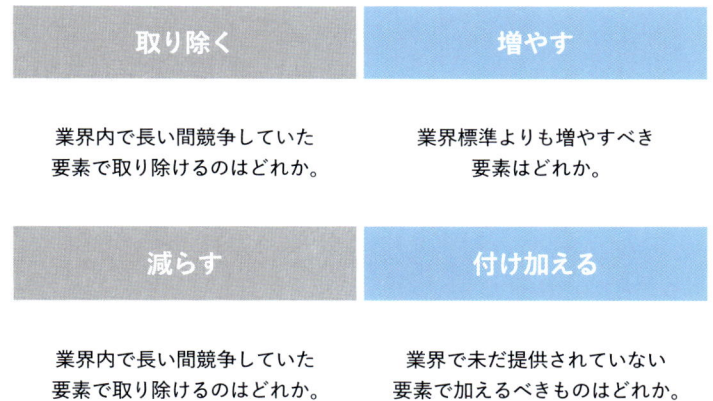

取り除く	増やす
業界内で長い間競争していた要素で取り除けるのはどれか。	業界標準よりも増やすべき要素はどれか。
減らす	付け加える
業界内で長い間競争していた要素で取り除けるのはどれか。	業界で未だ提供されていない要素で加えるべきものはどれか。

――― 4つのアクションフレームワーク ―――

出典：ブルーオーシャン戦略

Strategy

ブルーオーシャン戦略のフレームワークとビジネスモデルキャンバスを組み合わせる

ビジネスモデルキャンバス

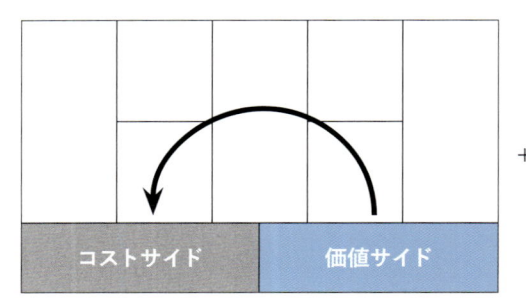

ビジネスモデルキャンバスは、前述（P49参照）した通り、右側にある価値と顧客重視の側面と、左側にあるコストとインフラの側面で構成されています。右側の要素を変更すると、左側に影響を与えます。たとえば、価値提案、チャネル、顧客関係の構築ブロックを追加したり削除すると、すぐにリソース、主要活動、パートナーシップ、コストへと影響します。

バリューイノベーション

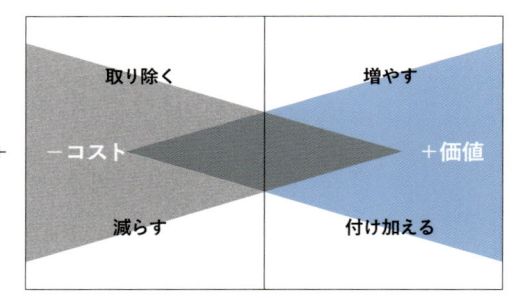

ブルーオーシャン戦略は、コストを削減しながら、同時に価値を増やすことに特徴があります。これは、価値提案の要素について、取り除いたり、減らしたり、増やしたり、新たに付け加えることのできるものを特定することによって、実現します。最初の目標は、価値のない機能やサービスを減らしたり取り除くことによって、コストを削減することです。第2の目標は、コストを増加させずに高い価値をもたらす機能やサービスを、増やしたり付け加えることです。

組み合わせのアプローチ

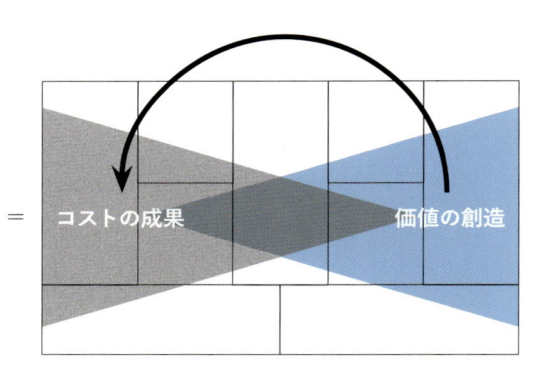

ブルーオーシャン戦略とビジネスモデルキャンバスを組み合わせることで、体系的にビジネスモデル全体のイノベーションを分析できます。ビジネスモデルの各構築ブロックについて、4つのアクションフレームワークの問い（増やす、減らす、付け加える、取り除く）を投げかけることで、すぐにビジネスモデルの他の部分への影響を認識できます（たとえば、提供する価値を変更するによるコスト面への影響やその逆）。

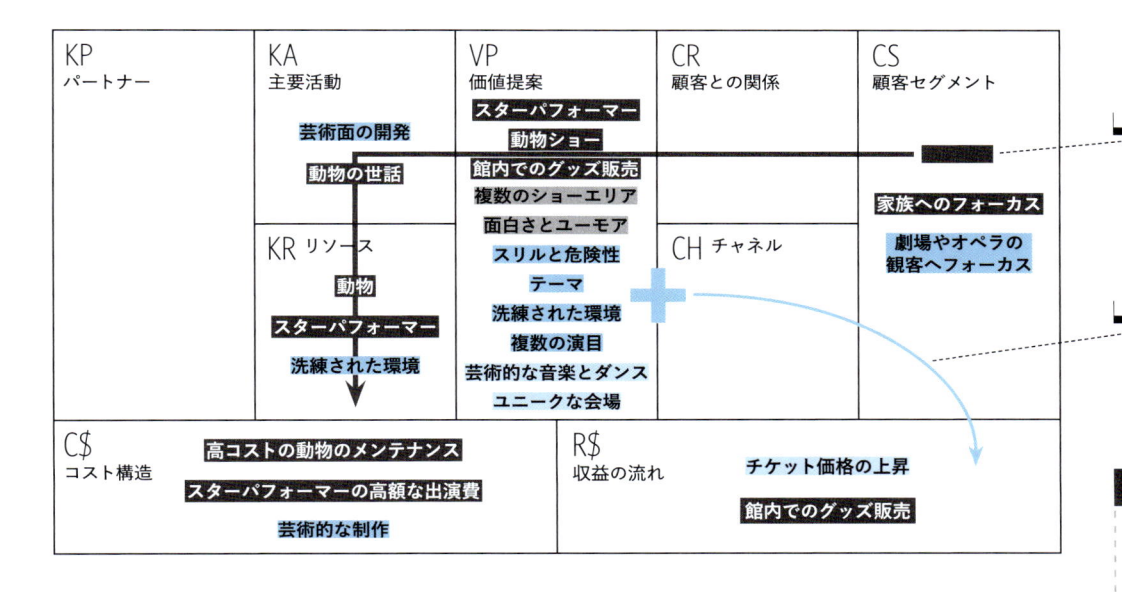

CIRQUE DU SOLEIL シルク・ドゥ・ソレイユ

KP パートナー	KA 主要活動	VP 価値提案	CR 顧客との関係	CS 顧客セグメント
	芸術面の開発 動物の世話	**スターパフォーマー** **動物ショー** **館内でのグッズ販売** **複数のショーエリア** 面白さとユーモア **スリルと危険性** テーマ 洗練された環境 複数の演目 芸術的な音楽とダンス ユニークな会場		
	KR リソース 動物 スターパフォーマー 洗練された環境		CH チャネル	家族へのフォーカス 劇場やオペラの観客へフォーカス

C$ コスト構造	R$ 収益の流れ
高コストの動物のメンテナンス スターパフォーマーの高額な出演費 芸術的な制作	チケット価格の上昇 館内でのグッズ販売

芸術的な要素を価値提案に加えることで、主要活動とコストを変更

動物をショーから取り除くことで、継続的にコストを削減

高いチケット代も支払うような顧客に向けて、サーカス、劇場、オペラの要素を組み合わせた価値提案

取り除く
- スターパフォーマー
- 動物ショー
- 館内でのグッズ販売
- 複数のショーエリア

減らす
- 面白さとユーモア
- スリルと危険性

増やす
- ユニークな会場

付け加える
- テーマ
- 洗練された環境
- 複数の演目
- 芸術的な音楽とダンス

シルク・ドゥ・ソレイユは、ブルーオーシャン戦略の例の中でも、目立った存在です。この興味深い成功したカナダのビジネスについて、ブルーオーシャン戦略とビジネスモデルキャンバスのアプローチを適用してみたいと思います。

最初に、サーカスビジネスのもつ価値提案の中でも伝統的な要素について、シルク・ドゥ・ソレイユがどのように「演じて」いるかを、4つのアクションフレームワークで示します。動物やスターパフォーマーなど費用のかかる要素を排除する一方で、テーマや芸術的な雰囲気、洗練された音楽などの要素を加えています。この改良された価値提案によってシルク・ドゥ・ソレイユは、伝統的なサーカスを楽しむ家族連れではなく、洗練されたエンタテインメントを求める大人にその魅力を広く伝えることができました。

また結果として、チケットの価格を引き上げることも可能となりました。上記のビジネスモデルキャンバスでは、青とグレーで示した4つのアクションフレームワークによって、価値提案の変化の影響を説明しています。

任天堂 Wii

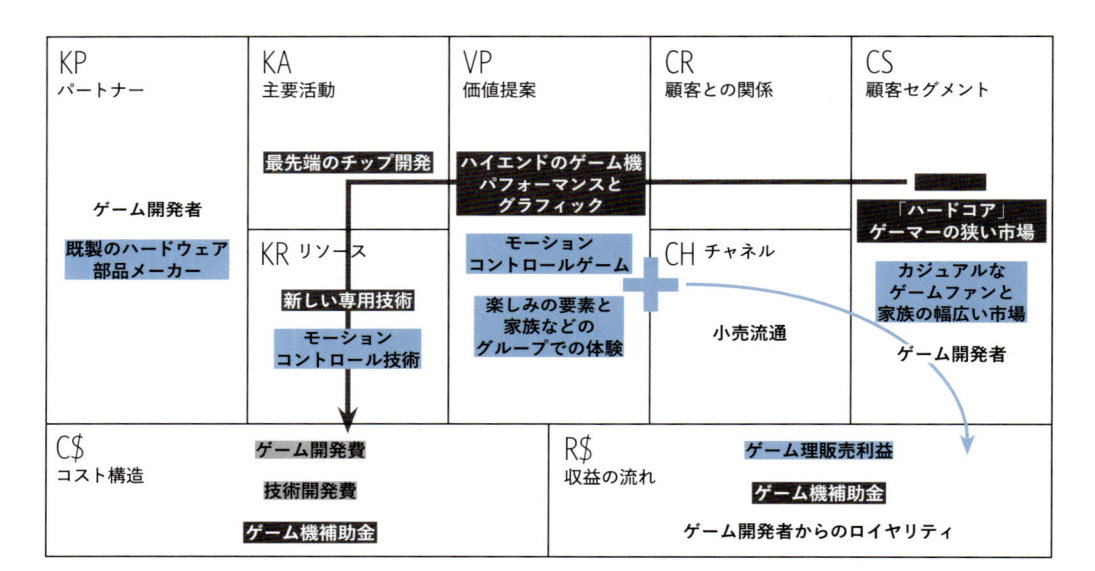

KP パートナー	KA 主要活動	VP 価値提案	CR 顧客との関係	CS 顧客セグメント
ゲーム開発者	最先端のチップ開発	ハイエンドのゲーム機パフォーマンスとグラフィック		「ハードコア」ゲーマーの狭い市場
既製のハードウェア部品メーカー	KR リソース 新しい専用技術 モーションコントロール技術	モーションコントロールゲーム 楽しみの要素と家族などのグループでの体験	CH チャネル 小売流通 ゲーム開発者	カジュアルなゲームファンと家族の幅広い市場

C$ コスト構造	R$ 収益の流れ
ゲーム開発費 技術開発費 ゲーム機補助金	ゲーム理販売利益 ゲーム機補助金 ゲーム開発者からのロイヤリティ

凡例：
- ■ 取り除く
- ■ 減らす
- ■ 増やす
- □ 付け加える

マルチサイドプラットフォームのビジネスモデルのパターン（P76参照）の例として、任天堂の成功したゲーム機であるWiiを説明してきました。ここでは、ブルーオーシャン戦略の観点から、競合であるソニーとマイクロソフトからの差別化の方法を見ていきたいと思います。ソニーのプレイステーション3やマイクロソフトのXbox 360と比較すると、任天堂は根本的に異なる戦略とビジネスモデルを追求しているのです。

任天堂の戦略の中心となるのは、ゲーム機そのものは必ずしも最先端のパワーとパフォーマンスを必要としないという仮定です。筋金入りのゲームファンにとって大切な要素である技術的性能、グラフィック品質、ゲームのリアリズムという点で競争してきた業界において、これは過激なスタンスです。任天堂は、従来の熱心なゲーマーよりも幅広い層をターゲットにして、プレイヤー同士のやり取りを中心とした、新しい形態のゲームの提供に注力したのです。Wiiにおいて、任天堂は技術的にはライバルマシンを下回るゲーム機を市場に投入しましたが、新しいモーションコントロール技術による楽しさを強く押し出しました。プレイヤーは、「魔法の杖」のようなWiiリモコンによって、物理的な動きを通じてゲームを操作することができました。Wiiは、カジュアルなゲームファンにたちまち受け入れられ、これまでの「ハードコア」なゲーマーを相手にしていたライバル機の販売量を抜き去りました。

任天堂の新しいビジネスモデルには、次のような特徴があります。「ハードコア」なゲーマーからカジュアルなゲームファンにシフトすることによって、ゲーム機のパフォーマンスを減らし、多様な楽しみをもたらすモーションコントロールの新要素を付け加えることができました。また、最新のチップ開発を取り除き、既製の部品を増やすことで、コストを削減してゲーム機の価格を下げることができました。これにより、ゲーム機を販売するたびに支払っていた補助金も撤廃することができました。

4つのアクションフレームワークを用いてキャンバスに質問をする

ブルーオーシャン戦略のツールとビジネスモデルキャンバスの組み合わせることで、価値創造、顧客、およびコスト構造の観点からビジネスモデルを見直すことができます。ここでは、ビジネスモデルを見直す出発点となる顧客セグメントの視点、価値提案の視点、およびコストの視点の3つの異なる視点を提案します。出発点を変更すると、ビジネスモデルキャンバスの他の領域に影響を与えることができます（P138参照）。

コストからの影響を調べる

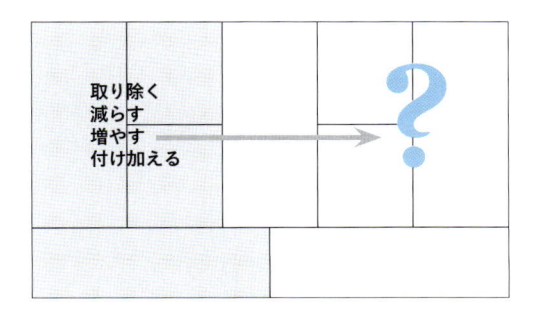

最も高価なコストインフラ要素を特定し、それを取り除いたり減らしたりすると何が起こるか評価します。どんな価値が失われ、それを補うために何を作り出す必要があるでしょうか。それから、あなたが行いたいインフラ投資を特定し、どのくらいの価値を生み出すのか分析します。

- どの活動、リソース、パートナーに
  最もコストがかかっているだろうか。
- こうしたコスト要因のいくつかを
  軽減または取り除いた場合、どうなるだろうか。
- 高コストなリソース、活動、パートナーを減らしたり
  取り除くことによって失われる価値を、
  どうすれば低コストの要素で置き換えられるだろうか。
- 新しい投資によって作られる価値は何だろうか。

価値提案からの影響を調べる

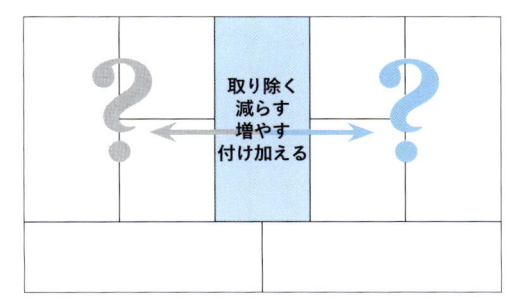

4つのアクションフレームワークの質問をすることによって、あなたの価値提案を変えていくプロセスです。コスト面への影響を考えながら、同時にチャネル、顧客との関係、収益の流れ、顧客セグメントといった価値の面で変更しなければならない要素を評価していきます。

- 取り除くことができる
  価値の低い機能やサービスは何だろうか。
- 貴重な新しい顧客体験を作り出すために、
  どのような機能やサービスが強化され、
  追加されただろうか。
- 価値提案を変更したことで
  与えたコストへの影響は何だろうか。
- 価値提案の変更は、
  顧客の側にどんな影響を与えるだろうか。

顧客からの影響を調べる

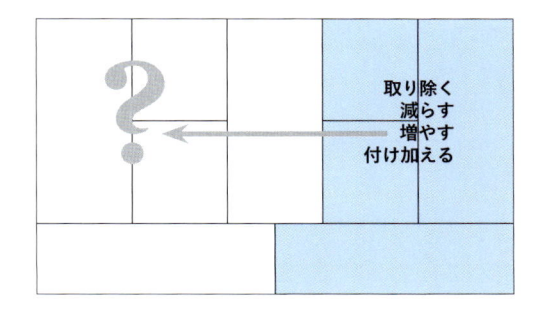

ビジネスモデルキャンバスの顧客の側のブロック、すなわち、チャネル、顧客との関係、収益の流れについて、4つのアクションフレームワークの質問をしてください。取り除いたり、減らしたり、増やしたり、付け加えることによって、コストの側面や価値の側面にどんな影響を与えるか分析してください。

- 新しい顧客セグメントに注力できるだろうか、
  どのセグメントを減らしたり、取り除くことができるだろうか。
- 新しい顧客セグメントは、
  何をやりたいと思っているだろうか。
- この顧客は、どのようにリーチされるのを好むだろうか。
  どのような関係を期待しているだろうか。
- 新しい顧客層にサービスを提供することによる
  コストへの影響は何だろうか。

複数のビジネスモデル運営

ビジョナリー、イノベーター、チャレンジャーたちは、起業家や企業の社員として、世界のあらゆる場所で、革新的なビジネスモデルを生み出しています。起業家であれば、新しいビジネスモデルを設計、成功させるという困難に取り組んでいるでしょう。また、既存の企業であっても、既存のビジネスモデルを維持しながら新しいモデルをマネジメントするという困難な作業に直面しています。

コンスタンチノス・マルキデス、チャールズ・オライリー、マイケル・タッシュマンなどのビジネス思想家は、こうした困難に対処する組織を、双面型組織などの言葉で表現しています。長い歴史を持つ企業の中で新しいモデルを実行するのは、すでに確立された既存のモデルと競合する可能性があるため、非常に困難です。新しいモデルを実行するには、異なる組織文化が必要になったり、これまで企業が無視してきた見込み客をターゲットとする必要があるかもしれません。ここでひとつの疑問が浮かんできます。長い歴史を持つ組織において、革新的なビジネスモデルをどのように実装すればいいのでしょうか。

この問題について、学者の意見は2つに分かれています。その多くは、新しいビジネスモデルを別の組織へとスピンオフするよう提案します。もう一方の立場は、既存の組織内にいながらでも成功すると主張しています。たとえばコンスタンチノス・マルキデスは、新旧2つのビジネスモデルを同時に管理する方法を決定するための、2つの変数をもつフレームワークを提案しています。最初の変数は、モデル間の衝突の深刻さであり、2つ目は、戦略的な類似性です。彼はまた、統合か独立の選択だけが成功の要因ではなく、それをどのように実行するかが重要であるといいます。独立した組織で実行される場合であっても、モデル間に起こる相乗効果は慎重に扱われるべきだというのです。

リスクは、新しいモデルを統合するか分離するかを決める際に考慮すべき3番目の変数です。ブランドイメージ、収益、法的責任などの観点から、新しいモデルがマイナスの影響を与えるリスクがどれくらい大きいでしょうか。

2008年の金融危機のとき、オランダの金融グループであるINGは、海外市場でのオンラインおよび電話リテールバンキングサービスを提供するINGダイレクトユニットが原因で、ほとんど倒産しかけていました。INGはINGダイレクトを、事実上、新しいビジネスモデルとしてというより、マーケティング施策として取り扱っていたのです。

こうした選択は、時間とともに変化します。マルキデスは、時期によって統合や分離したりすることを検討すべきだと強調します。アメリカのリテール証券ブローカーであるチャールズ・シュワブのインターネット部門であるe.Schwabは、当初、独立した組織として設立されましたが、大成功を収めたのち、主要事業として再統合されました。イギリスの大手小売業者テスコのインターネット部門であるTesco.comは、統合されたビジネスラインから独立した組織への移行に成功しました。

以下のページでは、ビジネスモデルキャンバスを使って記述された3つの例から、統合と分離に問題を検討していきます。まず、スイスの時計メーカーであるSMHが、1980年代に新しいスイスのビジネスモデルに対して、統合ルートを選んだ問題を取り上げます。第2に、スイスの食品メーカーであるネスレが、ネスプレッソを市場に導入した際に分離ルートを選んだ問題です。3つ目は、これを書いている時点でということになりますが、ドイツの自動車メーカーであるダイムラーが、車両レンタルサービスのcar2goのコンセプトに対して、まだアプローチを決めかねている問題について取り上げてみようと思います。

233

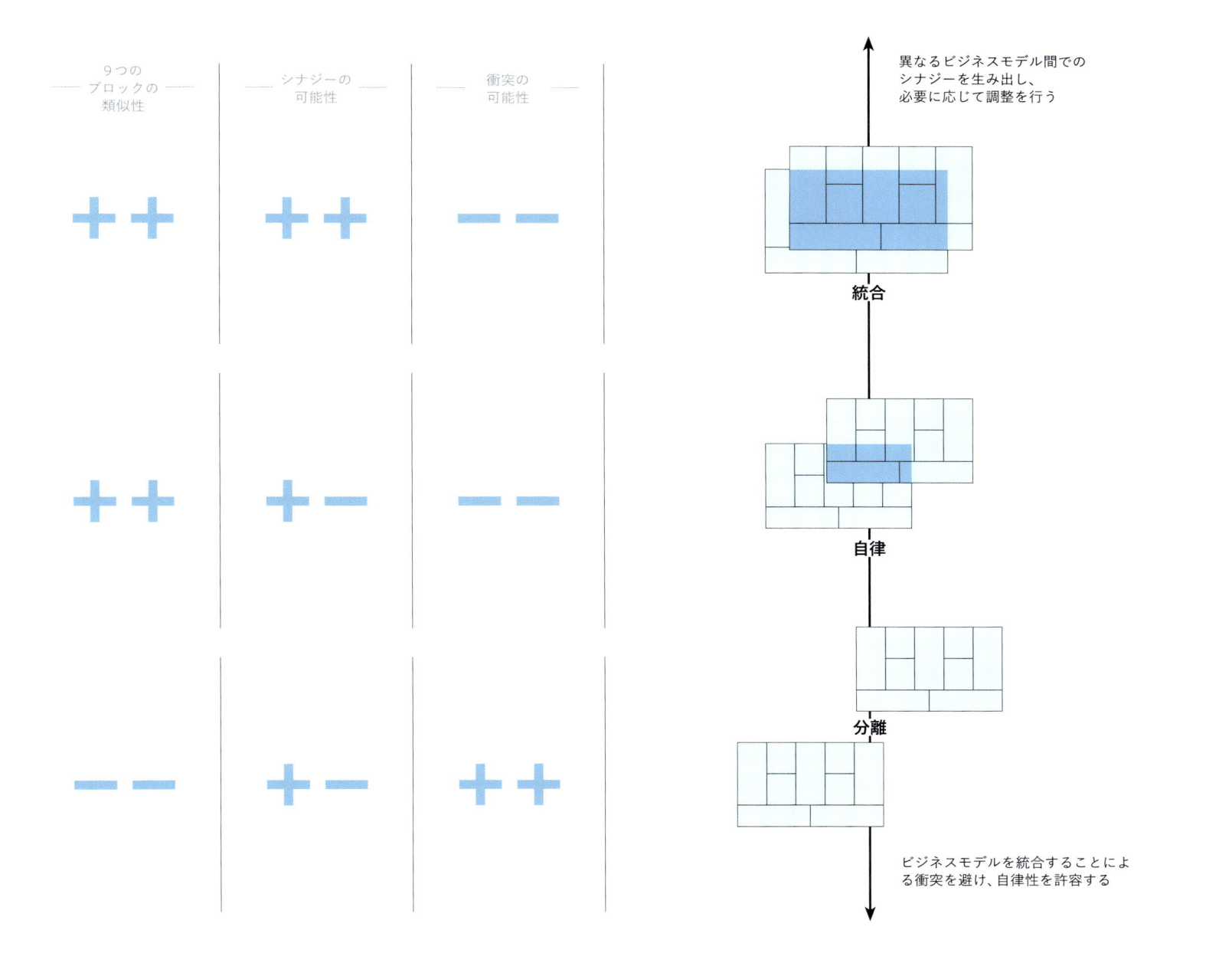

9つの ブロックの 類似性	シナジーの 可能性	衝突の 可能性
++	++	--
++	+-	--
--	+-	++

異なるビジネスモデル間での
シナジーを生み出し、
必要に応じて調整を行う

統合

自律

分離

ビジネスモデルを統合することによる衝突を避け、自律性を許容する

Strategy

SMHのスウォッチに対する自律型モデル

1970年代半ば、時計市場を支配していたスイスの時計産業は、深刻な危機にあることに気づきました。ローエンド市場向けに設計された安価なクオーツ時計において、日本と香港の時計メーカーは、スイスをマーケットリーダーの立場から押しのけてしまったのです。スイスは、ミドルレンジおよびハイエンド市場向けに従来の機械式時計に集中し続けましたが、アジアのライバル国は、これらのセグメントについてもスイスを脅かし始めていました。

1980年代、一握りの高級ブランドを除き、スイスのほとんどのメーカーが崩壊の一歩手前まで追い詰められるほど、競争圧力は激化していました。ニコラスG.ハイエックがSMH（後のスウォッチグループ）を引き継いだのはそのころでした。経営難に陥ったスイスの二大時計メーカーにルーツを持つ企業群をまとめ、新しいグループへと再編していきました。

ハイエックは、ロー、ミドル、高級市場の3つすべての市場セグメントにおいて、健全な成長を遂げるブランドをつくるための戦略を構想しました。当時、スイスの企業は、高級時計の市場において、97％のシェアを誇っていました。しかし、ミドルレンジの市場ではわずか3％、ローエンドでは参入さえできず、アジアのライバルの作る安価な時計に、セグメント全体を明け渡してしまっている状態でした。

しかし、ローエンドでの新しいブランドを立ち上げるというのは過激な考えであり、投資家たちはSMHのミドル市場向けブランドであるTissotの売上を奪ってしまうのではないかという懸念を抱きました。戦略的な観点からみれば、同じ屋根の下で低コストと最高級のビジネスモデルを同居させることになり、多くの衝突とトレードオフを伴う判断でした。にもかかわらずハイエックは、スウォッチの開発の引き金となったこの3層の戦略、すなわち40ドル前後から手に入る新しいタイプのスイス時計の開発を主張しました。

新しい時計については、次のような仕様が求められていました。スイス品質を維持しながらも日本製品と対抗できる低価格を実現することであり、製造ラインを維持できるだけの十分な利益率と販売量です。そのため技術者たちは製造方法の再考を迫られ、そこでは伝統的な時計製造に関する知識は役立ちませんでした。

その結果が、はるかに少ない部品で作られた時計でした。ネジは金型で成形されたものに置き換えられ、直接労務費は10％未満に抑えて大量生産する。製造は高度に自動化されていったのです。また、革新的なゲリラマーケティングのコンセプトを活用し、さまざまなデザインの時計が市場に送り出されていきました。ハイエックは、単に時間を伝えるだけでなく、ライフスタイルのメッセージを伝えるものとして、この新しい製品を見ていました。

こうして、低価格ながら高品質、機能的でおしゃれなスウォッチが生まれました。あとは歴史が示す通りです。5年間で5,500万本のスウォッチが販売され、2006年に同社は、累計3億3300万本の達成を祝いました。

ローエンド製品であるスウォッチのビジネスモデルを実装するという選択は、SMHのハイエンドブランドへの影響の可能性を考えた場合、特に興味深いものでした。まったく別の組織、別のブランド文化にもかかわらず、スウォッチはSMHのもとで立ち上げられ、独立した企業ではありませんでした。

SMHは、製品とマーケティング上の意思決定については、各ブランドに完全に近い自律性を与えましたが、それ以外は一元化を進めました。製造、購買、R&Dについては、SMHのブランドすべてを取り扱う単体の組織として編成したのです。規模を確保し、アジアの競争相手に対して自分自身を守るため、SMHは今日でも、強力な垂直統合の方針を維持しています。

← 中央集権化　　　　　　　　　　　分散化 →

SMH

SMHは、製造、R&D、調達、人的リソースについては、垂直統合、中央集権化されています。
SMHの各ブランドは、製品、デザイン、マーケティングコミュニケーションの意思決定については、自律性を保っています。

| KP パートナー | KA 主要活動
製造と品質管理
R&D
HR, ファイナンスなど

KR リソース
製造工場
ブランドポートフォリオ | VP 価値提案
BLANCPAIN, OMEGA, LONGINES, RADO
TISSOT, CERTINA, HAMILTON, MIDO
スウォッチ, FLIK FLAK | CR 顧客との関係

CH チャネル | CS 顧客セグメント
ハイエンドおよび高級セグメント
ミドルセグメント
マス市場 |

スウォッチ

| KP パートナー
製造パートナーとしてのSMH | KA 主要活動
製品デザイン
マーケティングおよびコミュニケーション

KR リソース
スウォッチ・デザイン
スウォッチ・ブランド | VP 価値提案
流行に合ったライフスタイルを表現する安価な二本目の時計 | CR 顧客との関係
ライフスタイルのムーブメント

CH チャネル
スウォッチショップ
小売店
ライフスタイルイベント
ゲリラマーケティング | CS 顧客セグメント
マス市場 | R$ 収益の流れ
時計販売 |

| C$ コスト構造
SMHへの製造費の支払い
マーケティング | R$ 収益の流れ
時計販売 |

ネスプレッソの成功モデル

1976 ネスプレッソシステムについての最初の特許

1982 オフィス市場への集中

1986 製造会社の分離

1988 新しいCEOによる戦略の見直し

1991 ネスプレッソの海外展開

1997 最初の広告キャンペーン実施

1998 ウェブサイトを変更しインターネットへ集中

2000-2008 35％を超える年間平均成長率

2006 ジョージ・クルーニーをネスプレッソのスポークスマンに起用

双面型組織として、2008年の売上がおよそ1010億ドルにのぼる世界最大の食品会社ネスレの一部であるネスプレッソを紹介しましょう。

家庭向け個装タイプのプレミアムコーヒーで、毎年19億ドルを超える売上を記録するネスプレッソは、双面型のビジネスモデルの好例です。1976年、ネスレの研究室の若い研究者であるエリック・ファーブルは、ネスプレッソのシステムのための最初の特許を申請しました。当時ネスレは、ネスカフェブランドにより巨大なインスタントコーヒー市場を支配していましたが、豆を挽いて淹れるようなコーヒーセグメントには弱かったのです。ネスプレッソシステムは、そうしたギャップを埋めるために設計された、レストラン品質のエスプレッソを簡単に淹れることができる専用エスプレッソマシンとポッドシステムでした。

ファーブル率いる内部ユニットは、技術的な問題を解決し、システムを市場へと導入するために設立されました。当初は、レストランの市場への参入に失敗しましたが、1986年、オフィスセグメントへとすでに参入していたコーヒーメーカーとの合弁事業の支援により、システムをオフィスへと販売する完全子会社ネスプレッソSAを設立しました。ネスプレッソSAは、ネスレの既存のコーヒービジネスであるネスカフェからは、完全に独立していました。しかし1987年まで、ネスプレッソの売上高は期待をはるかに下回るもので、資産価値の高いコーヒーマシンの在庫があまりに大きいという理由だけで、延命されていました。

1988年、ネスプレッソの新CEOとして、ネスレはジャン・ポール・ガイヤールを任命しました。ガイヤールは、2つの抜本的な変更を伴うビジネスモデルの見直しを行いました。ひとつは、オフィス需要から高所得世帯へシフトし、メールオーダーで直接コーヒーカプセルを販売し始めるというものでした。そのような戦略は、伝統的にマス市場に向け小売チャネルで販売をしていたネスレでは前代未聞でした。（後に、ネスプレッソはオンライン販売を開始、シャンゼリゼ通りなど特別な場所にある高級店舗での販売や、高級百貨店での自社ブティックを立ち上げました。）このモデルは成功し、過去10年間ネスプレッソは、35％を超える年間平均成長率を達成しています。

特に興味深いのは、ネスプレッソとネスカフェの比較です。ネスプレッソは、富裕層への直接販売に集中しながら、ネスカフェはマス市場の小売業者を通じて、消費者へ間接的にインスタントコーヒーを販売しています。2つのアプローチはそれぞれ、完全に異なる物流、リソース、および活動が必要となります。このようにフォーカスが異なっているおかげで、直接利益を奪い合う危険性はありませんでした。これはまた、両事業間の相乗効果がほとんど期待できないということも意味していました。ネスプレッソが成功するまで、ネスレのコーヒー事業はかなりの時間とリソースを失うことになり、それがネスカフェとネスプレッソの間の対立を引き起こしていました。組織的に分けることで、厳しい状況においてもプロジェクトが中止とならないようにしていたのです。

話はここで終わりません。2004年、ネスレはまた、エスプレッソ専用のネスプレッソ機器を補完する、カプチーノやラテも作ることができる新しいシステムの導入を目指しました。問題はもちろん、そのビジネスモデルとシステムをどのブランドで立ち上げるべきか、ネスプレッソ同様、別会社にすべきか、ということです。技術は、もともとネスプレッソで開発されたものでしたが、カプチーノやラテは、中間層、マス市場のほうが適切でした。ネスレは最終的に、新ブランド、ネスカフェ・ドルチェグストを立ち上げることを決めましたが、これは、ネスカフェのマス市場向けのビジネスモデルおよび組織構造に、完全に統合されたものとなりました。ドルチェグストのポッドは、ネスカフェのインスタントコーヒーと一緒に小売店の棚に並んでいるだけでなく、ネスプレッソのオンラインでの成功を踏まえ、インターネット経由でも販売されました。

ネスレのコーヒービジネスモデルのポートフォリオ

ネスカフェ

KP パートナー	KA 主要活動	VP 価値提案	CR 顧客との関係	CS 顧客セグメント
小売店	製造 マーケティング	ドルチェグスト： 数種類の飲料を作る 機器とポッド	小売店 オンラインショップ	マス市場
	KR リソース 製造工場 ブランドポートフォリオ	ネスカフェ： 品質の高い インスタントコーヒー	CH チャネル 小売店	

C$ コスト構造	R$ 収益の流れ
マーケティング＆販売　製造	小売を通じた販売（低い利益率）

ネスプレッソ

KP パートナー	KA 主要活動	VP 価値提案	CR 顧客との関係	CS 顧客セグメント
コーヒー機器メーカー	マーケティング 製造 流通	高級レストラン品質の エスプレッソを 家庭で	ネスプレッソクラブ	家庭 オフィス
	KR リソース 流通チャネル システムに関する特許 ブランド 製造工場		CH チャネル NESPRESSO.COM ネスプレッソブティック コールセンター 小売店（機器のみ） メールオーダー	

C$ コスト構造	R$ 収益の流れ
製造　マーケティング　流通チャネル	主要な収入：カプセル その他：機器とアクセサリー

ハイエンド（ネスプレッソ）
ミドル層（ドルチェグスト）
マス市場（ネスカフェ）

ダイムラーのCAR2GOビジネスモデル

| car2goの市場導入 | コンセプト開発 | 社内パイロット版 | パイロット版の拡張 | ウルムでの一般公開 | オースティンでの社内パイロット版 | オースティンでの一般公開 | どのような組織形態になるだろうか？ |

最後の例は、これを書いている現在も発展中のビジネスです。Car2goは、ドイツの自動車メーカーダイムラーによって作られた、新しい交通のコンセプトです。Car2goは、高級車からトラック、バスに至るまでを製造、販売、リースする親会社のコアモデルを補完する、ビジネスモデルイノベーションの例を示してくれます。

ダイムラーのコアビジネスでは、200万台以上の自動車販売を通じて1,360億ドルを超える年間売上を生み出しています。一方、Car2goでは、smart（ダイムラーで最小、最低価格の自動車ブランド）を市全体へと配置し、必要に応じて都市生活者へ移動手段を提供するスタートアップビジネスです。現在、ダイムラーの主要な経営拠点の一つであるドイツの都市ウルムで、サービスの運用試験が行われています。新しいビジネスアイデアを開発し、実施を支援するダイムラーのビジネスイノベーション部によって、このビジネスモデルは開発されました。

car2goの使い方は以下の通りです。2人乗りのsmartの車両を、顧客からいつでもアクセス可能となるよう、市内全域に配置します。一度登録をすませば、顧客は車を、その場で（もしくはあらかじめ予約をして）好きなだけ使うことができます。ドライブが済んだら、ドライバーは市内のどこかの駐車場に止めるだけで大丈夫です。

レンタル費用は、1分あたり0.27ドル、1時間では14.15ドルで、一日最大70ドルとなります。顧客は、1ヶ月分をまとめて支払います。このコンセプトは、Zipcarなど、北米やイギリスで人気のカーシェアリングと似ています。car2goの特徴は、決められた駐車場を使う義務からも自由で、その場で好きなだけ利用でき、価格設定もシンプルであるという点にあります。ダイムラーは、都市化に向かって加速する世界的なトレンドに対応してcar2goを立ち上げ、コアビジネスを補完するものとして、このサービスを見ています。サービスモデルとして見たときに、car2goは本質的に、ダイムラーの伝統的なビジネスに比べてまったく異なるダイナミクスを持っており、収益はおそらく、数年間は比較的小さいままでしょう。しかしダイムラーは、長期的にcar2goに大きな期待を抱いています。

2008年10月に立ち上げたパイロットフェーズでは、50台の車を用意し、ウルムにあるダイムラー研究センターの従業員500人が利用できるようにしました。この500人とその家族200人は、最初の顧客として参加したのです。このパイロットフェーズでは、技術システムのテスト、ユーザの受容と行動に関するデータの収集、サービス全体の「ロードテスト」を行うことを目的としていました。2009年2月、車の台数を100台へと増やし、メルセデス・ベンツの店舗やダイムラー子会社の従業員まで広げられました。3月末には、200台の車によって公開テストが実施され、ウルムの12万人の住民および訪問者が、このcar2goを利用できるようになりました。

時を同じくして、ダイムラーは75万人の人が住むテキサス州オースティンでのパイロットプロジェクトを発表しました。ドイツでの試験の第一フェーズと同様に、car2goは、市職員などの限られたユーザーグループから始められ、その後一般に公開される予定です。これらのパイロットは、ビジネスモデルのプロトタイプ（P160参照）と見なすことができます。今、car2goのビジネスモデルのプロトタイプは、組織へと固定されようとしています。

執筆時点では、ダイムラーはまだ、car2goを内部化するか別会社としてスピンオフするかどうか決めていません。ダイムラーは、ビジネスモデルの設計から始め、そこからコンセプトのフィールドテストを行い、長い歴史をもつコアビジネスとcar2goの関係を評価することができるまで、組織構造に関する決定を先延ばしすることを選んだのです。

ダイムラー

ダイムラーによる
ビジネスモデルイノベーションへの
フェーズアプローチ

フェーズ1：ダイムラーの
イノベーション部内での
ビジネスモデルデザイン
フェーズ2：コンセプトの
フィールドテスト
フェーズ3：新しいビジネスモデルの
組織構造（統合か分離か）について、
既存のコアビジネスとの
関係を見ながら決定する

KP パートナー	KA 主要活動	VP 価値提案	CR 顧客との関係	CS 顧客セグメント
自動車部品メーカー	製造 デザイン	車 トラック バン バス 金融サービス （例 メルセデスブランド）	主にハイエンド ブランド	マス市場
	KR リソース 自動車工場 知的財産権 ブランド		CH チャネル ディーラー 営業部隊	

C$ コスト構造	R$ 収益の流れ
マーケティングと営業 製造 研究開発	自動車売上 自動車向けファイナンス

car2go

KP パートナー	KA 主要活動	VP 価値提案	CR 顧客との関係	CS 顧客セグメント
都市マネジメント	自動車管理 テレマティックス管理 清掃	車を所有しない都市の 移動手段	一回きりの登録	都市の住民
	KR リソース サービスチーム テレマティックス システム 2人乗り SMART 車両		CH チャネル CAR2GO.COM 携帯電話 CAR2GO 用駐車場 CAR2GO 店舗 どこでもピックアップ、 乗り捨てできる	

C$ コスト構造	R$ 収益の流れ
システム管理 車両管理	一分27セント（諸経費込み）

改善

発明

Pro

プロセス

cess

Process

ビジネスモデルデザインのプロセス

この章では、ビジネスモデルデザインを行うためのタスクを簡素化するために、本書で紹介したコンセプトとツールを統合していきます。その組織がもっている特有のニーズに適応できる汎用的なビジネスモデルデザインのプロセスを提案します。

あらゆるビジネスモデルデザインのプロジェクトは、それぞれ独特なものであり、独自の問題、障害、成功要因があります。組織はそれぞれ異なる場所からスタートし、基本的な問題やビジネスモデルに取り組み始めると、さらに独自のコンテキストや目的が見えてきます。危機的状況への対応を迫られているケースもあれば、新たな成長の可能性を模索するようなケースもあるでしょう。また、スタートアップ段階の場合もあれば、新製品や技術を市場へ導入しようとしている場合もあるでしょう。

ここで説明するプロセスは、こうした独自のアプローチへとカスタマイズするための出発点となります。このプロセスは5つのフェーズがあります。リソースの結集、理解、デザイン、実行、そして管理です。各フェーズを一般論として説明した上で、既存の組織の視点から再検討します。すでにビジネスモデルを実行している組織において、ビジネスモデルイノベーションを進めるには、さらにいくつかの要素を考慮する必要があるからです。

ビジネスモデルイノベーションは、以下の4つの目的があります。
(1) すでに市場に存在する未解決のニーズを満たすため、(2) 市場に新技術、製品、サービスを導入するため、(3) 既存市場を、よりよいビジネスモデルによって改善、変革するため、(4) まったく新しい市場を作り出すため、です。

長い歴史を持つ組織においてビジネスモデルイノベーションに取り組むとき、どうしても既存のモデルと組織構造について考えなければなりません。このイノベーションには通常、以下の4つの動機が考えられます。(1) 既存のビジネスモデルの危機(ときには「死に近い」体験を伴う)に瀕したため、(2) 環境の変化へ対応するために、既存のモデルを調整、改善したり、守るため、(3) 市場に新技術、製品、サービスを導入するため、(4) 最終的には既存のものを置き換える可能性もある、完全に新しいビジネスモデルを模索、テストすることによって、未来へ備えるため、です。

ビジネスモデルイノベーションのための出発点

ビジネスモデルデザインとイノベーション

市場を満足させる：満たされていない市場ニーズを満たす
（例：タタ社の車、NetJet、グラミン銀行、Lulu.com）

市場に持ち込む：市場に新技術、製品、サービスを導入する、もしくは既存の知的財産を有効活用する
（例：ゼロックス914、スウォッチ、ネスプレッソ、レッドハット）

市場を改善する：市場を改善、もしくは混乱させる
（例：デル、EFG銀行、Nintendo Wii、イケア、Bharti Airtel、Skype、Zipcar、ライアンエアー、Amazon.comの小売業、better place）

市場を作り出す：完全に新しいタイプのビジネスを作る
（例：ディズニークラブ、Google）

課題
- 正しいモデルを見つける
- 本格的に立ち上げる前にモデルをテストする
- 市場のフィードバックを受け、継続的に適応させる
- 不確実性に対処する

既存の企業に特有の要素

反発：既存のビジネスモデルの危機を脱する
（例：1990年代のIBM、Nintendo Wii、ロールス・ロイスのジェットエンジン）

適応：既存のモデルを調整、改善、守る
（例：ノキア「Comes with music」、P&Gのオープンイノベーション、Hilti）

拡張：新技術、製品、サービスを立ち上げる
（例：ネスプレッソ、1960年代のゼロックス914、iPod/iTunes）

未来の探索：未来へ備える
（例：ダイムラーによるcar2go、Amazon Web Services）

課題
- 新しいモデルへの欲求を高める
- 新旧のモデルを連携する
- 既得権益を調整する
- 長期的スタンスに立つ

デザイン精神

ビジネスモデルイノベーションが偶然に起こることは、ほとんどありません。しかし、ビジネスの天才クリエーターだけの独占領域というわけでもありません。ビジネスモデルイノベーションは、プロセスへと構造化して管理でき、また組織全体が潜在的に持っている創造性を活用できるものです。

ただ問題は、ビジネスモデルイノベーションが、プロセスを実行していくものであるにもかかわらず、どういう結果になるのか予測不可能だということです。優れた解決案が生まれるまで、あいまいさと不確実性に対処していく能力が必要ですし、時間もかかります。簡単にひとつのソリューションを採用することなく、喜んで長い時間をかけ、多くの可能性を探求するエネルギーを費やすことが必要なのです。投資した時間に対する報酬として、将来の成長を約束する強力な新しいビジネスモデルが手に入るのです。

企業経営を支配する意思決定の伝統的な態度から大きく異なるこのアプローチを「デザイン精神」と呼びます。ウェザーヘッドビジネススクールのフレッド・コロピーとリチャード・ボーランドは、著書『Managing as Designing』の中で、「デザイン問題」としてこの点を説明しています。彼らは著書で、意思決定の態度においては、選択肢を思いつくのは簡単だけれども、選ぶのが難しいという前提に立っています。「デザイン精神」では対照的に、優れた代替手段をデザインすることが困難であり、一度、デザインできてしまえば、どれを選ぶかという決定は些細なことだと考えます（P164参照）。

この区別は、ビジネスモデルイノベーションに特に、適用可能なものです。満足のいく新しいビジネスモデルを開発するためには、分析と同じくらいの量の失敗をすることになります。世界はあいまいで不確実性にあふれており、そのため、複数の可能性を探求し、プロトタイプを作っていくというデザイン精神こそが、強力な新しいビジネスモデルにつながるのです。このような探求は、市場の再調査、分析、ビジネスモデルのプロトタイピング、およびアイデアの生成といったプロセスを行ったり来たりする乱雑なものです。デザイン態度は、分析、意思決定、最適化に焦点を当てた意思決定の態度のような、線形性の予測可能なものではなく、不確実なものです。新しく競争力のある成長モデルを探求するためにも、こうしたデザインのアプローチが求められているのです。

デザイン事務所Centralのダミアン・ニューマンは、彼が「デザインの走り書き」と呼ぶイメージの中で、デザイン精神について説明をしています。その走り書きには、デザインプロセスの特徴が表現されています。つまり、デザインとして仕上がり、ポイントが絞られるまでは、不確実性にあふれ、乱雑で適当なものなのです。

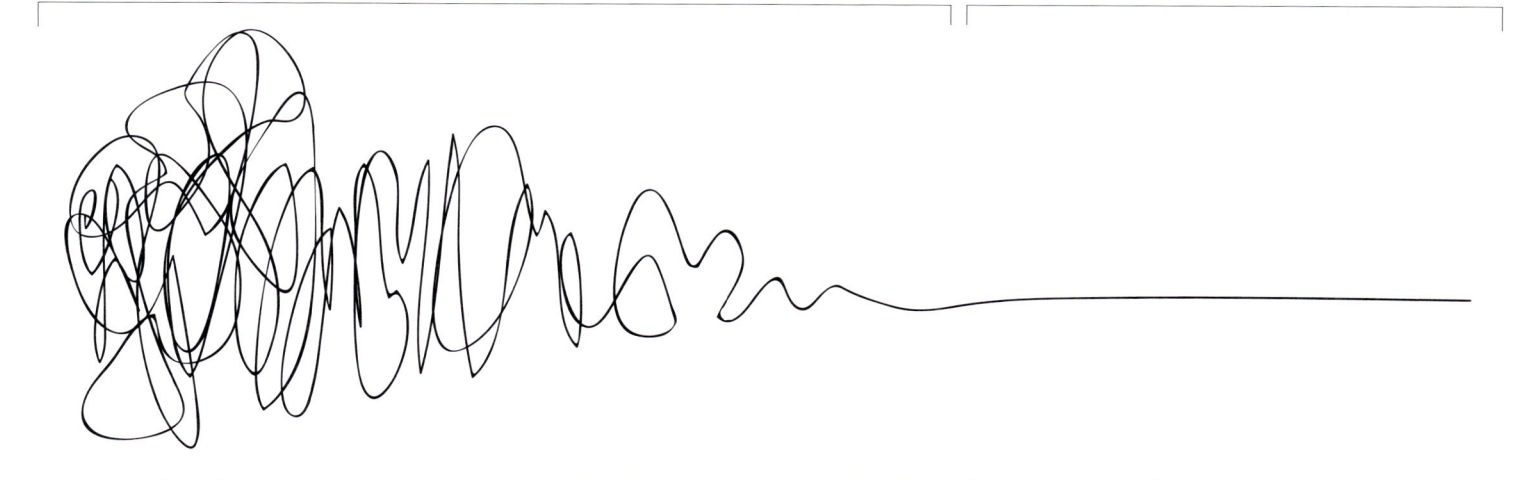

不確実 | 明瞭

調査と理解　　　プロトタイプのデザイン　　　ビジネスモデルの実行

出典：ダミアン・ニューマン（Central）

Process

5つのフェーズ

ここで提案するビジネスモデルのデザインプロセスには、5つのフェーズがあります。リソースの結集、理解、デザイン、実行、そして管理です。前述した通り、このフェーズの進行は、右ページの表のように直線的に進むものではありません。特に、理解とデザインのフェーズは、並行して進む傾向にあります。ビジネスモデルのプロトタイピングは、理解のフェーズにおいて、ビジネスモデルの予備のアイデアをスケッチしていくかたちで、早期に始めることができます。同様に、デザイン段階でのプロトタイピングは、追加の研究を必要とするような新しいアイデアや、理解のフェーズの再検討に結びつくかもしれません。

そして最後の段階である管理フェーズでは、ビジネスモデルを継続的に管理します。今日の環境では、それが成功したものであっても、その寿命は短いと考えたほうがいいでしょう。ビジネスモデルを創造するために行う企業の投資の大きさを考えれば、継続的な管理によってその寿命を延ばすべきですし、完全に再考が必要となるくらい進化させるべきでしょう。このモデル進化の管理は、その構成要素が時代遅れになっていないかどうかで判断できます。

各プロセスのフェーズに対して、その目的やフォーカス、そのフェーズに関連する本書の内容について説明します。その後、より詳細に5つのフェーズについて説明し、組織内の既存のビジネスモデルに取り組むとき、その状況やフォーカスがどのように変わってくるのか説明します。

目的

フォーカス

説明

章立て

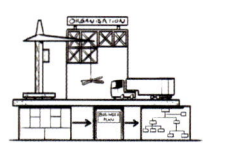

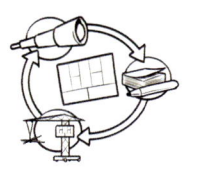

リソースを結集する	理解する	デザインする	実行する	管理する
ビジネスモデルデザインのプロジェクトを成功させるために準備する	ビジネスモデルデザインの取り組みに必要な要素を調査、分析する	ビジネスモデルの選択肢を考え、評価し、最善のものを選ぶ	ビジネスモデルのプロトタイプを実際に実行する	ビジネスモデルを市場の反応に合わせて適応、調整する
ステージを用意	没頭	探求	遂行	進化
ビジネスモデルデザインを成功させるためのすべての要素を組み合わせます。新しいビジネスモデルに必要なものを認識し、プロジェクトに取り組む動機について記述し、ビジネスモデルを記述、デザイン、分析、議論するための共通言語を設定します。	ビジネスモデルデザインのチームが、顧客、技術、環境といった関連知識の取得に没頭するフェーズです。情報を集め、専門家にインタビューし、潜在顧客を研究し、ニーズと問題点を明らかにします。	先のフェーズで得た情報やアイデアを、調査、テストができるようなビジネスモデルプロトタイプへと転換します。優れたビジネスモデルを探求したのち、最も満足のいくビジネスモデルデザインを選びます。	選んだビジネスモデルデザインを実行します。	ビジネスモデルを継続的に監視、評価、適応させていくマネジメント態勢を構築します。
・ビジネスモデルキャンバス（P44） ・ストーリーテリング（P170）	・ビジネスモデルキャンバス（P44） ・ビジネスモデルパターン（P52） ・顧客インサイト（P126） ・ビジュアルシンキング（P146） ・シナリオ（P180） ・ビジネスモデル環境（P200） ・ビジネスモデル評価（P212）	・ビジネスモデルキャンバス（P44） ・ビジネスモデルパターン（P52） ・アイデア創造（P134） ・ビジュアルシンキング（P146） ・プロトタイピング（P160） ・シナリオ（P180） ・ビジネスモデル評価（P212） ・ブルーオーシャン戦略に基づくビジネスモデル（P226） ・複数のビジネスモデル管理（P232）	・ビジネスモデルキャンバス（P44） ・ビジュアルシンキング（P146） ・ストーリーテリング（P170） ・複数のビジネスモデル管理（P232）	・ビジネスモデルキャンバス（P44） ・ビジュアルシンキング（P146） ・シナリオ（P180） ・ビジネスモデル環境（P200） ・ビジネスモデル評価（P212）

Canvas

❶ ❷ ❸ ❹ ❺
リソースの結集
ビジネスモデルデザインプロジェクト
成功への準備

活動

- プロジェクトの目的を決める
- 初期のビジネスアイデアのテスト
- 計画立案
- チームの結成

成功要因

- 適切な人、経験、知識

危険性

- 初期のアイデアの価値への過剰評価

最初のフェーズですべきことは、プロジェクトの目的を決め、初期のアイデアをテストし、プロジェクトを計画し、チームを結成することです。

目的がどのように設定されるかは、プロジェクトによってさまざまですが、通常、論理的根拠、プロジェクトスコープ、主要な目的などが含まれます。また、当初の計画を作るには、ビジネスモデルデザインのリソースの結集、理解、デザインのフェーズが欠かせません。これに続く実行と管理のフェーズは、ビジネスモデルのディレクションに関する3つのフェーズの成果に強く依存しているため、あとからでないと計画することができません。

この最初のフェーズにおける重要な活動に、プロジェクトチームを結成し、正しい人と情報にアクセスすることがあります。プロジェクトはそれぞれユニークなものなので、完璧なチームへとトレーニングするためのルールはありませんが、広いマネジメントと業界の経験、新鮮なアイデア、適切な人脈、そしてビジネスモデルのイノベーションに対する深いコミットメントをもつ人たちを集めるといいでしょう。リソースを集めるフェーズにおいて、最初、初期のビジネスアイデアをテストするところから始めたいでしょう。しかし、ビジネスアイデアの可能性は正しいビジネスモデルを選ぶかどうかに強く依存していますので、このテストは言うは易く行うは難し、です。Skypeがそのビジネスを立ち上げたとき、世界最大の長距離電話会社になると、誰が予想したでしょうか。

どんな場合でも、ビジネスモデルキャンバスをデザインのための共通言語として、確立してください。これは、初期のアイデアをより効果的に構築し表現する手助けとなりますし、コミュニケーションも円滑にします。ビジネスモデルアイデアを、テストするためのいくつかのストーリーへと紡ぎあげたくなるでしょう。

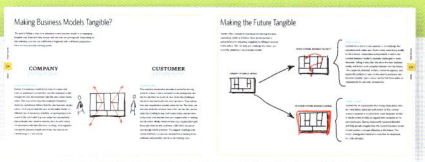

リソースを結集させるフェーズではある危険が潜んでいます。それは、当初のビジネスアイデアの可能性を過剰評価してしまうことです。これは、心を閉ざしてしまったり、他の可能性の発見を制限してしまうことにつながります。こうしたリスクを避けるため、さまざまなバックグラウンドをもつ人と一緒に新しいアイデアを継続的にテストしていきましょう。キル／スリルセッションという方法があります。これは、まずなぜそのアイデアが上手くいかないのか、20分間ブレストをし（"キル"パート）、その後、なぜそのアイデアがうまくいくのかを20分間ブレストするのです（"スリル"パート）。これはアイデアの基本的な価値を調べるのに効果的な方法です。

既存の組織の視点からプロジェクトを動かす

プロジェクトの正当性　プロジェクトの正当性を確保しておくことは、既存の組織の中でプロジェクトを進めるためにも重要です。ビジネスモデルデザインプロジェクトは、組織の枠組みを超えて多くの人が関係するので、幅広いマネジメント層やトップマネジメントに、はっきりと目に見える形で強いコミットメントをもらわなければ、協力は得られません。正当性が与えられ、サポートが得られるための確実な方法は、プロジェクトの当初から、関係するトップマネジメントに、直接関わってもらうことです。

既得権益の調整　組織全体の既得権益の特定とその調整には注意を要します。組織の中で誰もが、現在のビジネスモデルを改革することに興味があるわけではありません。実際、ビジネスモデルのデザインの過程では、ある人々を脅かすことにもなります。

クロスファンクショナルチーム　先にも触れたように（P143参照）、タスクチームのメンバーは、異なる部門、部署（マーケティング、ファイナンス、ITなど）、年齢層、専門分野などを含んで組織横断的に集めることが理想です。異なる見方によって、よりよいアイデアが生まれやすくなりますし、プロジェクトが成功する確率を高めてもくれます。クロスファンクショナルチームを構成することで、改革への潜在的な障害を見つけ、素早く取り除くことができ、また積極的な組織の関与を促すことができます。

決定権を持つ人への報告　ビジネスモデルとその重要性、デザインのイノベーションのプロセスについては、決定権のある人へ報告し、根回しするための十分な時間を確保しておくべきです。これは、人々を巻き込み、未知のものに対する抵抗を回避するために、不可欠なプロセスです。マネジメントのスタイルにもよりますが、ビジネスモデルのコンセプト面ばかり強調しすぎないようにしましょう。実務的な説明を中心に、コンセプトや理論よりもストーリーや画像によってメッセージを伝えるとよいでしょう。

① **②** ③ ④ ⑤

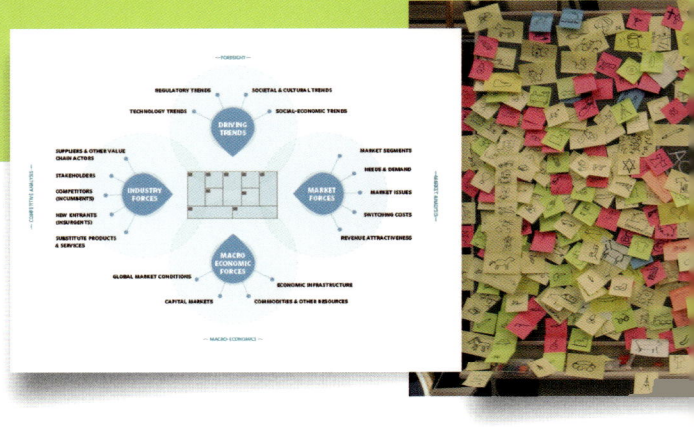

理解
ビジネスモデルデザインの取り組みに必要な要素を調査、分析する

活動

- 環境調査
- 潜在顧客の研究
- 専門家へのインタビュー
- すでに取り組まれていることの調査（失敗例とその原因）
- アイデアと選択肢の収集

重要な成功要因

- 潜在的なターゲット市場への深い理解
- ターゲット市場を定義する伝統的な境界を超えた観察

主な危険性

- 調査しすぎる：調査と目的が乖離してしまう
- あるビジネスアイデアに深入りして調査にバイアスがかかってしまう

この第2フェーズでは、ビジネスモデルを進化させる文脈について、理解を深めていきます。

ビジネスモデルを取り巻く環境を調査するためには、市場調査や顧客の研究、その領域の専門家へのインタビュー、競合他社のビジネスモデルのスケッチといった活動を組み合わせることになります。プロジェクトチームは、ビジネスモデルの「デザイン空間」を深く理解するために必要な素材や活動へとしっかりと取り組まなければなりません。

しかし、環境調査には、必然的に調査をしすぎてしまうリスクを伴っています。最初に、こうしたリスクがあることをチームに気づかせ、過度な調査を避けるという共通認識をもたせることを確実に行いましょう。早いタイミングで、ビジネスモデルのプロトタイピングを行うことによって、この「分析への麻痺」を回避できます（P160「プロトタイピング参照」）。これにより、すぐにフィードバックを収集できるのです。前述した通り、研究、理解、デザインは同時進行していくので、その境界線はあいまいです。

調査中、顧客への知識を得ていくプロセスは、細心の注意が必要な領域です。当たり前のようですが、特に技術に特化したプロジェクトでは、無視されることが多いです。顧客の共感マップ（P131参照）は、構造化された顧客調査を支援する強力なツールとして機能します。共通の課題は、顧客セグメントは、最初から必ずしもはっきりしているわけではないということです。「まだ解決すべき問題を探している」段階の技術は、いくつかの異なる市場で適用できるかもしれません。

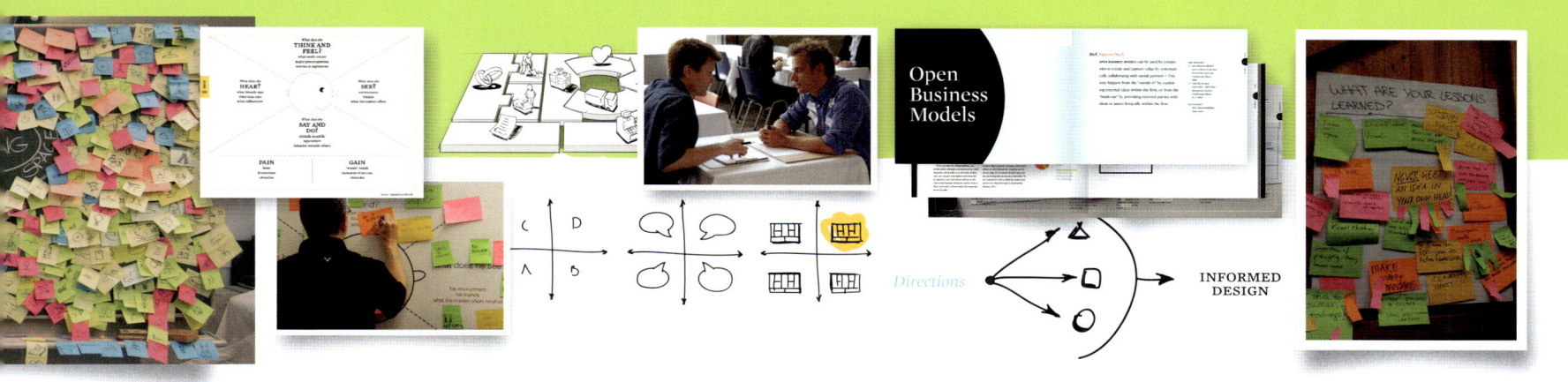

このフェーズで重要な成功要因は、業界の前提となっているビジネスモデルパターンに疑問を投げかけることです。ゲーム機業界では、Nintendo Wiiが一般に受け入れられるまで、最先端のゲーム機を利益を削って販売していました（P82参照）。この前提を疑い、スコット・アンソニーが『シルバーライニング』で指摘しているように、「ローエンド」市場での可能性を探求したのです。環境を調査し、市場動向、競合他社を評価するのと同じように、ビジネスモデルイノベーションの種もまた、どこでも見つけられるのです。

この理解のフェーズでは、顧客も含めたさまざまなソースからの積極的な情報インプットが必要になります。ビジネスモデルキャンバスのスケッチに関するフィードバックを募集して、ビジネスモデルの方向性を早期にテストしましょう。ただし、画期的なアイデアは、強い抵抗を引き起こす可能性もあることを心に留めておいてください。

既存企業の視点から取り組む

既存のビジネスモデルをマッピングし、評価する　既存の組織であれば、既存のビジネスモデルへの取り組みから始めます。理想は、現在のビジネスモデルのマッピングと評価を組織全体から集められたメンバーによるワークショップで行い、同時に、新たなビジネスモデルのためのアイデアや意見も集めることです。これにより、ビジネスモデルの強みと弱みについて複数の視点がもたらされ、新しいモデルの最初のアイデアも生まれるでしょう。

現状の枠組みを超えて観察する　現在のビジネスモデルとそのパターンにとらわれずに見ていくことは、特に困難なことです。なぜなら、現状というのは通常、過去の成功の結果であり、組織風土に深く組み込まれているからです。

既存の顧客ベースを超えて探索する　収益を生み出す新しいビジネスモデルを模索するとき、既存の顧客ベースにこだわらずに、収益機会を探していくことが重要です。明日の潜在的な収益は、他の場所あるかもしれないからです。

進捗を報告する　分析をやりすぎると、生産性が低いと認識されて上級マネジメントからのサポートを失う危険性があります。顧客インサイトについて記述したり、調査に基づくビジネスモデルスケッチを見せるなどして、進捗を報告しましょう。

❶ ❷ **❸** ❹ ❺

デザイン

ビジネスモデルの選択肢を考え、評価し、最善のものを選ぶ

活動

- ブレインストーミング
- プロトタイプ
- テスト
- 選択

重要な成功要因

- 組織横断的に集まった人々との共創
- 現状を超えて考える能力
- 複数のビジネスモデルアイデアを探索する時間をとる

主な危険性

- 大胆なアイデアを排除、抑圧してしまう
- アイデアに簡単に惚れ込んでしまう

デザインフェーズでの課題は、大胆な新しいアイデアを生み出し、こだわっていくことです。幅広い思考は、ここでは重要な成功要因となります。画期的なアイデアを生み出すために、チームのメンバーは、現状（現在のビジネスモデルやパターン）を放棄する能力を身につける必要があります。探索に重点をおいたデザイン精神もまた、重要です。複数のアイデアを探求する時間を、しっかり取る必要があります。なぜなら、異なる方法を探すプロセスこそが、最善の選択肢にたどり着く、最も可能性の高い方法だからです。

早いタイミングで、あるアイデアと「恋に落ちる」ことは避けてください。複数のビジネスモデルのオプションを考えるには、それなりに時間がかかるからです。たとえば、別のパートナーシップモデルを採用すれば、別の収益の流れを模索し、複数の流通チャネルを探っていくことになります。新たな可能性を探求しテストするためにも、異なるビジネスモデルのパターン（P52参照）も試してください。

外部の専門家や将来のクライアントへビジネスモデルをテストするには、それぞれの立場でのストーリーを作り、フィードバックを求めます。これは、一人ひとりのコメントに応じてモデルを変更しなければならないということではありません。批判的なフィードバックも聞くことになりますが、それは潜在的な障害をあらかじめ示してくれるものです。さらなる探求によって、モデルを洗練していくことができます。

1990年代後半、バングラデシュの貧しい農村の住民に携帯電話を導入しようとしたイクバル・クアディールの探求は、絶好の例でしょう。業界の専門家のほとんどは、貧しい村人に携帯電話に支払うお金はないと言って、彼の考えを否定しました。しかし、マイクロファイナンスを行うグラミン銀行との提携がビジネスモデルの基礎となり、専門家の意見に反して、実際には貧しい村人たちは携帯電話に喜んでお金を払い、グラミンフォンはバングラデシュ最大手の電話会社となりました。

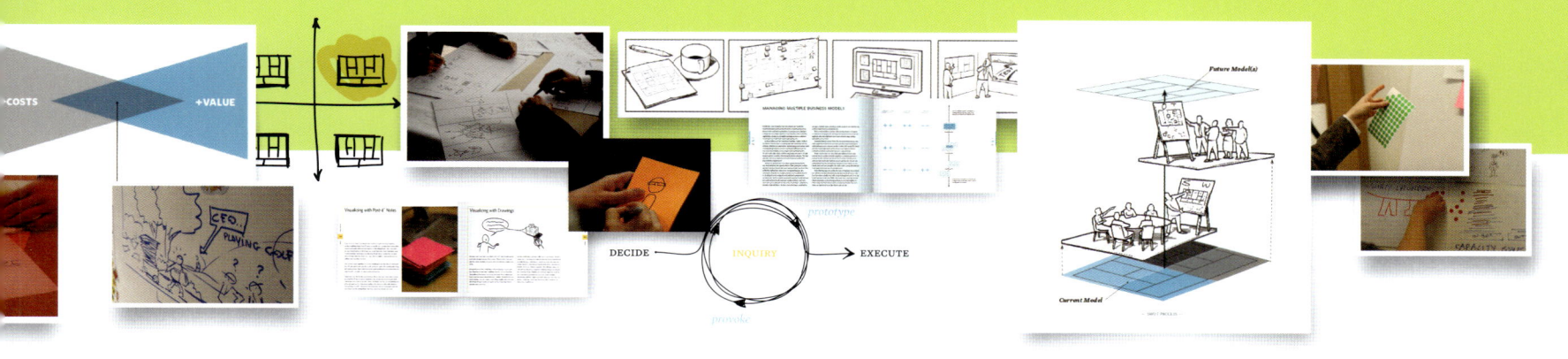

既存企業の視点から取り組む

大胆なアイデアを丸くしない　既存の組織は、大胆なビジネスモデルのアイデアを排除してしまう傾向があります。アイデアの大胆さを守りながら、同時に、実行する際に障害に直面しないようにすることが課題です。

この微妙なバランスを達成するためには、各モデルのリスクとリターンの内容を描いてみるといいでしょう。ここには、利益や損失についてどんな可能性があるのか、既存のビジネスユニットと競合する可能性はあるのか、ブランドにどのような影響を与える可能性があるのか、既存の顧客はどう反応するだろうか、などの質問が含まれます。このアプローチでは、各モデルに存在する不確実性を明確にし、対処することができます。モデルが大胆なものになればなるほど、不確実性のレベルはより高まります。関連する不確定要素（たとえば、新しい価格メカニズム、新しい販売チャネル）を明確に定義できれば、そのモデルがどのように振る舞うか予測するために、プロトタイプを作り、市場でテストすることができます。

参加型デザイン　大胆な発想が選ばれ、実行されるためのもうひとつの方法は、デザインチームをオープンなものにすることです。さまざまな事業部、異なるレベルの組織階層の人、異なる専門分野の人々と一緒にチームを作ってください。組織全体からのコメントや懸念を統合することで、デザインは実行に伴う障害をあらかじめ回避することができます。

新旧の対立　大きなデザイン上の課題は、新旧のビジネスモデルを分離すべきか、ひとつに統合すべきなのかということです。正しい選択をすることは、成功するかどうかに大きく影響します（「複数のビジネスモデル管理」はP232を参照）。

短期的な視点を避ける　避けなければならないこととして、短期的な視点によって、初年度に大きな収益を期待できるアイデアに注目してしまうことがあげられます。大企業は特に、大きな絶対的な成長を体験しています。年間売上高50億ドルの企業は、4％の緩やかなペースでの成長であっても、2億ドルの新しい収益を生み出せます。画期的なビジネスモデルで、初年度からそれほどの収益を得ることは、ほとんどありません（2億ドル稼ぐには、125ドルの年会費を払う160万人の新規顧客の獲得が必要になります）。そのため、新しいビジネスモデルを模索するときには、より長期的な視点が必要になります。そうでなければ、将来の成長機会を逃す可能性があります。Googleが初年度に獲得した収益がどれくらいだったか想像してみてください。

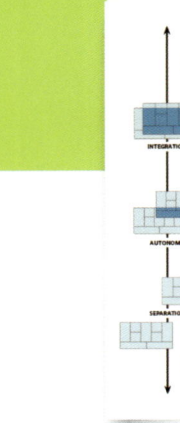

❶ ❷ ❸ ❹ ❺
実行する
ビジネスモデルのプロトタイプを
実際に実行する

活動

- コミュニケーションと巻き込み
- 実行

重要な成功要因

- 優れたプロジェクトマネジメント
- ビジネスモデルの速やかな適応能力と意欲
- 新旧のビジネスモデルを連携する

主な危険性

- 勢いが弱かったり、衰退してしまう

本書では、革新的なビジネスモデルの理解と開発にフォーカスしていますが、同時に、既存の組織の中で、新たなビジネスモデルを実行する上での提案もしたいと思います。

最終的なビジネスモデルデザインが完成したら、今度は実行デザインへと翻訳を始めます。ここには、関連プロジェクトの定義、マイルストーンの指定、法制度の整備、詳細な予算とロードマップの準備などが含まれます。実施段階では多くの場合、ビジネスプランの中に概要が示され、プロジェクトマネジメントの文書に項目別に説明されます。

特に注意が必要なのは、不確実性をどのように管理するかということです。このためには、リスクと報酬の期待値が、実際の結果に比較してどのように推移しているか、詳しく計測することになります。これはまた、市場からのフィードバックにあわせて、迅速にビジネスモデルを適応させる開発メカニズムでもあります。

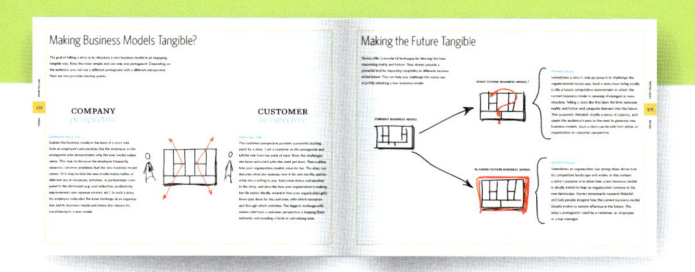

たとえば、Skypeが成功し、毎日の数万もの新規ユーザーがサインアップされ始めたとき、すぐにユーザーからのフィードバックや苦情をコスト効率のよい方法で処理するための仕組みを開発しなければなりませんでした。そうしなければ、コストは跳ね上がり、ユーザーの不満に足をすくわれることになったはずです。

既存企業の視点から取り組む

積極的に「障害物」を管理する　新しいビジネスモデルの成功の可能性を高める、最も重要な要素が、実際に実行するずっと前に存在します。それがリソースの結集、理解、およびデザインの段階で、組織全体から参加してもらうことです。このような参加型アプローチによって、プランを実行する前に障害を発見することができます。この組織横断的な参加によって、実行のロードマップを描く前に、新しいビジネスモデルに関するあらゆる懸念に対処することができるのです。

プロジェクトのスポンサーシップ　成功の第2の要素は、プロジェクトのスポンサーの持続的かつ目に見える支援であり、ビジネスモデルデザインの取り組みについての重要性と正当性の表明にあります。この2つの要素は両方とも、既得権益の側から、新しいビジネスモデルの足を引っ張らせないためにも、不可欠です。

新旧ビジネスモデルの対立　第3の要素は、新しいビジネスモデルに適した組織構造をつくることです（「複数のビジネスモデル管理」P232を参照）。独立した組織にすべきでしょうか、もしくは親会社の1事業にすべきでしょうか。既存のビジネスモデルとリソースを共有できるでしょうか。また、親会社の組織文化を継承するでしょうか。

コミュニケーションのキャンペーン　最後の要素として、新しいビジネスモデルを伝えるための社内キャンペーンの実施があります。これは、ビジュアルをふんだんに使い、複数のチャネルを使って行われます。これにより、組織内の「新しいものへの恐怖」への反論ができます。前述したように、物語やビジュアライゼーションは、新たなビジネスモデルの理論的根拠を理解するのに役立つ、魅力的で強力なツールです。

Canvas

⑤ 管理する
ビジネスモデルを市場の反応に合わせて調整する

活動
- 環境調査
- 継続的なビジネスモデル評価
- モデルの活性化と再考
- 企業全体のビジネスモデルの連携
- モデル間のシナジーと競合の管理

重要な成功要因
- 長期的な視点
- 先手を打つ
- ビジネスモデルの統治

主な危険性
- 自身が成功の犠牲者となる
- 適応に失敗

成功している組織では、新しいビジネスモデルの創造や、既存のモデルの再考は、1回限りでは終わらない、継続的な活動です。この管理のフェーズでは、外部要因によって長期的にどのような影響を受けるのかを理解するために、継続的にモデルを評価し、環境を調査していきます。

組織戦略チームの少なくともひとりは、ビジネスモデルの長期的な進化についての責任を負うべきです。ビジネスモデルを評価するため、クロスファンクショナルチームとの定期的なワークショップの開催も検討しましょう。ビジネスモデルについて、調整や見直しを判断するのに役立ちます。

ビジネスモデルの改善について、トップマネジメントだけが夢中になるのではなく、従業員が毎日頭を悩ましていることが理想です。新たなビジネスモデルのアイデアはしばしば、組織の思ってもみない場所から生まれるからです。

市場の進化に対して、積極的に対応することもまた、重要性を増しています。ビジネスモデルの「ポートフォリオ」を管理することも意識してください。成功したビジネスモデルの寿命が急速に短くなっている現在、継続的なビジネスモデル創造の中に生きていると言ってもよいでしょう。伝統的な製品ライフサイクル管理と同様、未来の市場の成長モデルと、現在、現金を生み出しているビジネスモデルをどう置き換えるか、考え始める必要があります。

デルは、受注生産の形態やオンラインでのダイレクト販売を導入することで、PC業界に波乱を起こしました。その成功によりデルは、長年にわたり業界リーダーとして成長してきました。しかし、その破壊的なビジネスモデルを再考することに失敗しました。今では、業界の状況も変わってしまい、デルはコモディティ化してしまったPC市場で立ち往生するリスクを抱えています。一方、他の場所で生まれた成長と利益の機会から、外れてしまっているのです。

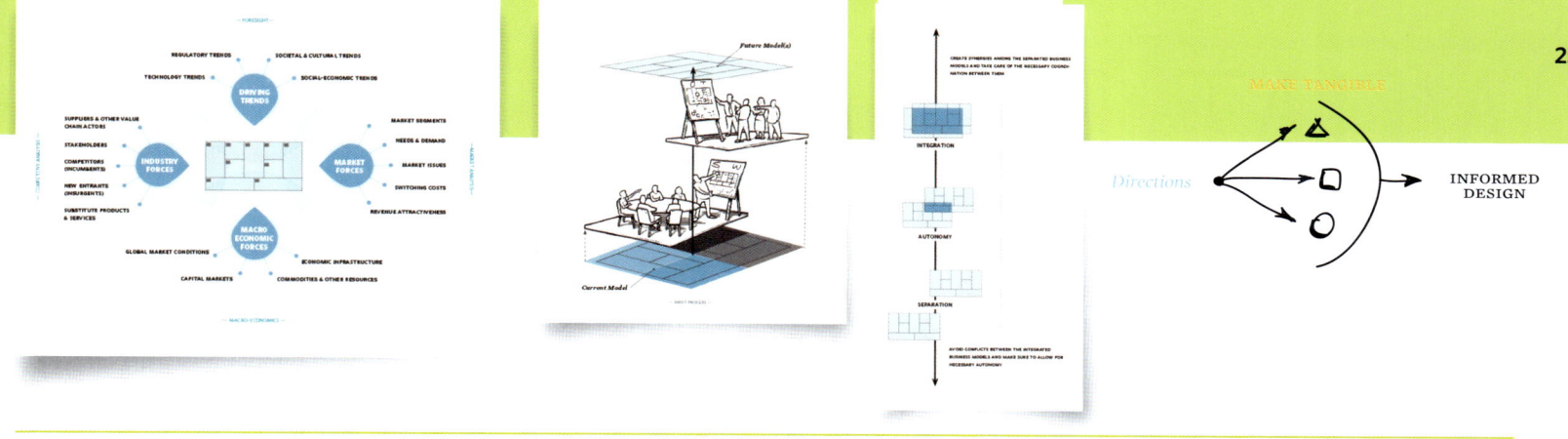

既存企業の視点から取り組む

ビジネスモデルのガバナンス　企業全体でビジネスモデルを管理する「ビジネスモデルのガバナンス」の権限をもつ機関の設立を検討しましょう。この部署の役割は、関係者を束ね、イノベーションやリデザインのプロジェクトを立ち上げ、ビジネスモデルの進化を全体的に把握することにあります。そこでは、企業全体を記述したビジネスモデルの「マスター」の管理も行います。このマスターテンプレートは、組織内のビジネスモデルプロジェクトの出発点として役立ちます。マスタービジネスモデルはまた、オペレーション、製造、営業販売といった異なる機能を持ったグループが、組織の包括的な目標に沿って連携するのにも役立ちます。

シナジーと競合の管理　ビジネスモデルガバナンスを行う機関の主な仕事のひとつが、シナジーを活用し、競合を回避するため、ビジネスモデル同士を連携させることです。組織内のビジネスモデルを記述したキャンバスドキュメントによって、全体像を浮かび上がらせ、より良い連携を実現できるでしょう。

ビジネスモデルポートフォリオ　すでに成功を収めた企業は、積極的にビジネスモデルの「ポートフォリオ」を管理する必要があります。音楽、新聞、自動車産業における成功企業の多くは、積極的なビジネスモデルの検査を怠り、結果として危機に陥りました。こうした運命を避けるための有望なアプローチは、収益を上げているビジネスから、未来のビジネスモデルの実験へ資金投入するようなビジネスモデルポートフォリオを開発することです。

初心に返る　初心に返ることで、成功の犠牲者にならずにすみます。状況を常に調査し、継続的にビジネスモデルを評価する必要があります。モデルを定期的に新鮮な目で見直してみましょう。考えているよりも早い段階で、成功したモデルを全面的に見直す必要があります。

WHAT ELSE?

ほかには？

プロトタイピングは、この本で提供されたツールの中でも最も重要な部分です。

確立された組織は、自分のビジネスモデルを革新するプロセスに直面して、ストレスや抵抗を感じています。したがって、巻き込んでいくプロセスをつくるためにも、プロトタイピングが非常に強力な戦略となるのです。

テリエ・サンド／ノルウェー

組織がビジネスモデルの改善に目を向けるのは、ギャップがあるときです。

現在のビジネスモデルを可視化することで、論理的なギャップの存在を示すことができ、やるべきことも具体化できます。

ラヴィラ・ホワイト／米国

歴史ある企業においては、現行のビジネスモデルに適合しないという理由から真剣に考慮されない、十分現実的な「製品のアイデア」が存在します。

ゲルト・スティーンズ／オランダ

最初に出たアイデアにこだわってはいけません。

オリジナルのコンセプトをフィードバックループの中で組み立てていき、問題があると早期に気づいたら、必要に応じて大胆に変更しようとすることです。

アーウィン・フィルト／オーストラリア

保険を逆さにしたものとしてのフリーミアムビジネスモデル！なんと洞察に富んでいるのだろう。他のモデルも逆さにしてみたい！

ビクター・ロンバルディ／米国

ビジネスモデルは、「コアコンテンツ」または会社の**「ショートストーリー」**です。ビジネスプランは「行動指針」もしくは「長編物語」です。

フェルナンド・サエスマレロ／スペイン

その価値が、寄付、会員制などに由来するものであっても、ビジネスモデルによって実際に価値を生み出さなければならないということを、非営利組織と仕事をするときにはまず、伝えるようにしています。

キム・コーン／米国

エンドユーザーの観点から、最終地点を意識して始めましょう。

カール・バロウ／日本

ビジネスモデルキャンバスをつくるのは取るに足らないことです。しかし、他の産業で画期的なイノベーションを生み出したツールを使うことは、革新的なビジネスモデルをつくるために役立ちます。

エレン・ディ・レスタ／米国

アラヴィンドは、インドの貧しい人々へ無料の眼科手術を可能にするために、フリーミアムビジネスモデルを使用しています。ビジネスモデルイノベーションは、実際に効果を上げています！

アンダース・サンデリン／スウェーデン

戦略のコンセプトをマネージャーが理解しても、組織のレベルでは、その適用に苦労しているのを知っています。

しかし、ビジネスモデルについて議論することで、高いレベルのコンセプトが日々の意思決定へとつながります。これは重要な中間地点なのです。

ビル・ウェルター／米国

ペルソナ、シナリオ、ビジュアライゼーション、共感マップなどは、私がユーザエクスペリエンスのプロジェクトで1990年代後半から使用しているテクニックです。ここ数年、戦略やビジネスレベルでも非常に有効であることが分かってきました。

エリク・V・ジョンセン／ノルウェー

現在、人類の抱える問題を解決するには、どのような価値を誰のために生み出すかを再考する必要があり、ビジネスモデルイノベーションは、その新しい考えを整理し、伝え、実行するための最高のツールです。

ナビル・ハーフォシュ／カナダ

キャンバスを使って、技術アイデアをどのようにモデルへと統合していくのかに興味があります。これまで、ファイナンスとは別のレイヤーとして加えることを検討してきましたが、現在は9つの構築ブロックへの注意事項として統合することで解決しました。このように、私たちは一歩下がって、別々に統合技術計画を策定しています。

ロブ・マンソン／オーストラリア

ビジネスモデルは、ビジネスそのものではありません。

それは次に何をすべきか理解するための調査方法です。テストと反復が重要です。

マシュー・ミラン／カナダ

マルチサイドプラットフォームは、ビジネスモデルのレベルでは、実際、かなり簡単です。しかし、実行が難しい。「助成するサイド」を惹きつけ、両サイドでの価格を設定し、垂直や水平へと統合し、市場の両サイドの規模に合わせてビジネスモデルを変更していくことになります。

ハンパス・ヤコブソン／スウェーデン

ビジネスモデルイノベーションは、創造性と構造的アプローチの良いところを併せ持ったものです。

ジヴ・バイダ／オランダ

私のクライアントの多くは、ビジネスモデルの全体像を把握しておらず、当面の問題にだけ対処する傾向があります。ビジネスモデルキャンバスは、なぜ、誰が、何を、いつ、どこで、どのように、といったことを明確にするフレームワークを提供してくれます。

パトリック・ヴァン・アベマ／カナダ

ビジネスをデザインし、組織のエンジンフードの下でいじくり回すツールという考えが大好きです。

マイケル・アントン・ディーラ／カナダ

数千ものビジネスモデルが調査され、そのビジネスモデルに、さらに**多くの人**が**興味**をもっているのです。

スティーブン・デヴィジャー／ベルギー

このシンプルさは、パターンを説明するためだけでなく、ビジネスイノベーションの専門家でない人も巻き込むためにも非常に重要です。

ヘルトヤン・ヴァーストープ／オランダ

欠陥のある、不適切なビジネスモデルを持つ企業で、私はあまりに長期間、一生懸命に働いてきました。

リットン・ヘ／中国

ビジネスモデルという用語は多用されていますが、その多くは、単に財政的、収益的な面からだけから見た、不完全な理解にとどまっています。

リヴィア・ラベート／米国

ビジネスモデルイノベーションは、持続的な収益成長、経済的な発展、新しい「市場」と「産業」を生み出すための、

使用頻度は低いが、最も強力な方法

の一つです。

デボラ・ミル・スコフィールド／米国

Outlook

展望

ビジョナリーやイノベーター、挑戦者たちが、ビジネスモデルという重要な問題にどのように取り組めばよいかをこの本で示せたのではないかと思っています。そして革新的で競争力のある新しいモデルをデザインするために必要な言語、ツール、テクニック、ダイナミックなアプローチを提供できたのではないかと思っています。しかし、その多くはよく述べられているものです。そこでここでは、この本ならではの価値につながる5つのトピックについて触れたいと思います。

最初は、収益を超越したビジネスモデルの検証です。すなわち、キャンバスを使って、公共および非営利セクターでのビジネスモデルイノベーションをどのように進めるかについて検証します。2つ目は、コンピュータを使ったビジネスモデルデザインによって、紙ベースのアプローチを拡張し、ビジネスモデルの要素の複雑な操作を可能にすることを見ていきます。3つ目はビジネスモデルとビジネスプランとの関係を説明します。4つ目は、ビジネスモデルを実行する際に発生する問題を指摘します。そして最後のトピックでは、ビジネスモデルとITの連携をいかに実現するかを検討していきます。

収益を超越した非営利ビジネスモデル

キャンバスで起用されるのは何も、営利団体のみに適用されるわけではありません。非営利団体、慈善団体、公的機関、およびソーシャルベンチャーにも、簡単にその技法を適用することができます。

あらゆる組織は、たとえ「ビジネス」という定義がされていないものでも、必ずビジネスモデルを持っています。組織が生き残るためには、価値を創造し、提供することによって、その費用をカバーするだけの収益を生み出す必要があるからです。異なるのは、単にフォーカスだけです。営利事業の目標は収益の最大化であり、一方、以下で説明する組織では、環境問題、社会問題、および公共サービスに焦点を当てた、収益以外の任務を持っています。こうした組織には「エンタープライズモデル」という用語を適用するよう、優れた起業家であるティム・クラークは提案しています。

収益を超越したモデルについて、2つのカテゴリーに分けようと思います。ひとつは、第三者の資金援助によって運営されるエンタープライズモデル（例：慈善活動、慈善事業、政府）と、環境問題や社会問題への強い使命をもつ、いわゆるトリプルボトムラインのビジネスモデル（「トリプルボトムライン」とは、環境や社会問題だけでなく、ファイナンス上の問題にも関わるということを意味しています）です。この2つは、収入源の違いによって区別されますが、直接的な結果として、2つの非常に異なるビジネスモデルのパターンを持っています。多くの組織は、両方の長所を利用するため、2つのモデルを混ぜ合わせています。

第三者出資型モデル

このタイプの企業モデルにおいては、製品やサービスを受ける人が支払いをするわけではありません。寄贈者や公共セクター等の第三者によって支払われます。この第三者はミッション遂行のために組織へ支払うわけですが、このミッションは社会的なもの、エコロジーに関するもの、公共サービス的な性格をもったものになります。たとえば、政府（と間接的には納税者）は、教育サービスを提供するために、学校へ資金を投入します。これと似たようなものに、イギリスの大きな非営利団体Oxfamへの寄付があります。Oxfamは、貧困や社会問題を根絶するために資金援助する団体です。同じように第三者が資金を提供するという特徴をもつ広告ビジネスモデルでの広告主とは異なり、この場合、第三者は、この取引によって直接の経済的な便益を求めてはいません。

第三者出資型の企業モデルのリスクは、価値を生み出そうとする動機がちぐはぐなものになりやすいということです。資金提供する第三者は主要な「顧客」となり、一方でそのサービスを受ける人は、単なる受け取り手となってしまいます。組織の存続は寄付によるものなので、受け取り手のために価値を生み出していこうという動機よりも、寄贈者への価値のほうに注意が向いてしまいがちです。

これは一概に、第三者出資型の企業モデルが悪く、受容者がお金を払うビジネスモデルが素晴らしいという話ではありません。従来のビジネスライクな製品、サービス販売が常に機能するとは限りません。教育、医療、公益事業などはそのよい例です。動機がちぐはぐになるという第三者出資型のエンタープライズモデルにまつわる疑問に対して、単純な答えはありません。どのモデルが理にかなっているかを探求し、最適解をデザインできるよう努力しなければなりません。

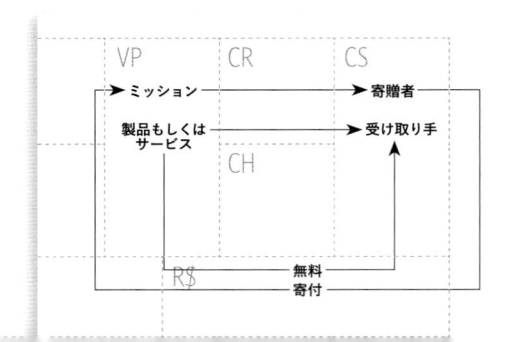

バングラデシュの村人は貧しく電話を購入できなかったので、グラミンフォンは、グラミン銀行のマイクロファイナンス機関と提携し、携帯電話を購入するためのマイクロローンを、地元の女性に提供しました。女性は、自分の村で通話サービスを販売することで収入を得てローンを返済し、社会的地位を向上させました。

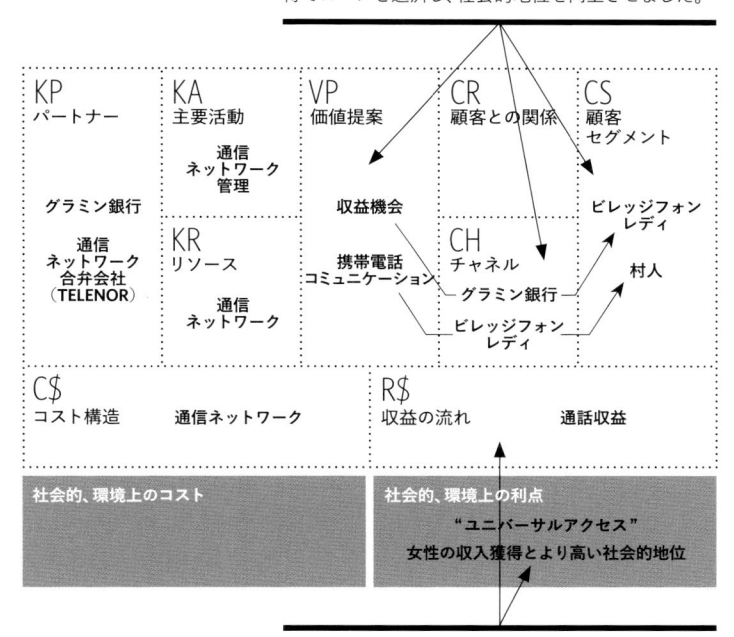

KP パートナー	KA 主要活動	VP 価値提案	CR 顧客との関係	CS 顧客セグメント
グラミン銀行　通信ネットワーク合弁会社（TELENOR）	通信ネットワーク管理　KR リソース　通信ネットワーク	収益機会　携帯電話コミュニケーション	CH チャネル　グラミン銀行　ビレッジフォンレディ	ビレッジフォンレディ　村人
C$ コスト構造　通信ネットワーク		R$ 収益の流れ　通話収益		
社会的、環境上のコスト		社会的、環境上の利点　"ユニバーサルアクセス"　女性の収入獲得とより高い社会的地位		

グラミンフォンは、電話サービスを全域に普及させ、収益を上げました。また、電話販売する「ビレッジフォンレディ」たちに、収益の機会と社会的地位をもたらし、社会的な影響を与えました。

この時代の大きな問題を解決するには、大胆なビジネスモデルが必要です

トリプルボトムライン型ビジネスモデル

前に、ニューヨークの投資銀行家であるイクバル・クアディールが、グラミンフォン設立のためにとった方法について紹介しました。彼の目標は、彼の母国であるバングラデシュの農村部において、誰もが電話サービスを使えるようにするというものでした。彼は、営利モデルによって、その目的を達成し、バングラデシュの農村に大きな影響を与えました。グラミンフォンは最終的に、農村部にいる20万の女性に収入獲得の機会を提供し、彼女らの社会的地位を上げ、携帯電話ネットワークによって60,000の村をつなぎ、ユーザーは1億人に達し、利益を生み出した結果、バングラデシュ政府の最大の納税者となったのです。

　トリプルボトムライン型ビジネスモデルに対応するために、次の2つの結果を示す構築ブロックを加えることでキャンバスを拡張します。すなわち、（1）ビジネスモデルの社会的、環境上のコスト（マイナスの影響）、およびビジネスの（2）社会的および環境上の利点（プラスの影響）です。費用を最小限に抑え、収益を最大化することによって利益を増やすように、トリプルボトムラインのモデルでは、マイナスの影響を最小限にし、プラスの影響を最大化しようとします。

コンピュータ支援システムを使ったビジネスモデルデザイン

大手金融グループのシニアビジネスアナリストのマイクがファシリテートする、24人の幹部からなるグループによる2日間のワークショップの初日を終えました。彼は、参加者が大きなキャンバスにスケッチしたビジネスモデルのプロトタイプとアイデアを集め、オフィスに急ぎました。

マイクと彼のチームは、そのアイデアをプロトタイプ開発のための協業プログラムに入力しました。海外で働く他のビジネスアナリストは、リソースと主要活動のコストの見積りだけでなく、潜在的な収益も計算し入力していきます。するとこのソフトウェアは、4つの異なるファイナンス上のシナリオを出してくれました。ワークショップ2日目の朝、マイクはその結果を伝え、各プロトタイプの潜在的なリスクと利点を議論します。

このシナリオはまだ実現してはいませんが、すぐに現実となるでしょう。大型ポスターに印刷されたビジネスモデルキャンバスと、大量のポスト・イットノートは、いまだに創造性を引き出すための最良のツールですが、コンピュータの助けを借りてさらに拡張することができるのです。

ビジネスモデルのプロトタイプをスプレッドシートへと入力するのは時間がかかり、ひとつでも変更すると手作業での調整が必要になります。コンピュータ支援システムを使えば、これが自動的に処理でき、素早くビジネスモデル全体のシミュレーションを行うことができます。さらに、コンピュータを使えば、作成、保存、操作、トラッキング、モデルの共有がずっと簡単に行えます。このようなコンピュータによるサポートは、地理的に離れたチームとの共同作業に、必須だと思えるはずです。

大陸間で共同して、飛行機をデザイン、シミュレートしたり、ソフトウェアを開発しているのに、ビジネスモデルではできないということはないはずです。新しいビジネスモデルの開発と管理に、マイクロプロセッサのスピードとパワーを活用してもよいころでしょう。革新的なビジネスモデルを発明することは、確かに人間の創造性を必要としますが、コンピュータ支援システムは、より高度で複雑な方法でビジネスモデルを操作するのに、役立つ可能性があります。

建築分野の例は、コンピュータの力を説明するのに役立ちます。1980年代、いわゆるコンピュータ支援設計（CAD）システムは手頃な価格となり、建築事務所へゆっくりと採用されていきました。CADにより、3次元モデルとプロトタイプの作成がずっと容易かつ安価に行えるようになりました。これにより、スピード、プロセスの統合、コラボレーションの改善、シミュレーションが可能になり、よりよいプランニングができるようになりました。また、何度も描き直したり、青写真を共有したりといった煩雑な手作業をなくすこともでき、3次元調査やプロトタイプといった、まったく新しい世界が開かれていく契機となりました。今日、紙ベースのスケッチとCADは、互いの強みと弱みを生かしながら、幸せに共存しています。

コンピュータ支援のビジネスモデルエディターのプロトタイプ：www.bmdesiner.com

ビジネスモデルの領域においても、コンピュータ支援システムによって、多くのタスクを簡単かつ迅速に行えるようになりますが、一方で、どのくらい使われるのかまだはっきりしません。しかし少なくとも、CADシステムは、ビジネスモデルをビジュアライズ、保管、操作、追跡、注釈、そしてコミュニケーションするのに役立っています。より複雑な機能としては、レイヤーやビジネスモデルのバージョンを操作したり、動的にビジネスモデルの要素を移動すること、またその影響をリアルタイムで評価するといった機能が考えられます。この洗練されたシステムによってビジネスモデルの批評が促進され、またビジネスモデルのパターンと既製の構築ブロックの小さなデータベースを構築できます。また、ビジネスモデルの分散型の開発、管理が可能となり、他のシステム（たとえば、ERPやビジネスプロセス管理）との統合も行えるでしょう。

　コンピュータ支援ビジネスモデルのデザインシステムは、おそらくインターフェイスの改良とともに進化していきます。壁サイズのタッチスクリーンでビジネスモデルを操作できるようになれば、直感的な紙ベースのアプローチに近くなり、ユーザビリティも向上するでしょう。

	紙ベース	コンピュータ支援
利点	・紙ベースのキャンバスは簡単に作成でき、どこでも使える ・紙ベースのキャンバスは特別なアプリケーションを習わなくても誰でも使える ・非常に直感的で、グループで参加しやすい ・大きな紙面を使うと、創造性を引き出し、アイデア創造のプロセスを刺激する	・ビジネスモデルの作成、保管、操作、追跡が容易 ・遠隔でのコラボレーションが可能 ・簡単にファイナンスなどのシミュレーションができる ・ビジネスモデルデザインのアドバイスができる 　（批評システム、ビジネスモデルデータベース、パターンアイデア、コントロールメカニズム）
応用	・ビジネスモデルを描いたり、理解したり、説明するためにナプキンにスケッチする ・ビジネスモデルアイデアを出すためにブレストのチームセッションをする ・ビジネスモデルをチームで評価する	・遠隔地のチームとビジネスモデルデザインを共同で行う ・ビジネスモデルの複雑な操作 　（ナビゲーション、ビジネスモデルのレイヤー、利益率のモデル） ・深い一貫した分析

ビジネスモデルとビジネスプラン

ビジネスプランの目的は、営利、非営利を問わず、そのプロジェクトがどのように実行できるかを記述し説明するものです。ビジネスプランには、潜在的な投資家や内部のステークホルダーに対して、プロジェクトを「売り込む」という動機が潜んでいることもあります。ビジネスプランはまた、実行するためのガイドとしても利用できます。

独自のビジネスモデルをデザインし熟考することは、強力なビジネスプランを書くための基盤になります。ビジネスプランには、チーム、ビジネスモデル、財務分析、外部環境、実行のロードマップ、リスク分析といった5つの項目に分かれます。

チーム
ビジネスプランの要素として、ベンチャーキャピタリストが特に強調するのが、マネジメントチームです。チームは知識、経験が豊富で、目的達成のために十分連携できているでしょうか。メンバーは、しっかりとした実績を持っているでしょうか。提案するビジネスモデルを構築、実行するための、適切なチームであることを強調します。

ビジネスモデル
この項目では、ビジネスモデルの魅力を紹介します。モデルをビジュアルで見せるために、キャンバスを使用してください。理想的には、要素を絵として描いてください。そして価値提案を記述し、顧客ニーズが存在することの証拠を示し、市場へリーチする方法を説明します。ぜひストーリーも使用してください。ターゲットセグメントの魅力を強調して、読者の興味を釘付けにしましょう。最後には、ビジネスモデルの構築と実行に必要なリソースと主要活動について記述します。

財務分析
財務分析は、昔から多くの人が注目する重要な項目です。あなたのキャンバスのブロックに基づいて試算を行い、獲得できる顧客数を推定します。損益分岐点分析、販売のシナリオ、運用コストなどの要素も含みます。設備投資の計算や、他の実行コストの見積もりにも、キャンバスは役立ちます。資金調達の要件は、総コスト、収益、キャッシュフロー予測に基づいて決定していきます。

外部環境
この項目では、外部環境に対して、ビジネスモデルがどのようなポジションを取るのかを説明します。4つの外部の力（P201参照）に基づき、記述していきます。ここで、あなたのビジネスモデルの競争優位性を要約します。

実行のロードマップ
この項目では、ビジネスモデルを実行するためにどうするのかを、読者に示します。プロジェクト全体の概要とマイルストーンが含まれています。ガントチャートを含むプロジェクトのロードマップによって、実行スケジュールを説明します。プロジェクトは、キャンバスから直接導き出すことができます。

リスク分析
最後に、重要な成功要因とともに、制約条件や障害を記述します。これらは、ビジネスモデルのSWOT分析（P216参照）から導き出せるでしょう。

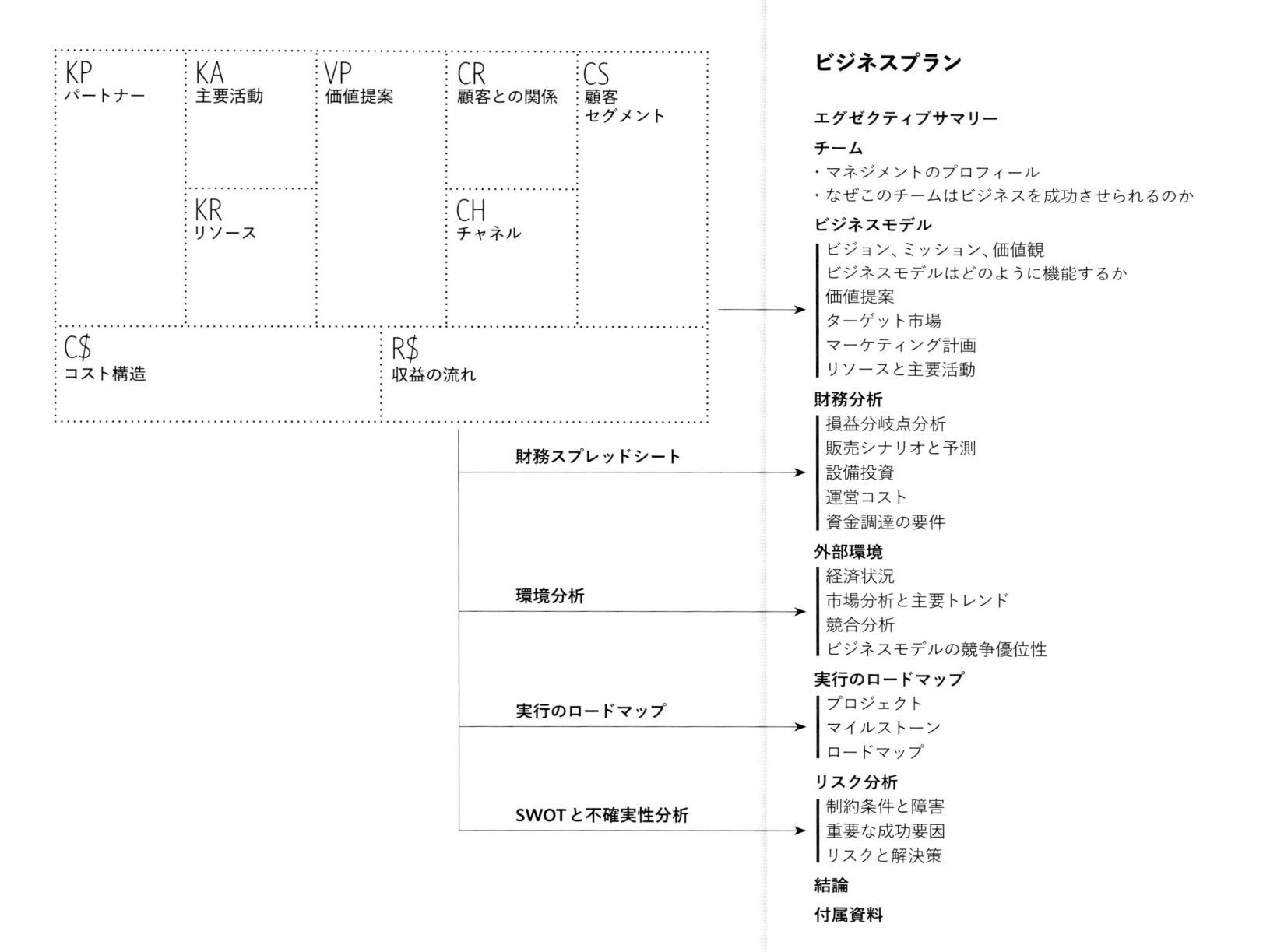

KP パートナー	KA 主要活動	VP 価値提案	CR 顧客との関係	CS 顧客セグメント
	KR リソース		CH チャネル	

| C$
コスト構造 | | R$
収益の流れ | | |

財務スプレッドシート →

環境分析 →

実行のロードマップ →

SWOT と不確実性分析 →

ビジネスプラン

エグゼクティブサマリー

チーム
・マネジメントのプロフィール
・なぜこのチームはビジネスを成功させられるのか

ビジネスモデル
| ビジョン、ミッション、価値観
| ビジネスモデルはどのように機能するか
| 価値提案
| ターゲット市場
| マーケティング計画
| リソースと主要活動

財務分析
| 損益分岐点分析
| 販売シナリオと予測
| 設備投資
| 運営コスト
| 資金調達の要件

外部環境
| 経済状況
| 市場分析と主要トレンド
| 競合分析
| ビジネスモデルの競争優位性

実行のロードマップ
| プロジェクト
| マイルストーン
| ロードマップ

リスク分析
| 制約条件と障害
| 重要な成功要因
| リスクと解決策

結論

付属資料

組織におけるビジネスモデルの実行

これまで、ビジネスモデルイノベーションの基礎となるさまざまなパターンのダイナミクスについて説明し、モデルを発明、デザインするためのテクニックについて紹介してきました。当然、ビジネスモデルの成功に不可欠な実行のフェーズについても、触れておきたいことがたくさんあります。

すでに、複数のビジネスモデルを管理する方法については取り上げました（P232参照）。ここでは、実行に関して別の側面、すなわちビジネスモデルを持続可能な企業へと変えていく方法や、既存の組織でビジネスモデルを実現する方法を見ていきます。このことを説明するため、組織設計についてを提案したジェイ・ガルブレイスのスターモデルとキャンバスを組み合わせました。

ガルブレイスは、組織内で連携させるべき領域として、戦略、構造、プロセス、報酬、そして人々の5つを指定しました。そしてその5つの領域を持つ「重力の中心」として、ビジネスモデルをスターの中央に配置しました。

戦略

戦略は、ビジネスモデルを動かすものです。新しい市場セグメントで20%の成長を達成したいですか。それならば、新しい顧客セグメント、チャネル、主要活動などにおいて、ビジネスモデルに反映されなければなりません。

構造

実行組織の構造は、ビジネスモデルの特徴に基づいて決定されます。ビジネスモデルによって、高度に集中化するのか、もしくは分散型の組織構造にするのかが決まります。既存のビジネスにおいてビジネスモデルを実行する場合にも、その新しい運営には、統合されるべきか、スピンオフされるべきか、考えなければなりません（P233参照）。

プロセス

異なるビジネスモデルでは、異なるプロセスを必要とします。低コストのビジネスモデルの下でのオペレーションは、無駄のない、高度に自動化されたものになります。高付加価値の機器を販売するためには、品質管理プロセスを非常に厳格なものにする必要があります。

報酬

異なるビジネスモデルでは、報酬システムも異なるものが必要です。正しいことを行う労働者をやる気にさせる、適切なインセンティブが使われなければならないのです。新規顧客を獲得するために直接販売する力が必要であれば、報酬システムは、成果報酬思考のものになるでしょう。顧客満足に大きく依存しているのであれば、顧客への献身度合いを反映する必要があります。

人々

特定のビジネスモデルは、特定の考え方を持つ人々を必要とします。たとえば、市場に製品やサービスを導入するため、起業家のメカニズムが必要になったとします。このようなモデルでは、従業員に大幅な裁量権を与えるべきですし、それは同時に、積極的で信頼の置ける、前例にとらわれない人を活用するべきだということを意味します。

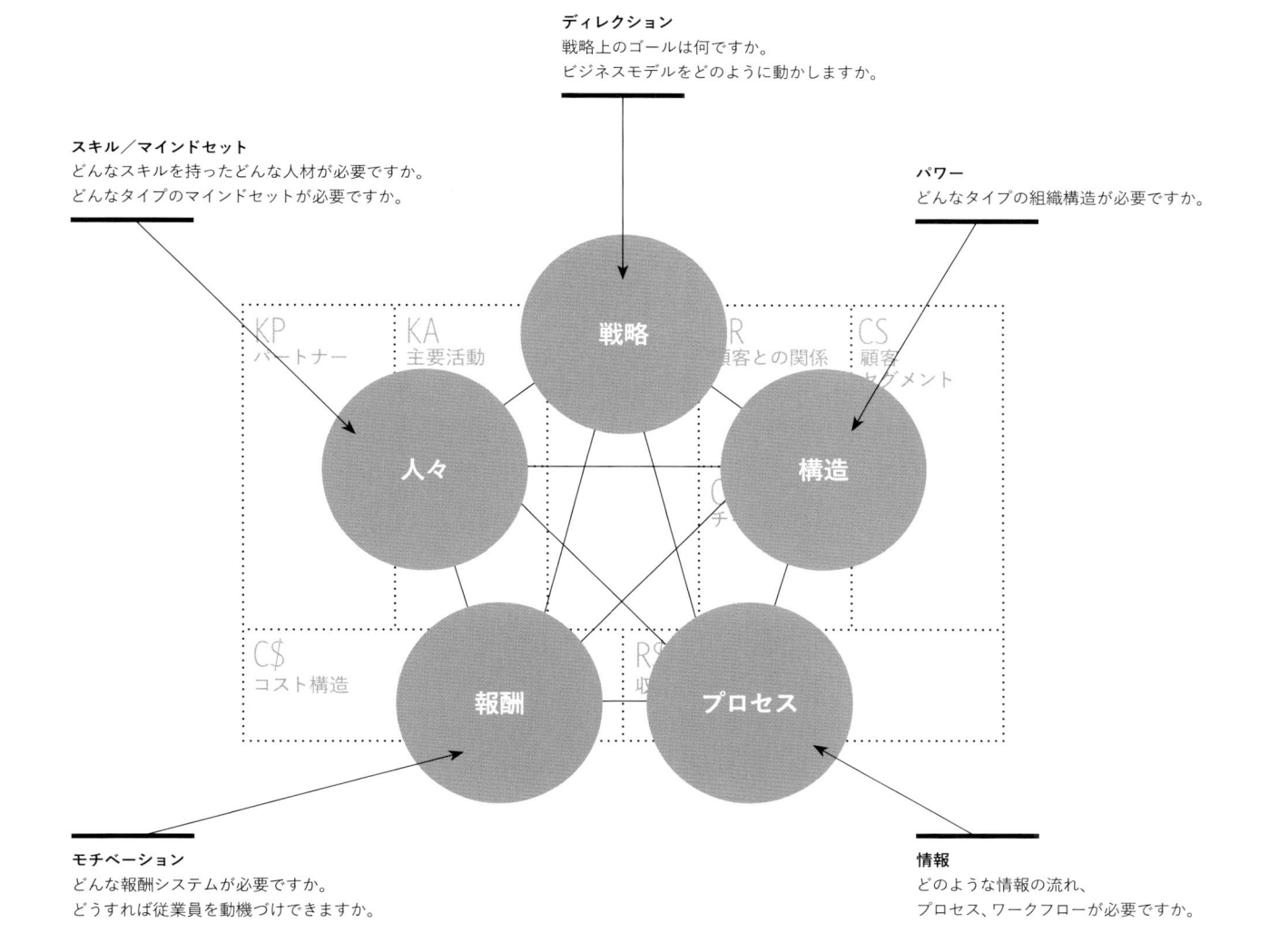

ディレクション
戦略上のゴールは何ですか。
ビジネスモデルをどのように動かしますか。

スキル／マインドセット
どんなスキルを持ったどんな人材が必要ですか。
どんなタイプのマインドセットが必要ですか。

パワー
どんなタイプの組織構造が必要ですか。

モチベーション
どんな報酬システムが必要ですか。
どうすれば従業員を動機づけできますか。

情報
どのような情報の流れ、
プロセス、ワークフローが必要ですか。

ITとビジネスの連携

情報システムをビジネスのゴールへと連動させることは、企業の成功に欠かせません。CEOであれば誰しも、最高情報責任者（CIO）へ次のように尋ねるでしょう。適切なITの仕組みをもっているだろうか。どうやってそれを知るのだろうか。どうすればビジネスと技術システムを連携させられるだろうか。

IT調査・アドバイザリー企業であるガートナーは、「適切なITを実装する：ビジネスモデルの利用」と呼ばれる報告書で、こうした論点を強調しています。そして、ビジネスモデルキャンバスは、経営の細かなところに囚われることなく、ビジネスがどのように機能しているか素早く把握できる強力なツールであると断言しました。ガートナーは、ITとビジネスプロセスを連携させるために、CIOたちにビジネスモデルキャンバスを使うことを勧めています。戦術的な問題に深く立ち入りすぎることなく、ビジネスとITについて、戦略的な方針に基づく意思決定に役立つからです。

そこでキャンバスを、エンタープライズアーキテクチャのアプローチと組み合わせると便利だということに気づきました。エンタープライズアーキテクチャでは企業を、ビジネスの視点、アプリケーションの視点、技術の視点という3つの視点から説明しています。キャンバスは、ビジネスの視点を導くために利用し、その後、アプリケーションや技術の視点へと連動させていくといいでしょう。

アプリケーションの視点からは、ビジネスモデルを利用するアプリケーションについて説明し（リコメンデーションシステム、サプライチェーン管理アプリケーションなど）、ビジネスモデルが扱う情報の要件を記述していきます（顧客プロファイル、倉庫など）。また、技術の視点からは、ビジネスモデルを動かしている技術インフラストラクチャについて説明します（サーバーファーム、データストレージシステムなど）。

著者のウェイルとヴィターレは、IT連携を探求する、別の興味深い方法を提案しています。ITインフラサービスのカテゴリとビジネスモデルを組み合わせたのです。すなわち、アプリケーションインフラ、通信管理、データ管理、IT管理、セキュリティ、ITアーキテクチャ、チャネル管理、IT研究開発、ITトレーニングと教育といったITカテゴリと、ビジネスモデルとの連携を提案しています。

次のページでは、ビジネスとIT連携に関する基本的な問題提起をしやすいように、こうした要素を図版へとまとめてみました。

KP パートナー	KA 主要活動	VP 価値提案	CR 顧客との関係	CS 顧客セグメント
	KR リソース		CH チャネル	

| C$ コスト構造 | | | R$ 収益の流れ | |

戦略
ビジネスモデル
運営モデル

ビジネス

アプリケーション

テクノロジー

ビジネスモデルが必要とするプロセスやワークフローを、ITがどのようにサポートできるか。

ビジネスモデルを改善するため、どんな情報を捉え、保存、共有し、管理する必要があるだろうか。

アプリケーションは、ビジネスモデルのダイナミクスをどのように活用するだろうか。

ITアーキテクチャ、基準、インターフェースの選択は、ビジネスモデルをどのように制限するだろうか、活用するだろうか。

どの技術インフラがビジネスモデルの成功にとって必要であり、また極めて重要だろうか（サーバファーム、コミュニケーションなど）。

ビジネスモデルのどこで、セキュリティが重要な役割を果たしていて、またどのようにITへ影響するか。

活用するために、ITトレーニングと教育への投資が必要だろうか。

ITの研究開発への投資が、将来、ビジネスモデルを改善してくれるだろうか。

WHERE DID THIS BOOK COME FROM?

この本はどのようにできあがったか

コンテクスト

2004年、アレックス・オスターワルダーは、ビジネスモデルイノベーションに関する論文で、スイスのHECローザンヌ校イヴ・ピニュール教授のもとで博士号を取得。2006年、論文に書いたアプローチを、特に3Mやエリクソン、デロイト、Telenor社などの企業について、アレックスのビジネスモデルブログをもとに、世界中で適用し始めました。オランダのパトリック・バンデルパイルのワークショップでは、「**方法が書かれた本が、なぜないのだろう**」と問われ、アレックスとイヴは、挑戦することにしました。**しかし、戦略とマネジメントの本が毎年、無数に出版されている市場において、どうしたら目を引くことができるでしょうか。**

モデルを革新する

アレックスとイヴは、**革新的なビジネスモデルなしに、ビジネスモデルイノベーションについての本を書くことはできない**と考えました。出版社とのやり取りをやめ、初日から自分の著作を共有するためのオンラインプラットフォームであるHUBを立ち上げました。テーマに興味を持った人は、そのプラットフォームに有料で参加できます（会員制を維持するため、当初は10ドル、徐々に上がって243ドルとなっています）。こうした革新的な収益の流れによって、事前に本の制作資金を調達したこと自体、イノベーションだったのです。読者へより多くの価値を創造するために、従来の戦略やマネジメントの本で見られるフォーマットを分割し、視覚的に仕上げるための共同作業が行われ、演習やワークショップのヒントによって補完された本に仕上がりました。

主要な読者

ビジョンを持ちゲームを変えるような起業家、コンサルタント、経営者

執筆：
フランス・ローザンヌ

デザイン：
イギリス・ロンドン

編集：
米国・ポートランド

写真：
カナダ・トロント

プロデュース：
オランダ・アムステルダム

イベント：
アムステルダム、トロント

プロセス

アレックス、イヴ、パトリックからなるコアチームは、この本のビジネスモデルをスケッチするためのミーティングから、このプロジェクトを開始しました。世界中のビジネスモデルイノベーションの実践者とともに、この本を共同制作するために、HUBが立ち上げられました。THE MOVEMENT社のクリエイティブディレクターのアラン・スミスは、このプロジェクトについて話を聞くと、会社全体で支援してくれました。最後にHUBのメンバーであるティム・クラークが、編集者の必要性を理解して、コアチームに参加しました。このグループは、ビジネス上の問題を解決するためにビジュアルシンキングを活用している企業JAMによって、完成します。プロジェクトのサイクルは、フィードバックと貢献を受けるため、コンテンツの新鮮な「かたまり」をHUBのコミュニティへと送り出すことから始まります。本の執筆は、完全に透明化されます。コンテンツ、デザイン、イラスト、そして構造が常に共有され、世界中のHUBのメンバーによって、徹底的にコメントが付けられていきます。コアチームは、すべてのコメントに返事をし、そのフィードバックを書籍やデザインへと統合します。この本の「ソフト面での立ち上げ」は、オランダ・アムステルダムで行われ、HUBのメンバーは、そこで人々と会い、ビジネスモデルイノベーションの経験を共有することができました。JAMと一緒に、参加者のビジネスモデルをスケッチするのが、この日の主要なエクササイズになりました。200冊の特別限定版のプロトタイプ本（未完成）が印刷され、執筆プロセスのビデオがフィッシュアイメディアによって制作されました。これをさらに何度か繰り返した後、初版が作成されました。

使用されたツール

戦略：
・環境スキャン
・ビジネスモデルキャンバス
・顧客共感マップ

コンテンツ、R&D：
・顧客インサイト
・ケーススタディ

オープンプロセス：
・オンラインプラットフォーム
・共創
・未完の仕事へのアクセス
・コメントとフィードバック

デザイン：
・オープンデザインプロセス
・ムードボード
・ペーパーモック
・ビジュアライゼーション
・イラストレーション
・写真

数字

9年
の研究と実践

470人
の共著者

19冊
の下書き

8冊
のプロトタイプ

200冊
のテスト印刷

77つ
のフォーラムでの議論

287
のスカイプコール

1360個
のコメント

45カ国

137,757回
のオンラインでの閲覧（出版前）

13.18GB
のコンテンツ

28,456枚
のポスト・イット

4,000時間
以上の制作時間

521枚
の写真

参考文献

Boland, Richard Jr., and Collopy, Fred. Managing as Designing. Stanford: Stanford Business Books. 2004.

Buxton, Bill. Sketching User Experience, Getting the Design Right and the Right Design. New York: Elsevier. 2007.

Denning, Stephen. The Leader's Guide to Storytelling: Mastering the Art and Discipline of Business Narrative. San Francisco: Jossey-Bass. 2005.

Galbraith, Jay R. Designing Complex Organizations. Reading: Addison Wesley. 1973.

Goodwin, Kim. Designing for the Digital Age: How to Create Human-Centered Products and Services. New York: John Wiley & Sons, Inc. 2009.

Harrison, Sam. Ideaspotting: How to Find Your Next Great Idea. Cincinnati: How Books. 2006.

アイデアのちから
チップ・ハース、ダン・ハース著、飯岡美紀訳
(日経BP社, 2008)

Hunter, Richard, and McDonald, Mark, Getting the Right IT: Using Business Models. Gartner EXP CIO Signature report, October 2007.

発想する会社！——世界最高のデザイン・ファームIDEOに学ぶイノベーションの技法
トム・ケリー、ジョナサン・リットマン著、鈴木主税訳、秀岡尚子訳
(早川書房, 2002)

イノベーションの達人！——発想する会社をつくる10の人材
トム・ケリー、ジョナサン・リットマン著、鈴木主税訳
(早川書房, 2006)

ブルー・オーシャン戦略 競争のない世界を創造する
W・チャン・キム著、レネ・モボルニュ著、有賀裕子訳
(ランダムハウス講談社, 2005)

Markides, Constantinos C. Game-Changing Strategies: How to Create New Market Space in Established Industries by Breaking the Rules. San Francisco: Jossey-Bass. 2008.

ブレイン・ルール：脳の力を100%活用する
ジョン・メディナ著、小野木明恵訳
(日本放送出版協会, 2009)

Moggridge, Bill. Designing interactions. Cambridge: MIT Press. 2007.

O'Reilly, Charles A., III, and Michael L. Tushman. The Ambidextrous Organization. Harvard Business Review 82, no. 4 (April 2004): 74—81.

Pillkahn, Ulf. Using Trends and Scenarios as Tools for Strategy Development. New York: John Wiley & Sons, Inc. 2008.

ハイ・コンセプト：「新しいこと」を考え出す人の時代
ダニエル・ピンク著、大前研一訳
(三笠書房, 2006)

競争の戦略 新訂版
M.E.ポーター著、土岐坤訳、服部照夫訳、中辻万治訳
(ダイヤモンド社, 1995)

描いて売り込め！超ビジュアルシンキング
ダン・ローム著、小川敏子訳
(講談社, 2009)

Schrage, Michael. Serious Play: How the Worlds Best Companies Simulate to Innovate. Boston: Harvard Business School Press. 1999.

シナリオ・プランニングの技法
ピーター・シュワルツ著、垰本一雄、池田啓宏訳
(東洋経済新報社, 2000)

Weill, Peter, and Vitale, Michael. Place to Space: Migrating to Ebusiness Models. Boston: Harvard Business School Press. 2001.

市場の反応

本書への市場の反応にはとても満足しています。初版5,000部は、マーケティング予算もなく、伝統的な出版社の支援もない中で、2ヶ月で完売しました。この本についてのニュースは、口コミやブログ、ウェブサイト、Eメール、TwitterなどでHUB広まりました。一番うれしいのは、読者とHUBのフォロワーが本書の内容を議論するために集まったオフ会は、自発的に世界中で行われているということです。

ジレンマです。宿題の読書をするか、@business_designのこの本を楽しむか…　@vshamanov

ちょうど本書を手に入れた。見るからに美しく作られているし、役立つ。おめでとう！　@francoisnel

@business_design著、@thinksmithデザインのこの本を手に入れたんだけど、想像以上に美しい #bmgen　@remarkk

@business_design この本から学んだことにビックリした！ 執筆してくれたこと、感謝しきれないよ！
@will_lom　@hvandenbergh

#bmgen

ワクワクしています！ 本が届いたんです！ 読書の週末になりそう。夫に謝らなくちゃ。:-) #bmgen　@tkeppins

今夜、#ftjcoに向かい@ryantaylorを訪ねて、この本 #bmgen を借りた。刺激的な夜だったよ。　@bgilham

この本を読んでます。たぶん、今まで読んだ中で一番整理された革新的な本だね。　@jhemlig

@business_design この本を活用する三つのステップがある。1）本を買う、2）実際に試す、3）驚く;-)
http://bit.ly/OzZhO　@Acluytens

まだ家も静かな日曜日の朝。カプチーノとこの本を楽しんでいます。
@hvandenbergh

この本 #bmgen のいたるところに書き込みしたい誘惑に駆られたけど、汚すには美しすぎる。2冊必要だと思う。
#bmgento　@skanwar

この本に恋しちゃった！ ありがとう。
@business_design #bmgen
@evelynso

子どもみたいに有頂天になってます。ちょうどこの本を手に入れたんです。素晴らしいブックデザイン。
@santiago_rdm

私だけ？それともトロント中の人がこの本を手に取っているの？ #bmgen
@will_iam

この本はほんとうに素晴らしい本です。子どもがクリスマスにプレゼントを手にした気分です。 #bmgen
@mrchrisadams

アレックス・オスターワルダーとイヴ・ピニュールの本を読んでいます。近年、最高のマネジメント本です。
@JoostC

本を手に入れたばかりなんだけど素晴らしすぎる！本の執筆に関する新しい時代のイノベーション。
@Neerumarya

この本は、最近の表層的なビジネスモデルの議論に深みを与えてくれる #bmgen http://www.pic.gd/667lef
@provice

あなたの大きな実験結果が、日本にもやってきました。初版本。電子書籍でした。
@CoCreatr

ちょうど本を受け取ったばかりです。独創的な発想をする起業家、必携です。
@Peter_Engel

ロンドンで夕食をひとりで食べながらこの本を読んでいました。見事なデザインで、一度見たらもう元に戻れないね。
@roryoconnor

@business_designとイヴ・ピニュールの本が届いた！ほんの小さな部分だけど参加できてよかった。
@jaygoldman

この本に参加できてうれしかった！とうとう出版です！
@pvanabbema

@thinksmith @business_design @patrickpijl みんな、オレは幸せだ！どうかしそうだ。なんて素晴らしい成果なんだ。
@dulk

数日前、この本を手に取ったんだけど、ほんとよかった。素晴らしい作品だよ @business_design @thinksmith
@evangineer

Business Model Generation - Toronto Meetup (#bmgento)
Ticket Information
Share
When
Where
Event Information
The Business Model Canvas
Customer Segments
Business Model Generation
Business Model Generation
Business Model Generation
Business Model Generation
Business Model Generation

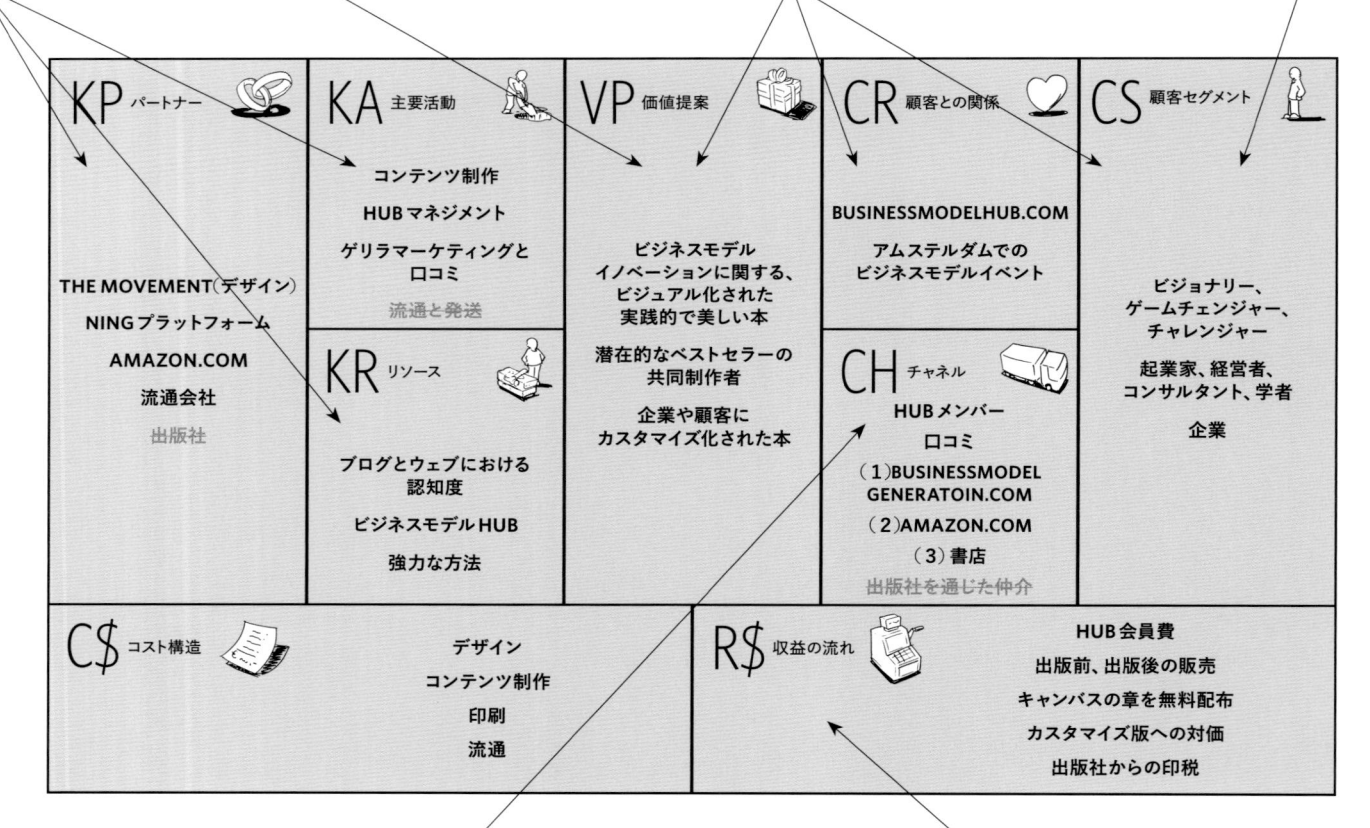

本書のビジネスモデルキャンバス

製造と物流
コンテンツ制作以外の部分を、利用可能なサービス提供者へとアウトソースしました。

差別化
完全に異なるフォーマット、ビジネスモデル、ストーリーによって、競争の激しい市場で目立つことができました。

コミュニティ
世界中で、世界中から参加する実践者と共創してつくられました。彼らは共著者として、主体性を持って参加してくれました。

購買者
購入した顧客は読者であるだけでなく、従業員や顧客のために本をカスタマイズする共同制作者でもあります。

KP パートナー
- THE MOVEMENT（デザイン）
- NING プラットフォーム
- AMAZON.COM
- 流通会社
- 出版社

KA 主要活動
- コンテンツ制作
- HUB マネジメント
- ゲリラマーケティングと口コミ
- 流通と発送

KR リソース
- ブログとウェブにおける認知度
- ビジネスモデルHUB
- 強力な方法

VP 価値提案
- ビジネスモデルイノベーションに関する、ビジュアル化された実践的で美しい本
- 潜在的なベストセラーの共同制作者
- 企業や顧客にカスタマイズ化された本

CR 顧客との関係
- BUSINESSMODELHUB.COM
- アムステルダムでのビジネスモデルイベント

CH チャネル
- HUB メンバー
- 口コミ
  - (1) BUSINESSMODELGENERATOIN.COM
  - (2) AMAZON.COM
  - (3) 書店
- 出版社を通じた仲介

CS 顧客セグメント
- ビジョナリー、ゲームチェンジャー、チャレンジャー
- 起業家、経営者、コンサルタント、学者
- 企業

C$ コスト構造
- デザイン
- コンテンツ制作
- 印刷
- 流通

R$ 収益の流れ
- HUB会員費
- 出版前、出版後の販売
- キャンバスの章を無料配布
- カスタマイズ版への対価
- 出版社からの印税

リーチ
直接、間接のチャネルを組み合わせ、時期によってアプローチを変えることで、リーチと利益を最適化しました。この本のストーリーは、バイラルマーケティングや口コミのプロモーションによって広まりました。

収益
この本は、共同制作者から支払われたアドバンス売上と会員費によって制作資金を調達しました。企業や顧客へのカスタマイズ版によって、追加の収益も生まれました。

アレックス・オスターワルダー
著者

オスターワルダー博士は著者であり、スピーカーであり、ビジネスモデルイノベーションについてのアドバイザーです。革新的なビジネスモデルのデザインへの実用的なアプローチは、イヴ・ピニュール博士とともに開発され、3M、エリクソン、キャップジェミニ、デロイト、Telenor社などの多くの企業により、世界中のさまざまな業界で実践されています。以前は、戦略コンサルティングファームの設立を手伝い、エイズとマラリアとの闘うタイのグローバルなNPOの展開にも参加。スイスのローザンヌ大学で研究も行っていました。

イヴ・ピニュール
共著者

ピニュール博士は1984年からローザンヌ大学で経営情報システムを教えています。アトランタのジョージア州立大学と、バンクーバーのブリティッシュコロンビア大学で客員教授として教えており、情報システム設計、要件定義工学、情報技術管理、イノベーション、eビジネスに関わる多くの研究プロジェクトの主任研究員を務めています。

アラン・スミス
クリエイティブディレクター

アランは、ディテールも愛するスケールの大きな思想家です。その名前にふさわしい変革エージェンシー、THE MOVEMENTの共同創設者です。そこで彼は、コミュニティ知識、ビジネスロジック、デザインシンキングなどを織り交ぜ、クライアントの想像力を刺激する仕事をしています。その結果、得られる戦略、コミュニケーション、インタラクティブプロジェクトは、未来の人工物のように見えますが、常に現代の人々につながっていきます。なぜなら、あらゆるプロジェクトに対して毎日、すごいものを与えようとしてデザインしているからです。

ティム・クラーク
編集者・共著者

クラーク博士は、国際進出を専門としたコンサルティング会社を起業後、上場企業との合併を果たした経験を生かし、オレゴン州立大学ポートランド校の大学院で起業学の講師を務めていました。その後、異国間のビジネス・モデルの適応性をテーマに、一橋大学大学院で博士を取得し、現在は筑波大学国際経営コース（MBA-IB）の教授で起業学、プレゼン術などを教えています。著書として、個人のキャリアをパーソナル・ビジネス・モデルとして捉えた「Business Model You（Wiley）」、「日本人が知らない"儲かる国ニッポン"：外国人起業家が教える成功術（日本経済新聞社）」などがあります。

パトリック・バンデルパイル
プロデューサー

パトリック・バンデルパイルは、国際的なビジネスモデルのコンサルタントであるビジネスモデル社の創業者です。パトリックは新しいビジネスモデルを想像、評価し、実装することによって、組織、起業家、経営陣がビジネスの新しい方法を発見するのを手伝っています。集中的なワークショップ、トレーニングコース、コーチングを通じて、クライアントの成功を支援しています。

解説

ビジネスモデルのイノベーションが世界の企業の関心を集めている。新製品開発や業務革新といったイノベーションは競争上不可避だが、それだけでは利益を生まなくなっているからだ。とくにモノづくりを強みとして標榜しつつも苦戦中の日本企業には、顧客価値提供のあり方自体を変えるビジネスモデルの革新は決定的に重要だ。アップルの成功の裏にも単なるモノの付加価値でないビジネスモデルがあった。

ただし現在のビジネスモデルはいわば第2世代と言える。日本でも2000年ごろビジネスモデル特許などブームがあったが根付かなかった。第2世代はこれと質的に違う。特徴はまず顧客価値を中心に置くこと、顧客やパートナーとの関係性の創出、およびカギとなる能力やノウハウなど社内外の知識資産の活用に焦点を当てていることだ。かつてのビジネスモデルは、自社中心でのモノ、情報、カネの流れの図解にとどまっていた。

一方、いざビジネスモデルを生み出そうとする企業はこれまで暗中模索してきた。さまざまな解釈と不十分なツールが混在していたのだった。なぜならビジネスモデルは戦略論、組織論、マーケティング、財務など多岐にわたる経営の知の綜合だからだ。それぞれの立場で解釈も違ったのだ。

そうした中で、今日的ビジネスモデルをいかに生み出せるかを追究したのが、筆者オスターワルダーたちだった。本書で紹介されるビジネスモデルキャンバスは彼の博士論文から生まれ、ビジネスマンの関心を集め一気に欧州から世界へと広がった。私が最初に彼らに接したのも数年前だが、いまやビジネスモデル構築ツールのデファクトになったといっていい。

本書の肝はわかりやすいグラフィックに象徴されたデザイン思考だ。ビジネスモデルは従来の論理分析的な戦略思考からは出てこない。演繹的な戦略立案の限界に対して近年注目されてきたのがデザイン思考だが、本書もその線に沿っている。ビジネスモデルは机上の作業ではなく、ワークショップやプロトタイピングなど、当事者や顧客との対話の現場での試行錯誤によって具現化するのだ。

なお、本書自体が出版の新しいビジネスモデルであることも特筆すべきだ。45カ国470人もの実践家が共同執筆した。またキャンバスはオープンソースモデルで提供され誰でも使えるが、www.businessmodelgeneration.com と著作権を明記しなければいけない。

紺野 登（多摩大学大学院教授／KIRO代表）

訳者あとがき

1987年、経営マネジメント研究の大家ヘンリー・ミンツバーグは、「戦略クラフティング」と題した論文を発表した。理性によって戦略は計画可能であるという従来の戦略プランニングに対し、工芸（クラフト）というメタファーによって書き換えられた戦略クラフティングは、偶然性に左右され、現場の体験によって臨機応変に創発されていく、極めて創造的なものであった。

こうした創発的なプロセスに、ミンツバーグは調和と統合のセンスを見た。クラフティングは理性的なプランニングに比べれば、確かに理路整然としていない部分もあるが、細部まで注意の行き届いた全体的な調和という点では、プランニング以上のものがある。

ミンツバーグはさらに、パターンに着目する。あるとき偶然、組織の中で新しい成功のパターンが起こる。その計画されないパターンの中に、明日の戦略を発見し、組織全体へと適応していく。これは、芸術家が新しいパターンを発見し、時代に応じて作品の傾向が変わっていくさまとそっくりである。

この論文から20年あまり後に生まれた本書において、ミンツバーグの指摘した臨機応変な創発、全体の調和、パターンといったものが、具体的なツールとプロセスとして結実した。これにより、戦略イノベーションの専門家でなくても、それを生み出せる環境が整ったのである。

ある短い期間だが、いけばなを習ったことがある。極めて創造的な営みであるいけばなも、天地人という3つの異なる役割を持った枝からなる「型」からスタートする。その後、その型を意図的に破り、さらに自分ならではの型を生み出す、いわゆる守破離の学習プロセスが待っている。

この戦略クラフティングもまた、この守破離がある。ビジネスモデルジェネレーションは、まず守るべき型と捉えることができるだろう。ここにあるのは基本であり、そこからの応用は読者に委ねられている。型を破り、自らの型を見つける離を経て、ビジネスモデルという「工芸作品」は完成するのである。

訳者は、2006年より複雑な問題をサクッと解決する仕事のテクニック「ライフハック」をテーマに書籍を執筆、セミナー、企業研修などを行ってきた。このライフハックは若手ビジネスパーソンに向け、ビジネス環境を変える草の根のムーブメントとして展開してきた。

本書もまた、決して経営企画にたずさわる上層部だけでなく、若手も含めた組織全体の共通言語として導入されることをお勧めしたい。現場という「指先」から、思いもよらぬビジネスモデルが紡ぎ出されてくるはずであり、またそれこそがクラフティングの醍醐味だからである。

小山龍介（コンセプトクリエイター）

本書内容に関するお問い合わせについて

本書に関するお問い合わせ、正誤表については下記のWebサイトをご参照ください。電話でのお問い合わせは、お受けしておりません。

正誤表
https://www.shoeisha.co.jp/book/errata/

書籍に関するお問い合わせ
https://www.shoeisha.co.jp/book/qa/

インターネットをご利用でない場合は、Faxまたは郵便で、下記にお問い合わせください。

〒160-0006　東京都新宿区舟町5
（株）翔泳社　愛読者サービスセンター
03-5362-3818

お問い合わせの内容によっては、回答に数日ないしはそれ以上の期間を要する場合があります。

訳者紹介　小山龍介（こやまりゅうすけ）

株式会社ブルームコンセプト代表取締役、立教大学リーダーシップ研究所客員研究員、NPO法人「場の研究所」理事。1975年福岡県生まれ。京都大学文学部哲学科美術史卒業。大手広告代理店勤務を経て、米国MBAを取得。2006年からは松竹（株）で新規事業を立ち上げ、2009年より現職。歴史ある組織内での新規事業立ち上げ支援などを行っている。主な著書として、『IDEA HACKS!2.0』『クラウドHACKS!』（いずれも東洋経済新報社）、『Facebook HACKS!』（日経BP社）等がある。講演・セミナー・研修等は、https://www.bloomconcept.co.jp/までお問い合わせください。

お問い合わせに際してのご注意

本書の対象を超えるもの、記述個所を特定されないもの、また読者固有の環境に起因するお問い合わせ等にはお答えできませんので、あらかじめご了承ください。

※ 本書に記載されたURL等は予告なく変更される場合があります。
※ 本書の出版にあたっては正確な記述につとめましたが、著者や出版社などのいずれも、本書の内容に対してなんらかの保証をするものではなく、内容に基づくいかなる結果に関してもいっさいの責任を負いません。
※ 本書に記載されている会社名、製品名はそれぞれ各社の商標および登録商標です。

アートディレクション	坂 哲二（BANG! Design, inc.）
デザイン	BANG! Design, inc.
カバーイラスト	白根ゆたんぽ
データ協力	アズワン
編集	江種美奈子（翔泳社）

ビジネスモデル・ジェネレーション
ビジネスモデル設計書

2012年2月9日　　初版第1刷発行
2025年7月30日　　初版第14刷発行

著者	アレックス・オスターワルダー＆イヴ・ピニュール
訳者	小山 龍介
発行人	臼井 かおる
発行所	株式会社 翔泳社 （https://www.shoeisha.co.jp）
印刷・製本	TOPPAN株式会社

©2012 SHOEISHA Co.,Ltd.

●本書は著作権法上の保護を受けています。本書の一部または全部について、株式会社 翔泳社から文書による許諾を得ずに、いかなる方法においても無断で複写、複製することは禁じられています　●本書へのお問い合わせについては、左記に記載の内容をお読みください　●落丁・乱丁はお取り替えいたします。03-5362-3705までご連絡ください

ISBN978-4-7981-2297-7
Printed in Japan